# Les anges
# rebelles

Deux événements bouleversent la vie studieuse et monotone du très néo-gothique collège St. John : la découverte d'un manuscrit inédit de Rabelais et le retour de frère John. Hollier et McVarish, deux érudits, héros de l'histoire, qui se disputent le manuscrit jusqu'au jour où McVarish est assassiné dans des circonstances bizarres.

Ce livre n'est pas seulement le roman d'un drame à l'Université; on y parle de lutherie, de vie monastique, d'analyse scientifique des excréments, du monde de la magie et de bien d'autres choses encore.

Tous les thèmes chers à Robertson Davies s'y mêlent : religion, mythologie, merveilleux, vol, parjure et amour. Un magnifique roman, riche d'intelligence autant que d'imagination, où les questions fondamentales traitées avec humour donnent lieu à d'irrésistibles dialogues.

*Né en 1913, dans l'Ontario, Robertson Davies a fait ses études à Oxford avant de mener une carrière multiforme: acteur à l'Old Vic de Londres, metteur en scène, directeur de journal. De retour au Canada en 1940, il est devenu critique littéraire, puis à partir de 1962, professeur d'anglais à l'université de Toronto où il a dirigé le Massey College jusqu'en 1981. La Trilogie de Deptford qui comprend* L'Objet du scandale, Le Manticore *et* Le Monde des merveilles *(publiés en Points Roman) a fait de lui un des plus grands prosateurs en langue anglaise de notre époque.*

# Du même auteur

**5ème emploi**
*Éd. Pierre Tisseyne / Cercle du Livre de France, 1975*

**Le lion avait un visage d'homme**
*Éd. Pierre Tisseyne / Cercle du Livre de France, 1977*

### LA TRILOGIE DE DEPFORD

**I.  L'Objet du scandale**
*Payot, 1989*
*Seuil, coll. « Points Roman » n° 410*

**II.  Le Manticore**
*Payot, 1989*
*Seuil, coll. « Points Roman » n° 442*

**III.  Le Monde des merveilles**
*Payot, 1990*
*Seuil, coll. « Points Roman » n° 491*

# Robertson Davies

# Les anges rebelles

roman

TRADUIT DE L'ANGLAIS
PAR LISA ROSENBAUM

*Éditions Payot*

TEXTE INTÉGRAL

EN COUVERTURE :
Burne-Jones
*L'Enchantement de Merlin*

Titre original : *The Rebel Angels*
Éditeur original : Viking Press, New York
© 1971, Robertson Davies

ISBN 2-02-012974-4
(ISBN 2-228-88287-9, 1ʳᵉ publication)

© Éditions Payot, pour la traduction française, 1990

## LE DEUXIÈME PARADIS I

« Parlabane est de retour.
— Quoi ?
— Comment ? Vous ne connaissez pas la nouvelle ? Parlabane est de retour.
— Oh ! mon Dieu ! »

J'ai descendu le long couloir à la hâte, me frayant un passage parmi des étudiants et des professeurs en train de bavarder. Un peu plus loin, j'ai entendu un autre prof aborder ainsi l'un de ses confrères :

« Vous êtes au courant pour Parlabane ?
— Non. Qu'est-ce qu'il a fait ?
— Il est de retour.
— Pas ici, tout de même !
— Si. Au collège.
— Il ne va pas rester, j'espère ?
— Impossible à dire, surtout avec quelqu'un comme lui ! »

C'était exactement ce qu'il me fallait. Une entrée en matière pour le moment où nous nous reverrions, Hollier et moi, après quatre mois, ou presque, de séparation. Lors de notre dernière rencontre, il était devenu mon amant — c'était du moins ce que j'avais la vanité de penser. En tout cas, il était devenu pour moi l'objet d'un amour torturant. J'avais passé toutes les vacances d'été dans l'agitation, attendant désespérément de recevoir de lui une carte postale d'un de ces endroits d'Europe qu'il visitait. Mais Hollier n'était pas quelqu'un qui envoyait des cartes postales. Ou qui vous disait beaucoup de choses sur un plan personnel. Il était cependant capable de s'exciter, de s'abandonner à ses sentiments. Ce jour, au début du mois de mai, où il m'avait parlé de l'évolution de son travail, et où moi, si désireuse de lui rendre service pour gagner sa reconnaissance et peut-être même son amour, j'avais commis l'inexcusable faute de lui révéler le secret du *bomari*, il avait paru comme transporté. C'est alors qu'il m'avait serrée dans ses bras, posée sur cet horrible vieux canapé qui se trouve dans son bureau et prise dans un grand désordre de vêtements, des gricements de ressorts et l'angoisse sous-jacente que quelqu'un pût entrer. C'est ainsi que nous nous étions séparés, lui, très gêné, moi, bouleversée, stupéfaite et subjuguée. Maintenant j'allais me retrouver face à lui. J'avais bien besoin d'une phrase qui préluderait à la conversation.

J'ai donc gravi l'escalier tournant jusqu'au deuxième étage (les plafonds de St. John étant très hauts, c'est plutôt comme si on en montait trois). Pourquoi me hâtais-je ? Étais-je si impatiente de le voir ? Oui, bien sûr, mais en même temps j'appréhendais cet instant. Comment salue-t-on un professeur, votre directeur de thèse, dont on est amoureuse, qui vous a prise sur son vieux canapé et qui, on l'espère, partagera vos sentiments ? Je suis arrivée sur le palier, hors d'haleine. Il n'y avait là qu'un seul appartement : le sien. Sur la porte du bureau, un écriteau tout déchiré annonçait, calligraphié de sa main : « Le professeur Hollier est là. Frappez et entrez. » Après m'être rendue à cette invitation, je l'ai vu. Il était assis à sa table, ressemblant à un Dante qui aurait eu de meilleures dents supérieures ou à Savonarole, en bien plus beau. Un peu étourdie, j'ai débité en bredouillant la grande nouvelle.

« Parlabane est de retour. »

Je ne m'attendais pas à produire un tel effet. Hollier s'est redressé sur sa chaise. Je ne peux pas dire qu'il soit resté bouche bée, mais sa mâchoire s'est détendue et sa figure a pris cette expression d'intérêt profond que j'aime encore mieux que son sourire — qui n'est pas ce qu'il a de plus attirant.

« Que dites-vous ? Parlabane est ici ?

— C'est ce qu'on raconte, en bas dans le hall.

— Mais c'est terrible !

— Pourquoi terrible ? Qui est ce Parlabane ?

— Vous ne le découvrirez que trop tôt, je pense... Avez-vous passé un été agréable ? Avez-vous travaillé ? »

Pas la moindre allusion à l'épisode du canapé, meuble qui se trouvait juste à côté de lui et me semblait être l'objet le plus important de toute la pièce. Seulement des questions de prof concernant les études. Il s'en fichait pas mal de mes vacances. Il voulait simplement savoir si j'avais avancé dans mon travail, c'est-à-dire dans ce qui représentait une toute petite parcelle de l'infrastructure de son travail à lui. Il ne m'avait même pas demandé de m'asseoir ; or, avec l'éducation que j'ai reçue, il m'est impossible de prendre ce genre de liberté en présence d'un professeur. Je me suis donc mise à lui parler du travail que j'avais fait. Au bout de quelques minutes, il s'est aperçu que j'étais debout et m'a indiqué une chaise. Il était satisfait de mon compte rendu.

« Je me suis arrangé pour que vous puissiez travailler ici cette année. Vous avez certainement un coin pour ça quelque part, mais ici, dans mon bureau, vous pourrez étaler vos livres et vos papiers et les laisser la nuit. J'ai libéré cette table pour vous. J'aurai besoin de votre présence. »

Je me suis mise à trembler. Les filles tremblent-elles encore quand leur amant leur dit qu'il a besoin de leur présence ? Moi, oui, en tout tous cas.

« Savez-vous pourquoi ? » a-t-il poursuivi.

J'ai rougi. Cela m'ennuie de rougir encore à vingt-trois ans, mais je ne peux pas m'en empêcher. J'étais trop émue pour parler.

« Bien sûr que non. Comment le sauriez-vous ? Ce que je

vais vous dire vous donnera un choc : Cornish est mort ce matin. »

Ô rage, ô désespoir ! Ce n'était pas à cause du canapé, ni de ce qu'il symbolisait !

« Je ne pense pas connaître cette personne, ai-je dit.

— Francis Cornish est — ou plutôt était — le plus grand mécène et amateur d'art que ce pays ait jamais connu. Immensément riche, il dépensait surtout son argent en tableaux. Ils iront à la National Gallery. Je le sais parce que je suis son exécuteur testamentaire. Gardez cette information pour vous, elle n'est pas encore officielle. Cornish était également un collectionneur averti de livres — il les a légués à la bibliothèque de l'université — et un collectionneur moins averti de manuscrits. En ce qui concerne ces derniers, il ne savait pas très bien ce qu'il avait : les tableaux l'occupaient tellement qu'il ne lui restait guère de temps pour autre chose. Les manuscrits iront à la bibliothèque, eux aussi. Or l'un d'eux vous conduira à la réussite et me sera très utile à moi aussi, je l'espère. Dès que nous parviendrons à mettre la main dessus, vous commencerez un travail vraiment sérieux — un travail qui vous fera grimper de plusieurs degrés l'échelle de l'érudition. Ce manuscrit sera le nerf de votre thèse. Je vous assure qu'il ne s'agit pas d'un de ces vieux chiffons moisis, complètement défraîchis à force d'avoir servi, dont la plupart des étudiants doivent se contenter. Il pourrait bien faire l'effet d'une petite bombe dans l'étude de la Renaissance. »

Je n'ai pas su quoi répondre. J'aurais voulu dire : suis-je donc redevenue une simple étudiante, bien que vous m'ayez culbutée sur votre canapé ? Se peut-il que vous soyez dénué à ce point de sentiments, que vous soyez tellement prof ? Cependant, sachant ce qu'il voulait entendre, j'ai dit :

« Oh ! mais c'est passionnant ! C'est merveilleux ! De quoi traite-t-il ?

— Tout ce que je sais, c'est que son sujet est de votre domaine. Vous aurez à vous servir de toutes vos connaissances

linguistiques : français, latin, grec, et il se peut même que
vous ayez à apprendre un peu d'hébreu.

— Mais de quoi s'agit-il, enfin ? Ce manuscrit vous
intéresserait-il autant si vous n'aviez pas la moindre idée de
ce dont il parle ?

— Tout ce que je peux vous dire, c'est qu'il est exceptionnel et qu'il pourrait faire beaucoup de bruit. Mais excusez-
moi : j'ai pas mal de choses à faire d'ici au déjeuner. Nous
devons donc remettre cette conversation à plus tard. Je vous
conseille d'apporter vos affaires ici ce matin et de mettre une
carte portant votre nom sur la porte. Je suis content de vous
revoir. »

Là-dessus, il est parti en traînant ses savates et a gravi les
marches qui mènent à la grande pièce qui lui sert de bureau
privé et où un lit de camp dépasse d'un paravent — je le
sais parce qu'un jour où Hollier était sorti j'y ai jeté un coup
d'œil. Il est très beau, ai-je pensé, mais ces éminents
universitaires sont protéiformes : si son travail marche bien,
il franchira cette porte dans deux heures, l'air d'avoir trente
ans, au lieu des quarante-cinq qu'il a en réalité. Mais, pour
le moment, il joue au professeur vieux schnock.

Content de me revoir ! Pas un baiser, pas un sourire, pas
même une poignée de main ! La déception m'a envahie
comme un poison.

Mais rien ne pressait. J'allais être en permanence sous ses
yeux, dans son bureau de réception. Le temps opère des
miracles.

Comme j'ai tout de même la passion des lettres, une autre
sorte d'excitation a un peu adouci mon désappointement :
quel pouvait bien être ce manuscrit au sujet duquel Hollier
s'était montré si évasif ?

## 2

J'étais en train de disposer mes affaires sur la table du
bureau, après le déjeuner, quand on a frappé doucement à

la porte. Puis quelqu'un est entré. Ça ne pouvait être que Parlabane. Je connaissais tous ceux qui, à St. John, auraient pu se présenter ainsi vêtus. La soutane ou la robe de moine qu'il portait avait ce petit côté déguisement que l'on associe à l'anglicanisme plutôt qu'au catholicisme. Mais cet homme n'était pas l'un des profs de religion du collège.

« Je suis frère John, ou le docteur Parlabane, si vous préférez. Le professeur Hollier est-il là ?

— Non, et je ne sais pas quand il reviendra. Certainement pas avant une heure. Dois-je lui dire que vous repasserez ?

— Ma chère demoiselle, vous avez l'air de croire que je vais repartir tout de suite. Je ne suis nullement pressé. Nous pourrions bavarder un peu. Je me demande qui vous êtes.

— Une étudiante du professeur Hollier.

— Et vous travaillez dans cette pièce ?

— Oui, à partir de demain.

— Une étudiante très spéciale, alors, pour avoir le privilège de travailler si près du grand homme. Car c'est bien ce qu'il est devenu, mon ancien camarade de classe. Du moins pour ceux qui comprennent ce qu'il fait. Vous êtes du nombre, je suppose ?

— Je suis une étudiante, comme je vous l'ai dit.

— Vous devez avoir un nom, mademoiselle.

— Je m'appelle Theotoky.

— Quel nom merveilleux ! Le prononcer est un vrai plaisir ! Mlle Theotoky. Mais Mlle quoi Theotoky ?

— Si vous tenez absolument à le savoir, mon nom entier, c'est Maria Magdalena Theotoky.

— De mieux en mieux. Mais quel contraste ! Theotoky — avec l'accent tonique mis fermement sur le premier o — accolé au nom de la célèbre pécheresse du corps de laquelle Notre Seigneur chassa sept démons... Vous n'êtes pas canadienne, je présume ?

— Si.

— C'est vrai, j'oublie toujours que n'importe quel nom

peut être canadien. Mais, dans votre cas, il doit l'être de
fraîche date.

— Je suis née ici.

— Mais vos parents viennent d'ailleurs, c'est cela ? De
quel pays ?

— D'Angleterre.

— Et avant ça ?

— Pourquoi voulez-vous le savoir ?

— Parce que je suis un grand curieux. Et que vous éveillez
la curiosité, ma chère, comme toutes les filles très belles.
Bien entendu, vous savez que vous êtes très belle. Mais ma
curiosité à moi est tout à fait bienveillante et paternelle, je
vous assure. Vous n'êtes pas une de ces jolies roses anglaises.
Vous êtes quelque chose de plus mystérieux. Votre nom —
Theotoky — signifie ''porteur de Dieu'', n'est-ce pas ? Ce
n'est pas du tout anglais, ça ! Dans un esprit de curiosité et
de sympathie chrétienne, je vous repose donc ma question :
où étaient vos parents avant de vivre en Angleterre ?

— En Hongrie.

— Ah ! nous y voilà ! Et vos chers parents ont eu la
sagesse de foutre le camp quand il y a eu des troubles là-
bas, exact ?

— Tout à fait exact.

— Confidence pour confidence, et les noms étant
quelque chose d'extrêmement important, je vous parlerai
du mien. Il est d'origine huguenote. Il y a fort longtemps,
je devais avoir un ancêtre très éloquent, d'où son
patronyme. Après plusieurs générations en Irlande, celui-ci
se transforma en Parlabane, et maintenant, après plusieurs
autres générations au Canada, il est tout aussi canadien
que le vôtre, ma chère. Sur ce continent, nous avons la
bêtise de penser qu'après cinq cents générations passées
ailleurs nous devenons complètement canadiens — des
Nord-Américains prosaïques et réalistes — en l'espace
d'une seule courte vie. Maria Magdalena Theotoky, je sens
que nous allons être de grands amis.

— Oui... Mais je dois travailler, maintenant. Le professeur Hollier ne sera pas de retour avant un bon moment.

— Par bonheur, j'ai tout mon temps. J'attendrai. Avec votre permission, je m'installerai sur ce vieux canapé miteux, puisque vous ne vous en servez pas. Dieu ! dans quel état il est ! Clem ne s'est jamais préoccupé de son cadre de vie. Cet endroit lui ressemble. Ce qui me ravit, bien sûr. Je suis très content d'être revenu dans ce cher vieux Spook*.

— Je vous préviens que le recteur a horreur que les gens appellent le collège par ce nom.

— Le recteur est un monsieur bien pensant. Rassurez-vous, je ne ferai jamais l'erreur de prononcer ce mot en sa présence. Mais entre nous, Molly — je pense que je devrais vous appeler Molly, en tant que diminutif de Maria —, comment, au nom du ciel, le président peut-il s'attendre à ce qu'un collège appelé Saint John and the Holy Ghost ne soit pas rebaptisé Spook ? J'aime ce nom-là. Je le trouve affectueux. Or j'aime être affectueux. »

Il s'était déjà étendu sur le canapé — ce meuble auquel j'associais tant de souvenirs — et je voyais clairement que je ne pourrais pas me débarrasser de lui. Je me suis donc tue, me replongeant dans mon travail.

Mais comme il a raison, me suis-je dit ! En effet, la pièce ressemble beaucoup à Hollier, et à Spook aussi. Spook a cent quarante ans environ. Il a été bâti à une époque où le style néo-gothique faisait fureur chez les architectes. Celui qui a dessiné Spook connaissait son métier. En conséquence, l'édifice n'est pas hideux. Cependant, il comporte toutes sortes d'angles bizarres et d'espace gaspillé, comme, par exemple, l'appartement de Hollier. Situé en haut de deux longues volées d'escalier, il est le seul sur le palier. A part lui, il n'y a qu'un couloir qui conduit à la tribune de l'orgue de la

---

* Le collège s'appelle Saint John and the Holy Ghost (Saint Jean et le Saint-Esprit), mais *ghost* veut également dire fantôme, revenant, d'où *spook*, mot humoristique donnant ce deuxième sens (N.d.T.).

chapelle. Il comporte le bureau de réception où je travaille, une pièce spacieuse dotée de deux grandes fenêtres cintrées, puis on monte trois marches et, en tournant à un coin, on parvient dans le bureau privé de Hollier, qui sert aussi de chambre à coucher. Le cabinet de toilette et les W.-C. se trouvent à l'étage au-dessous, et quand Hollier veut prendre un bain il doit se rendre dans une autre aile du collège, conformément à la grande tradition d'inconfort d'Oxford et de Cambridge. Les lieux sont aussi gothiques qu'on a pu les rendre au XIXᵉ siècle. Mais, dénué de tout sens de l'harmonie dans ce domaine, Hollier les a meublés avec des vieilleries délabrées provenant de la maison de sa mère. Tout ce qui a des pieds branle, tout ce qui est capitonné perd sa bourre et présente de vilaines taches graisseuses. Aux murs, on ne voit que des photographies de promotions d'étudiants, datant des jeunes années de Hollier, ici, à Spook. Hormis les livres, il n'y a qu'un seul autre objet qui semble être à sa place dans cette pièce : une grande cornue, de celles qui ont l'air d'une sculpture abstraite représentant un pélican, posée en haut d'une étagère. Quelqu'un qui ne connaissait pas l'indifférence de Hollier à l'égard de son cadre de vie lui avait offert ce pittoresque récipient quelques années plus tôt. Selon les critères courants, l'appartement de Hollier est un foutoir, mais il a une cohésion — et même un confort — qui lui est propre. Quand on passe sur le désordre, la négligence et, je suppose qu'on doit dire la saleté, qui y règnent, on s'aperçoit que cet endroit est étrangement beau, tout comme son occupant.

Parlabane est resté couché sur le canapé près de deux heures, deux heures au cours desquelles il n'a pratiquement pas cessé de me regarder. J'avais quelque chose à faire à l'extérieur, mais pour rien au monde je ne l'aurais laissé maître des lieux. Je me suis donc trouvé du travail et j'ai réfléchi à ce type. Comment avait-il réussi à me faire parler autant en si peu de temps ? Et comment avait-il pu m'appeler « ma chère » de cette façon sans que je réagisse ? Et « Molly » ?

Cet homme avait un culot monstre, mais cela sous un aspect si gentil et onctueux qu'il vous désarmait complètement. J'ai commencé à comprendre pourquoi son retour avait provoqué une telle consternation.

Enfin Hollier est revenu.

« Clem ! Cher vieux Clem ! Que je suis heureux de te revoir !

— John... On vient de me dire que tu étais de retour.

— Oui, et Spook est ravi de me revoir ! J'ai reçu un accueil tout ce qu'il y a de spookien. J'ai passé la matinée à brosser le givre qui s'était formé sur mon habit. Mais maintenant je me retrouve avec mon cher vieux Clem, et la charmante Molly, qui deviendra elle aussi une très grande amie.

— Tu as fait la connaissance de Mlle Theotoky ?

— Adorable Molly ! Nous avons eu une très agréable conversation à cœur ouvert.

— Eh bien, viens bavarder un peu avec moi maintenant. Entre dans ma chambre. Je suppose que vous voulez partir, miss T. ? »

Miss T., c'est ainsi qu'il m'appelle quand il veut se montrer moins familier — une étape intermédiaire entre mon vrai nom et mon prénom, qu'il n'emploie que très rarement.

Les deux hommes ont gravi les marches qui mènent au bureau privé de Hollier, et moi j'ai descendu les deux longs escaliers, jusqu'au rez-de-chaussée. Au plus profond de mon être, je sentais que quelque chose avait mal tourné. Non, ce trimestre ne s'annonçait pas aussi merveilleux que je l'avais espéré.

### 3

J'aime me mettre au travail de bonne heure, c'est-à-dire, être assise à mon bureau à neuf heures et demie, contrairement à la plupart des étudiants de mon genre qui commencent tard et finissent tard. En entrant dans le bureau de réception de Hollier, j'ai tout de suite perçu cette mauvaise odeur qu'engendrent les hommes peu soigneux de leur personne quand ils dorment la fenêtre fermée — une odeur de cage aux fauves. Parlabane était là, étendu sur le canapé, dormant à poings fermés. Il n'avait enlevé que sa lourde robe de moine pour s'en servir comme couverture. Pareil à un animal, il a tout de suite senti ma présence. Il a ouvert les yeux et bâillé.

« Bonjour, ma chère Molly.

— Avez-vous passé la nuit ici ?

— Notre génie préféré m'a autorisé à crécher ici jusqu'à ce que Spook me trouve une chambre. J'avais oublié de prévenir l'économe de mon arrivée. Bon, maintenant je dois dire mes prières et me raser — un vrai rasage de moine, à l'eau froide et sans savon, à moins qu'il y en ait un morceau dans le cabinet de toilette. Ce genre d'austérité vous aide à rester humble. »

Parlabane a mis et lacé une grosse paire de brodequins noirs. Puis, prenant un petit sac à dos qu'il avait caché derrière le canapé, il en a extirpé une trousse de toilette sale. Ensuite, il est sorti en marmonnant entre ses dents — des prières, je suppose. J'ai ouvert les fenêtres en grand pour aérer.

Cela devait faire environ deux heures que je travaillais, avec mes papiers étalés et mes livres empilés sur la grande table, et ma machine portative branchée, quand Parlabane est revenu. Il portait une grande valise de cuir éraflée qui avait l'air d'avoir été achetée au bureau des objets trouvés.

« Ne faites pas attention à moi, ma chère. Je me tiendrai absolument coi. Je vais simplement ranger ma caisse ici, dans ce coin — vous ne trouvez pas que caisse est un terme approprié pour un vieux bagage comme celui-ci ? Ainsi, il ne vous gênera pas. »

Cela fait, il s'est réinstallé sur le canapé et a commencé à lire un petit livre noir en bougeant silencieusement les lèvres. D'autres prières, sans doute.

« Excusez-moi, docteur Parlabane. Avez-vous l'intention de passer toute la matinée ici ?

— Toute la matinée, ainsi que l'après-midi et la soirée. L'économe n'a pas de chambre pour moi. Il a cependant eu la gentillesse de me dire que je pouvais manger au réfectoire. Si c'est là de la gentillesse : le souvenir de l'ordinaire de Spook m'en ferait plutôt douter.

— Mais c'est *mon* bureau ici !

— J'ai l'honneur de le partager avec vous.

— C'est impossible. Comment voulez-vous que je travaille avec vous à proximité ?

— Je comprends parfaitement que, comme tous les érudits, vous désiriez travailler dans la solitude. Mais la charité, Molly, que faites-vous de la charité ? Je n'ai pas d'autre endroit où aller.

— J'en parlerai au professeur Hollier !

— A votre place, je réfléchirais avant de le faire. Il me demandera peut-être de partir, mais par ailleurs, il se pourrait aussi qu'il vous dise de retourner dans votre niche, quel que soit le nom de ces petits placards dans lesquels travaillent les étudiants. Hollier et moi sommes de très vieux amis. Nous nous sommes connus alors que vous n'étiez même pas encore née, ma chère. »

La colère m'a rendue muette. Je suis partie et j'ai traîné à la bibliothèque jusqu'après le déjeuner. Ensuite, je suis retournée dans le bureau, me disant que je devais essayer encore une fois. Assis sur le canapé, Parlabane était en train de lire un dossier qu'il avait pris sur ma table.

« Soyez la bienvenue, ma chère Molly ! Je savais que vous reviendriez. Vous n'êtes pas quelqu'un à rester fâché bien longtemps. Avec un nom comme le vôtre — Maria, mère de Dieu —, vous devez être compréhensive et indulgente. Mais dites-moi, pourquoi avez-vous fait une étude aussi approfondie de ce moine renégat qu'était François Rabelais ?

J'ai jeté un coup d'œil sur vos papiers. Je ne m'attendais pas à ce que vous ayez ce genre de fréquentation.

— Rabelais est l'une des figures incomprises de la Réforme. Il entre dans le domaine particulier que j'étudie. »

Flûte ! Pourquoi diable lui expliquais-je tout ça ? Parlabane avait le chic pour me mettre sur la défensive.

« Ah oui, la prétendue Réforme. Beaucoup de bruit pour pas grand-chose ! Rabelais était-il vraiment un de ces sales semeurs de discorde ? Rassemblait-il à cet horrible Luther ?

— Il ressemblait à l'admirable Érasme.

— Je vois. Mais il avait l'esprit terriblement mal tourné. Et il méprisait les femmes, si je me souviens bien. Cela fait des années que j'ai lu son espèce de roman sur les géants, un livre maladroit et grossier. Mais ne nous disputons pas, Molly. Cohabitons dans un esprit de sainte charité. Depuis notre dernière conversation, j'ai vu Clem. Il dit que je peux rester ici. Si j'étais vous, je ne l'embêterais pas à ce sujet : il a l'air d'avoir des préoccupations autrement plus importantes et élevées. »

Il avait donc gagné ! Je n'aurais pas dû quitter la pièce. Il avait parlé à Hollier le premier. Il m'a regardé avec un sourire de chat.

« Vous devez comprendre une chose, ma chère : mon cas est tout à fait particulier. En fait, toute ma vie j'ai été un cas particulier. Mais j'ai trouvé la solution à tous nos problèmes. Regardez cette pièce ! C'est celle, typique, d'un savant médiéval. Regardez cet objet, là, sur l'étagère : il est alchimique — même un type comme moi est capable de voir ça. Ce lieu ressemble au cabinet d'étude d'un alchimiste dans quelque paisible université médiévale. Et il est au complet, qui plus est ! Nous avons le grand savant en personne, Clement Hollier, et vous, l'indispensable auxiliaire de l'alchimiste, sa *soror mystica*, sa petite amie sur le plan intellectuel, pour l'exprimer en termes modernes. Que manque-t-il ? Le *famulus*, évidemment ! Le serviteur intime de l'érudit, son disciple dévoué, son domestique silencieux.

Je me nomme *famulus* de ce petit coin du Moyen Âge. Je peux me rendre très utile, vous verrez. Regardez : j'ai déjà rangé les livres qui se trouvent sur cette étagère par ordre alphabétique. »

Zut ! J'avais l'intention de le faire moi-même. Hollier ne trouvait jamais rien. Il était tellement désordonné ! J'eus envie de pleurer. Mais pour rien au monde je n'aurais pleuré devant Parlabane.

« Cette pièce est nettoyée une fois par semaine, je suppose, a poursuivi ce dernier. Par une femme de ménage à laquelle Hollier a dû inspirer une telle terreur qu'elle n'ose plus toucher à rien ou changer quoi que ce soit de place. N'ai-je pas raison ? Moi, je ferai le ménage de manière que cet endroit soit propre — pas impeccable, mais relativement propre, ce qui, pour un savant, est à la limite du supportable. Trop de propreté entrave la création, la pensée spéculative. Je ferai le ménage pour vous, ma chère Molly. Et je vous respecterai comme un *famulus* doit respecter la *soror mystica* de son maître.

— Me respecterez-vous assez pour ne pas fouiner dans mes papiers ?

— Peut-être pas autant que cela. J'aime être au courant des choses. Mais, quoi que je découvre, je ne vous trahirai pas, chère amie. Je ne suis pas devenu ce que je suis en jasant à tort et à travers. »

Et que croyait-il être devenu, ce moine minable aux lunettes rafistolées sur les tempes avec du sparadrap ? La réponse m'est venue tout de suite : un intrigant qui s'était insinué dans mon petit univers et qui m'avait déjà dérobé une bonne partie de celui-ci. Je l'ai regardé droit dans les yeux, mais il était bien meilleur que moi à ce petit jeu. Aussi, quelques instants plus tard, j'étais de nouveau dans l'escalier, furieuse, blessée et perplexe.

Zut ! Zut ! Zut !

# LE NOUVEL AUBREY I

Pour moi, l'automne est la plus agréable des saisons, et la vie universitaire, la meilleure des vies. Durant toutes mes années estudiantines et plus tard comme professeur, j'ai observé que le premier trimestre commence très souvent par une belle journée. Alors que je descendais l'avenue plantée d'érables qui conduit à la librairie de l'université, j'étais aussi content qu'il est dans ma nature de l'être : j'incline à être heureux ou à travailler avec enthousiasme, ce qui, pour moi, revient au même.

Je rencontrai Ellerman en compagnie d'une des rares personnes que je déteste réellement : Urquhart McVarish. Atteint d'un cancer, le pauvre Ellerman avait beaucoup plus mauvaise mine que lorsque je l'avais vu la fois précédente.

« Vous avez pris votre retraite, et pourtant, au premier jour du trimestre, vous êtes là, dans votre vieux royaume, dis-je. Je vous croyais en train de jouir de votre liberté dans quelque île grecque ou dans un endroit de ce genre. »

Ellerman eut un petit sourire triste et McVarish émit un de ces sons asthmatiques qui, chez lui, passent pour un rire.

« Père Darcourt, dit ce dernier, vous devriez être le premier à savoir que le chien retourne à sa vomissure et la truie à sa fange. »

Là-dessus, il rit de nouveau, tout content de lui.

Ça, c'était McVarish tout craché : désagréable envers ce pauvre Ellerman, qui, de toute évidence, était mortellement malade, et désagréable envers moi parce que j'étais pasteur, chose que, selon lui, aucun homme sensé n'avait le droit d'être.

« J'avais envie de voir à quoi ressemble le campus maintenant que je n'en fais plus partie, répondit Ellerman. Et, à vrai dire, j'avais envie de voir quelques jeunes. J'ai passé ma vie parmi eux.

— Une grave faiblesse, commenta Urky McVarish. Ne devenez jamais un accro de la jeunesse. Les fruits verts, ça fiche la colique. »

Envie de voir des jeunes … J'ai souvent remarqué ce désir chez les moribonds. Des femmes qui souhaitaient voir des bébés, par exemple. Pauvre Ellerman.

« Pas seulement des jeunes, Urky, poursuivit ce dernier. Des personnes plus âgées aussi. L'université est une merveilleuse communauté, vous savez. On y trouve les individus les plus variés, et tous montrent leur vraie personnalité d'une façon infiniment plus libre que s'ils travaillaient dans le monde des affaires, celui de la justice, ou dans n'importe quel autre milieu. On devrait écrire un livre sur elle. J'avais pensé le faire moi-même, mais maintenant je l'ai quittée.

— Quelqu'un est déjà en train de le faire, affirma McVarish. Doyle est payée par l'université pour ça. On lui a donné trois ans de congé pour mener sa tâche à bien, un budget, des secrétaires, des assistants, tout ce que son cœur avide d'historienne peut désirer. Finalement, on obtiendra trois gros volumes d'un texte plat et ennuyeux. Mais quelle importance ? Nous aurons notre histoire.

— Non, non, cela n'a rien à voir, protesta Ellerman. Je pensais à une histoire fantaisiste comprenant toutes sortes de petits détails que personne ne songe jamais à consigner, mais qui sont la substance même de la vie : ce que les gens ont dit ou fait en privé, hors contexte officiel, tous les potins et toutes les rumeurs circulant sur le campus, sans obligation de les justifier.

— Quelque chose dans le genre des *Vies brèves* d'Aubrey ? » demandai-je presque sans réfléchir, mais désirant être agréable à Ellerman qui avait si mauvaise mine.

Il répondit à ma remarque avec une énergie qui me surprit. Il bondit presque sur place.

« C'est ça ! C'est tout à fait ça ! Il faudrait quelqu'un comme John Aubrey, quelqu'un qui écoute tout, s'étonne de tout et prend hâtivement des notes sans trop se soucier du style. Une sorte de pie universitaire, un collectionneur de broutilles. Voilà ce dont cette université a besoin. Si seulement j'avais dix ans de moins ! »

Le pauvre homme, pensai-je. Il s'accroche à la vie qui s'écoule de lui et croit la trouver dans l'alcool des commérages.

« Qu'attendez-vous, Darcourt ? fit McVarish. Ellerman vient de brosser votre portrait : une pie universitaire, peu soucieuse de style. C'est tout à fait vous. Assis comme un corbeau en haut de votre tour, vous promenez votre regard sur toute l'étendue du campus. Ellerman vous a donné une raison d'être. »

McVarish me fait toujours penser à ce conte de fées dans lequel un crapaud sort de la bouche d'une jeune fille chaque fois que celle-ci prononce un mot. Dans une conversation ordinaire, il arrivait à dire plus de rosseries que n'importe quelle personne que je connais tout en les faisant passer pour de l'esprit aux yeux de pauvres innocents comme Ellerman. Celui-ci s'était mis à rire.

« Vous voyez, Darcourt : la gloire vous attend ! Il vous faudra devenir un nouvel Aubrey.

— Vous pourrez commencer votre galerie de portraits par le dépiauteur de crottes, suggéra McVarish. C'est certainement l'animal le plus étrange de tout notre zoo.

— Je ne vois pas de qui vous voulez parler.

— Bien sûr que si ! Du professeur Ozias Froats.

— Je ne l'ai encore jamais entendu appeler comme ça.

— Cela ne saurait tarder, Darcourt, cela ne saurait tarder. Car c'est bien ce qu'il fait et ce pour quoi il reçoit de grosses subventions. Or, maintenant qu'on surveille les fonds de l'université de près, certaines questions risquent de surgir à ce sujet. Ensuite … oh, vous n'auriez que l'embarras du choix. Mais vous devriez peut-être donner la priorité à Francis Cornish. Savez-vous qu'il est mort la nuit dernière ?

— Navré de l'apprendre, dit Ellerman — maintenant, l'annonce de toute mort le navrait. Il avait de ces collections !

— ''Accumulations'' serait peut-être un terme plus juste. Des montagnes de choses. Durant les dernières années de sa vie, il ne devait même pas savoir ce qu'il avait. Mais moi je le saurai bientôt. Je suis son exécuteur testamentaire. »

Ellerman parut excité.

« Des livres, des tableaux, des manuscrits ! s'écria-t-il, l'œil brillant. Je suppose que Spook est l'un des principaux héritiers ?

— Je ne le saurai que lorsque j'aurai vu le testament, mais c'est probable. Et ça devrait être du nanan. Du nanan, répéta McVarish d'un air gourmand.

— Vous êtes son seul exécuteur testamentaire ? s'informa Ellerman. J'espère être là pour voir ce qui se passe. »

Le pauvre homme devait se douter qu'il y avait peu de chances.

« Pour autant que je le sache, oui, je suis le seul. Nous étions des amis intimes. Je suis content de pouvoir faire ce travail. »

Là-dessus, McVarish et Ellerman poursuivirent leur chemin. La journée me parut moins belle qu'avant. Cornish avait-il fait un autre testament ? Pendant des années, j'avais cru que ce serait moi, son exécuteur testamentaire.

## 2

Quelques jours plus tard, j'en savais un peu plus là-dessus. Avec deux autres pasteurs, je célébrais les grandioses funérailles que nous faisions à Cornish dans la belle chapelle de Spook. Cornish avait été un distingué ancien étudiant du collège de Saint John and the Holy Ghost ; il n'appartenait à aucune paroisse ; Spook s'attendait à recevoir de lui un bel héritage ; trois bonnes raisons pour l'enterrer en grande pompe.

Je l'aimais bien, Cornish. Nous avions partagé la même passion pour la musique ancienne et je l'avais conseillé pour l'achat de manuscrits dans ce domaine. Mais il aurait été ridicule de ma part de prétendre que nous étions des amis intimes. C'était un excentrique, et je crois que ses goûts sexuels sortaient de l'ordinaire. Il avait quelques amis bizarres, dont Urquhart MacVarish. J'avais été assez contrarié, en recevant de l'avocat mon exemplaire du testament, de découvrir que McVarish était effectivement l'un des exécuteurs testamentaires, au même titre que Clement Hollier et moi. Que Cornish eût choisi Hollier était tout à fait compréhensible. Clement était un grand spécialiste du Moyen Âge ; il avait même une réputation mondiale en tant que paléo-psychologue. La paléo-psychologie est une discipline assez particulière. Si je comprends bien, on peut, en fouillant dans les vieux livres et les vieux manuscrits, se faire une idée de ce que les hommes de la pré-Renaissance pensaient d'eux-mêmes et du monde qu'ils connaissaient. J'avais eu de vagues relations avec Clement à l'époque où nous faisions tous deux nos études à Spook. Maintenant, nous nous saluions quand nous nous rencontrions, mais nos voies avaient divergé. Hollier serait l'homme approprié pour s'occuper d'une grande partie des biens de Cornish. Mais McVarish... pourquoi lui ?

En fait, McVarish ne serait pas libre de faire ce qu'il voulait, pas plus que Hollier ou que moi. Cornish, en effet, ne nous avait pas exactement désignés comme ses exécuteurs testamentaires, mais plutôt comme des conseillers et des experts en ce qui concernait le legs des collections de tableaux, de livres et de manuscrits. Le véritable exécuteur, c'était le neveu de Cornish, Arthur Cornish, un jeune homme d'affaires qui avait la réputation d'être très capable et riche. Nous agirions tous selon ses instructions. Il était assis au premier rang des bancs d'église, très droit, peu touché en apparence, image parfaite d'un homme d'affaires qui a réussi, et complètement différent de son oncle Francis, cet homme de haute stature, dégingandé et myope, que nous étions en train d'enterrer.

Depuis ma stalle, dans le chœur, je voyais aussi McVarish. Il suivait le rituel d'une manière impeccable, se levant, s'asseyant, s'agenouillant au bon moment, mais cela d'une façon qui semblait suggérer qu'il était un gentleman vivant parmi des gens barbares et superstitieux, et qu'on ne devait en aucun cas le soupçonner de prendre toutes ces simagrées au sérieux. Pendant que le recteur de Spook prononçait un court éloge funèbre de Cornish, montrant celui-ci sous le meilleur jour possible, McVarish arbora un sourire carrément sarcastique, comme pour dire qu'il savait sur le défunt deux ou trois choses piquantes qui changeraient complètement ce beau panégyrique. Pas nécessairement affriolantes. Cornish était un marchand de tableaux très entreprenant, achetant aussi les œuvres de certains des meilleurs artistes canadiens, et, dans l'assistance, je distinguais plusieurs personnes dont on aurait pu dire qu'elles avaient été roulées par le défunt, de cette manière qui est propre à l'amateur d'art. Pourquoi étaient-elles venues aux obsèques ? Une pensée peu charitable me traversa l'esprit : peut-être pour s'assurer que Cornish était bien mort. Les grands collectionneurs ne sont pas toujours gentils. Les grands bienfaiteurs, en revanche, le sont incontestablement. Or Cornish avait légué une petite fortune à Spook, bien que le collège n'en fût pas encore officiellement avisé. Toutefois, j'avais glissé cette information au recteur, et celui-ci exprimait sa gratitude de la seule façon dont peut le faire le responsable d'un établissement d'enseignement qui reçoit une donation : en priant très fort et longuement pour l'ami défunt.

Très médiéval, en fait. Quel que soient le niveau scientifique et pédagogique ou les conceptions modernes d'un collège, d'une université, ceux-ci gardent toujours une forte trace de leurs origines médiévales ; chose étonnante, le fait que Spook fût un collège du Nouveau Monde dans une université du Nouveau Monde n'y changeait pratiquement rien.

Tandis que les fidèles écoutaient la respectable prose du recteur, leurs visages — que, de ma place, je voyais si distinctement — reflétaient un calme quasi médiéval. Hormis, naturellement, le rictus plein de sous-entendus de MacVarish. J'apercevais Hollier, qui, bien qu'il en eût eu le droit, ne s'était pas avancé jusqu'au premier rang : ses magnifiques traits aigus arboraient une expression impérieuse et solennelle. Non loin de lui se tenait une jeune fille que je trouvais très intéressante, une certaine Maria Magdalena Theotoky. La veille, elle était venue s'inscrire à un cours spécial que je donne sur le grec du Nouveau Testament. Les filles qui choisissent cette matière sont généralement plus âgées et manifestement plus « bas bleu » que Maria. Cette dernière était incontestablement d'une grande beauté, quoique sa beauté ne fût pas de celles que tout le monde remarque, voire apprécie. J'avais même l'impression qu'elle n'attirait pas tellement les jeunes de son âge. Un visage calme, immobile, byzantin — un de ces visages qu'on voit sur les icônes ou les portraits en mosaïque. Dans cet ovale parfait ressortait un long nez aquilin qui, si Maria ne prenait pas soin de ses incisives, risquait de devenir crochu à la maturité. Ses cheveux étaient véritablement aile de corbeau, avec des reflets bleus, sans la moindre trace de ces horribles nuances que donne la teinture. Que pouvait-elle bien faire à l'enterrement de Cornish ? C'étaient surtout ses yeux qui vous frappaient : on apercevait une partie du blanc aussi bien sous son iris qu'au-dessus, et, quand elle cillait — ce qu'elle semblait faire moins souvent que la plupart des gens —, sa paupière inférieure montait à la rencontre de sa paupière supérieure. Or c'est là une chose qu'on ne voit que rarement. Ses yeux, figés dans une expression qui pouvait dénoter la dévotion, me frappèrent de nouveau maintenant. Elle s'était couvert la tête d'un foulard, tradition que la majorité des femmes présentes n'avaient pas observée parce qu'elles étaient modernes et attachaient peu d'importance à ce que saint Paul avait dit à ce sujet. Mais que faisait-elle ici ?

La touche comique de ces funérailles — bien des enterrements ont leur clown —, c'était John Parlabane. A ce que l'on m'avait dit, il parasitait Spook. Vêtu de sa robe de moine, il se livrait à des simagrées dans le plus excessif des styles Haute Église. Pas que cela me dérange. Au nom de Jésus, tout homme devrait ployer le genou, mais Parlabane ne se contentait pas de cela : il se jetait presque par terre et il avait cette manière particulière de se signer, comme s'il faisait tomber des miettes de pain de son habit, qui est censée dénoter une longue pratique. Né dans un milieu protestant non ritualiste, il en rajoutait. Son visage couvert de cicatrices — l'origine de ces marques me revint en mémoire — était composé en une grimace dévote qui semblait destinée à exprimer à la fois le regret d'avoir perdu un ami et l'extase que lui procurait l'idée de la gloire que connaissait maintenant cet ami.

Je suis anglican et pasteur, mais parfois je souhaiterais que mes coreligionnaires en fissent un peu moins.

En tant qu'ecclésiastique, j'avais des devoirs précis à cet enterrement. Le recteur m'avait demandé de réciter les prières de la mise en terre. Ensuite, le chœur chanta : « Une voix venue du ciel m'a dit : Écris : désormais sont bénis ceux qui meurent dans le Seigneur car ils se reposeront après leur labeur. »

Francis Cornish se reposait donc après son labeur, mais je ne pourrais dire s'il était ou non mort dans le Seigneur. Une chose, toutefois, était certaine : il m'avait chargé, moi, d'un dur labeur. Sa succession était en effet très importante ; elle consistait non seulement en argent, mais aussi en biens de grande valeur. Je devais m'efforcer d'accomplir convenablement ma tâche et de m'entendre avec Hollier ... ainsi qu'avec Urquhart McVarish.

## 3

Trois jours plus tard, nous étions tous trois assis dans le bureau d'Arthur Cornish, dans l'une des grandes tours du quartier des affaires, en train d'écouter le jeune homme nous donner des précisions sur nos tâches respectives. Il était poli, mais son style avait pour nous quelque chose d'inaccoutumé. Nous étions habitués à des réunions où des doyens anxieux s'agitaient et s'affairaient pour que la moindre nuance d'opinion pût être exprimée et entravaient toute action décisive avec les cordes lâches et poussiéreuses du scrupule universitaire. Arthur Cornish, lui, savait ce qu'il fallait faire, et il s'attendait à ce que nous nous acquittions de notre part de travail d'une façon rapide et efficace.

« Bien entendu, c'est moi qui règle toutes les questions financières, dit-il. Vous, messieurs, vous vous chargez de disposer des biens de mon oncle : les œuvres d'art et ce genre de choses. Cela pourrait bien être un très gros travail. Les objets qui sont à envoyer à de nouveaux propriétaires devront être remis à un expéditeur compétent : je vous donnerai le nom de la société que j'ai choisie. Elle prendra vos commandes contresignées par ma secrétaire. Cette dernière fera tout ce qu'elle peut pour vous aider. J'aimerais que vous vous atteliez à cette tâche le plus tôt possible. Nous aimerions en effet homologuer très bientôt le testament et disperser les legs et les dons. Puis-je vous demander de travailler le plus vite que vous pourrez ? »

Les professeurs détestent être bousculés, surtout par des individus qui n'ont pas encore atteint la trentaine. Ils sont tout à fait capables de travailler vite — c'est du moins ce qu'ils croient —, mais pas sur commande. Sans avoir à nous concerter du regard, Hollier, McVarish et moi serrâmes les rangs pour résister à cet arrogant jeune homme.

« Nous devons commencer par découvrir de quelles œuvres d'art — et ''ce genre de choses'', comme vous dites — il s'agit, riposta Hollier.

— Il doit y avoir un inventaire quelque part, je présume.

— Connaissiez-vous bien votre oncle ? intervint McVarish.

— Pas vraiment. Je le voyais de temps en temps.

— Lui avez-vous jamais rendu visite ?

— Chez lui ? Dans sa maison ? Non, jamais. Il ne m'a jamais invité. »

Je crus bon de placer quelques mots, moi aussi.

« Le terme de maison n'est pas vraiment approprié pour la sorte d'endroit où vivait Francis Cornish.

— Son appartement, alors.

— Il avait trois appartements, continuai-je. Ils occupent tout un étage du bâtiment dont il était propriétaire. Et ils sont littéralement bourrés d'œuvres d'art — et de ce genre de choses. »

Hollier poursuivit la contre-attaque que nous avions lancée pour remettre ce gosse de riches à sa place.

« Si vous ne connaissiez pas votre oncle, vous ne pouvez évidemment pas vous imaginer combien il est peu probable qu'il ait établi un inventaire. Ce n'était pas du tout son genre.

— Je vois. Une vraie tanière de célibataire, alors. Mais je sais que je peux compter sur vous pour mettre de l'ordre dans tout ça. Pour cataloguer le contenu de ces appartements, faites-vous aider, au besoin. Pour l'homologation, il nous faut une estimation. Tous ces objets doivent représenter pas mal d'argent au total. Si vous décidez d'engager une dactylo, facturez-moi ses heures de travail. Ma secrétaire contresignera les notes pour que nous puissions effectuer les règlements nécessaires. »

Arthur Cornish parla encore un moment de choses pratiques, puis nous partîmes. Nous traversâmes le bureau de la secrétaire contresignataire (une femme mûre au charme professionnel) et celui d'autres secrétaires, plus jeunes, qui pianotaient sur de coûteuses machines à écrire silencieuses ; enfin nous passâmes devant l'homme en uniforme qui gardait le portail — terme approprié pour l'énorme porte d'entrée.

« C'est la première fois que je rencontre un type pareil, dis-je, alors que nous descendions les seize étages en ascenseur.

— Pas moi, fit McVarish. Avez-vous remarqué les lambris en acajou ? Du placage, je suppose, du faux, comme le jeune Cornish lui-même.

— Non, c'était du vrai, affirma Hollier. J'ai tapé dessus pour vérifier. Nous ferions bien d'être prudents avec ce jeune homme. »

McVarish eut un rire méprisant.

« Et vous avez vu les tableaux qu'il a aux murs ? Style grande entreprise. Fournis par un décorateur. Pas du tout ce qu'aurait aimé son oncle. »

Moi aussi j'avais regardé les toiles : McVarish avait tort. Toutefois, nous avions envie de nous sentir supérieurs à l'exécuteur principal car celui-ci nous inspirait à tous une certaine crainte.

## 4

Pendant la semaine qui suivit, Hollier, MacVarish et moi nous réunîmes tous les après-midi dans les trois appartements de Francis Cornish. La secrétaire contresignataire nous avait donné des clés. Au bout de cinq jours, notre situation parut pire que ce que nous avions pu imaginer. Nous ne savions pas par où commencer notre travail.

Cornish avait vécu dans l'un de ces appartements, et celui-ci paraissait avoir quelques caractéristiques d'une habitation humaine, quoiqu'il ressemblât davantage à une galerie d'art extrêmement désordonnée, autre usage auquel Cornish l'avait d'ailleurs affecté. Cornish avait beaucoup fait durant sa vie pour établir la réputation de plusieurs bons peintres canadiens. Il achetait lui-même un grand nombre de toiles, mais il exerçait aussi la fonction d'agent pour les artistes qui ne s'étaient pas encore fait un nom. Il gardait donc certains de leurs tableaux chez lui et les vendait quand il le pouvait ; il remettait alors au peintre la totalité de la somme reçue, sans lui compter de commission. Cela se passait ainsi en théorie. En pratique, il prenait des œuvres de jeunes peintres, les entassait chez lui, les oubliait ou les prêtait distraitement à des gens auxquels ils plaisaient, puis était tout surpris et blessé quand un artiste mécontent lui faisait des reproches ou le menaçait d'un procès.

Francis Cornish n'était pas vraiment malhonnête, il était simplement très brouillon. C'était pour cette raison-là, supposait-on, qu'il n'avait jamais travaillé dans l'entreprise familiale. Créée du vivant de son grand-père comme un commerce de bois et de pulpe de bois, celle-ci avait considérablement grandi du temps de son père. Au cours des vingt-cinq dernières années, elle avait abandonné le bois et s'était convertie en une très grosse société de placement. Arthur, qui représentait la quatrième génération, en était maintenant le président. Francis, dont la fortune provenait en partie d'un fidéicommis fait par son père, en partie d'un héritage reçu de sa mère, avait été un homme très riche. De ce fait, il avait pu satisfaire ses aspirations de mécène sans avoir à se préoccuper beaucoup d'argent.

Il avait rarement vendu un tableau pour un peintre, mais quand ils apprenaient que Cornish s'intéressait à un certain artiste, d'autres marchands, plus malins, se mettaient en rapport avec son protégé. Ce fut donc de cette façon fortuite que Cornish joua un rôle considérable dans le monde du marché de l'art. Son goût était aussi sûr que ses méthodes en affaires étaient sujettes à caution.

L'appartement numéro un était bourré de tableaux, de dessins, de litographies et de petites sculptures. Un de nos problèmes, c'était que nous ignorions si ces œuvres appartenaient à Cornish ou aux artistes qui les avaient créées.

Pour compliquer encore les choses, l'appartement numéro deux contenait un si grand nombre de toiles qu'il fallait littéralement se faufiler par la porte d'entrée, puis se frayer un chemin jusqu'aux chambres, où il y avait à peine assez de place pour qu'une personne pût s'y tenir debout. C'était la collection étrangère. Cornish n'avait pas dû regarder certaines de ces peintures depuis vingt-cinq ans. Tâtonnant dans la poussière, nous découvrîmes que tous les noms les plus importants des cinquante dernières années figuraient dans ce vaste ensemble. Cependant, il nous était impossible de dire avec combien d'œuvres, ni à quelles époques de la vie du peintre celles-ci correspondaient : en effet, pour dégager un tableau, il fallait en déplacer un autre ; très vite, le chercheur ne pouvait plus bouger et risquait de se trouver bloqué à quelque distance de la porte.

Ce fut Hollier qui trouva, dans une baignoire, quatre grands paquets enveloppés de papier d'emballage très sale. Quand il les eut nettoyés — son allergie à la poussière lui rendit cette tâche très désagréable —, il découvrit que Cornish avait écrit dessus de sa belle écriture : « Lithographies de P. Picasso. A n'ouvrir qu'avec des mains propres ».

Ma grotte d'Aladin personnelle, c'était l'appartement numéro trois, où se trouvaient les livres et les manuscrits. Plus exactement, j'essayais de me le réserver, mais Hollier et McVarish vinrent évidemment y fouiner : il est impossible de tenir des érudits éloignés d'un endroit pareil. Des livres étaient empilés sur et sous les tables : gros in-folio, petits in-douze, toutes les sortes imaginables de livres, allant de l'incunable à ce qui semblait être des éditions originales de toutes les œuvres d'Edgar Wallace. Des piles de volumes s'élevaient du plancher comme des cheminées et s'écroulaient dès qu'on les frôlait. Il y avait des ouvrages enluminés auxquels il suffisait de jeter un coup d'œil pour voir qu'ils étaient d'une grande beauté. Cornish devait les avoir achetés quarante ans plus tôt car de tels objets sont quasi introuvables de nos jours, quel que soit le prix qu'on serait prêt à y mettre. Il y avait des caricatures et des manuscrits, dont certains assez récents. Du seul Max Beerbohm, je comptai assez d'œuvres — de merveilleuses caricatures de personnages royaux et de notabilités de la fin du siècle dernier et du début du nôtre — pour organiser une magnifique exposition. Ces dessins suscitèrent mon envie. Et il y avait des livres érotiques, sur lesquels McVarish se jeta en hennissant de joie.

Je m'y connais peu en pornographie : cela ne m'a jamais excité. McVarish, en revanche, semblait très versé en la matière. Il y avait là un classique du genre, rien de moins qu'un très bel exemplaire des *Sonnetti Lussuriosi* de l'Arétin avec toutes les gravures originales de Giulio Romano. J'avais entendu parler de cette merveille, et nous la regardâmes tous de très près. Cependant, je m'en lassai vite : ces images — que McVarish appelait invariablement « positions » — illustraient différentes façons d'avoir des rapports sexuels, mais les personnages nus qu'elles représentaient avaient des corps si classiques et des visages tellement impassibles que, quoiqu'ils fussent en train de faire, ils me paraissaient très ennuyeux. Aucune émotion ne les illuminait. Formant contraste avec ce livre, il y avait un tas d'estampes japonaises sur lesquelles on voyait des hommes au sexe extraordinairement agrandi et à l'expression sauvage prendre des femmes à la figure lunaire d'une façon qu'on aurait presque pu qualifier de cannibalesque. Hollier les regarda avec un calme sombre, mais McVarish criait et s'agitait à tel point que je craignis qu'il n'eût un orgasme là, sur place, dans toute cette poussière. Il ne m'était jamais venu à l'idée qu'un homme adulte pût être aussi émoustillé par une image cochonne. Pendant la première semaine, McVarish revint sans cesse dans cette pièce du troisième appartement pour se repaître de ces illustrations.

« Je fais moi-même collection de ce genre de choses, expliqua-t-il. Voici ma pièce la plus précieuse. »

De sa poche, il sortit une tabatière dont le style évoquait le XVIII$^e$ siècle. A l'intérieur du couvercle, une image peinte sur émail représentait Léda et le cygne. Quand on tirait et repoussait un bouton, le cygne plongeait entre les jambes de Léda, qui se trémoussait en une extase mécanique. Quel vilain jouet, me dis-je, mais Urky le trouvait merveilleux.

« Nous autres célibataires, nous aimons avoir ce genre d'objets, déclara-t-il. Que faites-vous dans ce domaine, Darcourt ? Bien entendu, nous savons que Hollier, lui, a sa belle Maria. »

A ma surprise, Hollier rougit, mais ne répondit pas. Sa belle Maria ? *Ma* Mlle Theotoky du cours de grec du Nouveau Testament ? Voilà qui me contrariait beaucoup.

Le cinquième jour, c'est-à-dire le vendredi, nous étions encore moins prêts à commencer à trier tous ces objets que nous ne l'avions été le lundi. Alors que nous nous déplacions dans les trois appartements, essayant de nous cacher mutuellement notre perplexité et notre désarroi, une clé tourna dans la serrure de l'appartement numéro un. Arthur Cornish entra. Nous lui montrâmes la cause de notre embarras.

« Fichtre ! s'exclama-t-il. Je n'imaginais pas une chose pareille !

— J'ai l'impression que ces appartements n'ont jamais été nettoyés, dit McVarish. Votre oncle avait la phobie des femmes de ménage. Je me souviens qu'il disait : ''Vous avez vu les ruines de l'Acropole ? Des pyramides ? De Stonehenge ? Du Colisée de Rome ? Qui les a mis dans cet état ? Des imbéciles vous affirmeront que c'étaient des armées d'invasion ou l'effet d'érosion du temps. Pas du tout ! C'étaient des femmes de ménage !'' Selon lui, celles-ci employaient des chiffons à poussière garnis de boutons pour fouetter tout ce qui pouvait avoir une surface délicate.

— Je savais que c'était un excentrique.

— Ce terme évoque toujours quelqu'un de distrait, de nébuleux. Votre oncle était plutôt un homme passionné, surtout en ce qui concernait ses œuvres d'art. »

Arthur n'avait pas l'air d'écouter : il furetait. C'était le seul mot susceptible d'exprimer ce qu'on était obligé de faire dans cet extraordinaire et précieux foutoir.

Arthur prit en main une petite esquisse à l'aquarelle.

« C'est joli, ça. Je reconnais le paysage. C'est dans la baie Géorgienne. J'y ai passé beaucoup de temps dans mon enfance. Si je le prenais, je ne ferais de tort à personne, n'est-ce pas ? »

La violence de notre réaction le surprit. Ces derniers cinq jours, nous étions tombés sur plein de jolies petites choses que nous aurions pu nous approprier sans « faire de tort à personne », pensions-nous, mais nous nous étions abstenus.

Hollier expliqua la raison de notre refus. Cette aquarelle était signée. C'était un Varley. Francis Cornish l'avait-il achetée ou bien l'avait-il prise en dépôt pour essayer de la vendre et aider ainsi l'artiste à un moment difficile de sa vie ? Impossible à savoir. Si Cornish n'avait pas acquis cette œuvre, qui avait maintenant une grande valeur, celle-ci faisait partie de la succession du peintre, mort entre-temps. Il y avait un tas de problèmes de ce genre. Comment étions-nous censés les résoudre ?

C'est alors que nous découvrîmes pourquoi, alors qu'il n'avait pas trente ans, Arthur Cornish était un si bon homme d'affaires.

« Vous feriez bien d'interroger tous les peintres vivants que vous pourrez trouver au sujet de leurs œuvres signées qui sont ici ; sinon, tout le lot ira à la National Gallery, conformément au testament. Nous ne pouvons pas faire de recherche de propriété plus poussée que ça. "Ce que je laisse à ma mort", voilà ce que dit le testament ; et, en ce qui nous concerne, mon oncle laisse tout le contenu de ces appartements. Il va falloir écrire beaucoup de lettres. Je vous enverrai une bonne secrétaire »

En partant, Arthur jeta un regard de regret au petit Varley. Comme il est facile de convoiter un objet dont le propriétaire est mort et qui a été légué à un établissement public anonyme, dénué d'âme …

# LE DEUXIÈME PARADIS II

Pendant les dix premiers jours qui ont suivi l'installation de Parlabane dans le bureau de réception de Hollier, je suis passée par toute une gamme de sentiments à son égard : indignation parce qu'il empiétait sur mon privilège ; ennui d'avoir à partager avec lui un lieu qui s'est bientôt rempli de sa forte odeur personnelle ; fureur provoquée par sa manie de fouiller dans mes papiers, et même dans ma serviette, quand j'étais absente ; irritation causée par sa façon de parler : un ton onctueux genre prêtre du XIXᵉ siècle qui vous donnait la chair de poule, parsemé de phrases très dures et d'obscénités ; dépit parce que j'avais l'impression qu'il se moquait de moi ; colère quand, par dérision, il me traitait comme une faible femme. N'arrivant pas à travailler, j'ai décidé d'avoir une explication avec Hollier.

Pas facile de l'attraper : il sort tous les après-midi. Pour un travail lié à la succession Cornish, je crois. J'espérais qu'il me reparlerait bientôt du mystérieux manuscrit. Cependant, un jour je l'ai coincé dans la cour et l'ai persuadé de s'asseoir sur un banc tandis que je lui présentais mes doléances.

« Je comprends votre contrariété, dit-il. Pour moi aussi, c'est désagréable. Mais Parlabane étant un vieil ami, je ne peux pas le laisser tomber. Nous avons été à l'école ensemble, au collège de Colbourne, puis à Spook, et nous avons commencé nos carrières universitaires en même temps. Je connais un peu sa famille : une triste histoire. Et maintenant, il est dans la dèche. Par sa propre faute, je suppose, mais je l'ai toujours admiré, comprenez-vous. Je doute que vous sachiez ce que cela signifie pour des jeunes gens. Le culte du héros joue un rôle important dans leur vie, et, une fois dépassé ce stade, ils se renieraient s'ils oubliaient ce que ce héros a représenté pour eux. Parlabane était toujours premier, dans toutes les classes ; moi, avec de la chance, j'étais cinquième. Il écrivait des poèmes légers, très brillants. J'en ai gardé quelques-uns. Tout notre groupe adorait sa conversation : il était spirituel, ce que moi je ne suis absolument pas. Tout le monde, au collège, pensait qu'il ferait de grandes choses, et sa réputation s'étendait bien au-delà de Spook : il était connu dans toute l'université. Quand il obtint son diplôme avec la médaille du gouverneur général et des honneurs de toutes sortes, et qu'il partit à Princeton avec une bourse princière pour y faire son doctorat, nous, ses amis, nous ne fûmes pas jaloux : nous étions éblouis. C'était quelqu'un de tellement exceptionnel, comprenez-vous.

— Qu'a-t-il bien pu lui arriver, alors ?

— Je n'en sais rien. Je ne suis pas très doué en matière de psychologie. A son retour, en tout cas, Spook lui mit immédiatement le grappin dessus pour l'attacher à son département de philosophie. De toute évidence, il était le jeune philosophe le plus brillant de l'université, et sans doute de tout le Canada. Mais il avait changé au cours des dernières années. Il s'intéressait à la philosophie médiévale, principalement à Thomas d'Aquin. Toutes ces subtiles discussions scolastiques faisaient ses délices. Mais, chose inhabituelle pour un prof de philo, il laissa la philosophie empiéter sur sa vie. Simplement pour s'amuser, il adoptait les points de vue les plus outranciers. Sa spécialité, c'était l'histoire du scepticisme : l'impossibilité, pour l'esprit humain, d'atteindre une vérité générale, d'atteindre la moindre certitude. Faire passer le noir pour du blanc était pour lui un jeu d'enfant. Cette attitude dut affecter sa vie privée. Il y eut quelques affaires fâcheuses. Spook le trouva trop lourd à porter, et, devant la désapprobation générale, il partit ailleurs, laissant derrière lui un parfum de scandale.

— On a l'impression qu'il a trop d'intelligence et pas assez de force de caractère.

— Ne soyez pas si dure, Maria. Cela ne convient ni à votre âge ni à votre beauté. Vous ne l'avez pas connu aussi intimement que moi.

— Mais pourquoi joue-t-il au moine ?

— Ça, c'est pour déconcerter les gens de Spook. D'ailleurs, il a réellement été moine. C'est la dernière tentative qu'il a faite pour trouver sa place dans la vie.

— Que voulez-vous dire ? A-t-il cessé d'être moine ?

— Il l'est peut-être encore légalement, mais il a fait le mur et il lui serait difficile de réintégrer son monastère. Je l'avais perdu de vue, mais, il y a quelques mois, j'ai reçu de lui une lettre fort pathétique dans laquelle il me disait qu'il était affreusement malheureux dans son cloître — dans les Midlands — et me suppliait de l'aider à en sortir. Je lui ai donc envoyé un peu d'argent. Pouvais-je faire autrement ? Mais il ne m'est jamais venu à l'esprit qu'il s'amènerait ici, et dans cet accoutrement, encore ! Je suppose qu'il n'a rien d'autre à se mettre.

— Va-t-il rester ici pour toujours ?

— L'économe commence à s'énerver. Il veut bien que j'héberge quelqu'un pour la nuit de temps à autre, mais il m'a dit qu'il ne pouvait admettre qu'il y ait un squatter au collège. Il refusera de laisser Parlabane prendre ses repas au réfectoire si celui-ci ne peut lui garantir de quelque façon qu'il sera en mesure de les payer. Comme vous pouvez vous en douter, cela lui est impossible. Il va donc falloir que j'entreprenne quelque chose.

— J'espère que vous n'allez pas vous charger de lui pour la vie.

— Ah oui ? Et de quel droit espérez-vous cela, Maria ? »

Que pouvais-je répondre à une question pareille ? Je ne m'attendais pas à ce que Hollier se mît à poser au professeur avec moi, pas après l'épisode du canapé, ce meuble qui était maintenant devenu le lit de Parlabane. J'ai été obligée d'en rabattre.

« Excusez-moi, ai-je dit. Mais cela me regarde tout de même un peu. Vous m'avez offert de travailler dans votre bureau. Or comment voulez-vous que je le fasse quand Parlabane est assis là toute la sainte journée à tricoter ses interminables chaussettes ? Et à me regarder fixement. C'est insupportable. Il me tape prodigieusement sur les nerfs.

— Encore un peu de patience. Je ne vous ai pas oubliée. J'aimerais que vous fassiez le travail dont je vous ai parlé. Essayez de comprendre Parlabane. »

Puis Hollier s'est levé. La conversation était terminée. Alors qu'il s'éloignait, j'ai levé la tête et, à la fenêtre de l'appartement de Hollier — très haut, car l'aspect de Spook est tout ce qu'il y a de plus gothique —, j'ai vu Parlabane en train de nous regarder. Il ne pouvait pas nous avoir entendus, mais il riait et me menaçait du doigt, l'air de dire : « Oh ! la vilaine ! »

## 2

Essayez de le comprendre. Entendu. J'ai monté l'escalier et, avant qu'il ait pu ouvrir la bouche, j'ai dit :

« Docteur Parlabane, pouvez-vous dîner avec moi ce soir ?

— Ce serait un honneur pour moi, Maria. Mais puis-je vous demander la raison de cette brusque invitation ? Ai-je l'air sous-alimenté ?

— Vous m'avez fauché un gros morceau de chocolat dans ma serviette hier. J'en ai déduit que vous aviez peut-être faim.

— C'est vrai. Depuis quelques jours, l'économe me fait la gueule quand j'apparais au réfectoire. Il pense que je ne pourrai pas payer ma note, ce en quoi il a raison. Nous, les moines, nous apprenons à ne pas avoir de fausse honte.

— Donnons-nous rendez-vous en bas, à six heures et demie. »

Je l'ai emmené dans un restaurant italien bon marché, fréquenté essentiellement par des étudiants : The Rude Plenty\*. Parlabane a commencé par une grande assiette de bouillon de légumes, puis a mangé une montagne de spaghettis à la sauce bolognaise et a bu toute une bouteille de chianti, moins le verre que je m'étais versé. Il a englouti un dessert fait de crème anglaise, de noix de coco râpée et de confiture de prunes, puis il a presque fait un sort à un énorme morceau de gorgonzola. Il a avalé deux grandes tasses d'un café crème mousseux corsé avec du strega. Je lui ai même payé un abominable gros cigare italien.

Parlabane est un glouton et un remarquable rôteur. Il parlait en mangeant, exposant le contenu de sa bouche, me bombardant de questions qui demandaient de longues réponses.

« Que faites-vous ces jours-ci, Maria ? Je veux dire : lorsque vous ne me fusillez pas du regard pendant que je tricote mes innocentes chaussettes monastiques. Vous savez, nous, les moines, nous les portons longues pour que, si jamais le vent soulève notre robe, on ne voie pas un scandaleux morceau de jambe d'homme entre deux âges.

— Je fais le travail qui me permettra finalement de devenir docteur en philosophie.

— Ah oui, ce fichu diplôme qui garantit pour la vie notre valeur intellectuelle ! Mais qu'étudiez-vous en particulier ?

— C'est assez compliqué. Mes études entrent dans le cadre général de la littérature comparée, mais ce terme recouvre toutes sortes de choses. Comme je travaille avec le professeur Hollier, ma thèse traitera certainement d'un des aspects de sa spécialité.

— Qui n'est pas précisément la littérature comparée. Je dirais que c'est fouiller dans les débris de cuisine et les tas

---

\* *Rude* : simple. *Plenty* : abondance (N.d.T.).

d'ordures du Moyen Âge. Avec quoi s'était-il fait un nom, déjà ?

— Un ouvrage définitif sur l'établissement du calendrier ecclésiastique par Dionysius Exiguus. Il existait déjà beaucoup d'autres études sur la question, mais c'est Hollier qui a montré ce qui a mené Dionysius à ses conclusions, les croyances populaires et les vieilles coutumes sous-jacentes à son œuvre, et tout ça. C'est ainsi que Hollier a acquis la réputation d'être vraiment un très grand paléo-psychologue.

— Seigneur tout-puissant ! Serait-ce là une nouvelle sorte de psy ?

— Vous savez très bien ce que c'est. Son travail consiste à fouiller dans la pensée des hommes à une époque où elle était un mélange de religion, de folklore et de bribes de savoir classique mal comprises, alors qu'aujourd'hui elle est sans doute un mélange de matérialisme, de folklore et de bribes de savoir scientifique mal comprises. La littérature comparée est mise à contribution parce que, dans le domaine de la paléo-psychologie, il faut connaître beaucoup de langues. Mais la paléo-psychologie déborde aussi sur le programme du Centre pour l'étude de l'histoire de la science et de la technologie, où Hollier enseigne également, comme vous le savez.

— Non, je l'ignorais.

— Il est question de créer un Institut supérieur de recherches. Hollier y jouerait un rôle très important. Ce projet se réalisera dès que l'université pourra trouver un peu d'argent.

— Ça, ça peut prendre pas mal de temps. Notre papa, le gouvernement, commence à s'inquiéter des grosses sommes que dépensent les universités. C'est l'argent des contribuables, ma chère Maria, ne l'oubliez pas. Et les contribuables, juges infaillibles de la valeur des choses, doivent obtenir ce qu'ils veulent. Or ce qu'ils pensent vouloir (parce que des hommes politiques le leur ont soufflé), ce sont des gens capables de remplir des fonctions utiles. Pas de personnages éloignés du quotidien, comme Clem Hollier, qui ne s'intéressent qu'au passé. Quand vous aurez obtenu votre doctorat, en quoi diable serez-vous utile à la société ?

— Cela dépend de ce que vous appelez "société". En découvrant la forme des conditionnements de nos ancêtres, je parviendrai peut-être à éclairer certains aspects du condition nement de nos contemporains.

— Personne ne vous en sera reconnaissant, mon petit. Ne touchez jamais à l'ignorance. Celle-ci est pareille à un fruit rare, exotique : prenez-le dans votre main, et il perdra son velouté. Qui a dit ça ?

— Oscar Wilde, n'est-ce pas ?

— Bravo ! Oui, c'était ce cher vieil Oscar. Un homme fort intelligent quand il ne se prenait pas pour un penseur et laissait simplement libre cours à son imagination. Mais je croyais que votre travail concernait Rabelais.

— Oui. Comme il me fallait un sujet de thèse, Hollier m'a suggéré d'étudier l'environnement intellectuel de cet écrivain.

— Pas très neuf, ça.

— Hollier pense que je peux trouver quelques faits nouveaux ou montrer quelques faits connus sous un jour nouveau. Un doctorat n'est pas censé révolutionner les idées, vous savez.

— En effet ! Le monde ne supporterait pas autant de bouleversements. Avez-vous déjà écrit quelque chose ?

— Non, mais je m'y prépare. Je dois améliorer mon grec de l'Ancien Testament. Rabelais s'y intéressait énormément. C'était très en vogue de son temps.

— Avec le nom que vous portez, vous devez sûrement connaître un peu de grec moderne ?

— Non, mais je me débrouille pas mal en grec ancien. Ainsi qu'en français, espagnol, italien, allemand, et, bien entendu, en latin : celui de l'âge d'or, celui de l'âge d'argent et cet horrible baragouin qu'on employait au Moyen Âge.

— Vous me donnez le tournis. Comment se fait-il que vous connaissiez autant de langues ?

— Mon père était génial dans ce domaine. Il était polonais, mais il a vécu assez longtemps en Hongrie. Quand j'étais petite, il m'apprenait les langues qu'il savait sous la forme de jeux. Je ne prétends pas les maîtriser toutes parfaitement. Je les écris mal, mais je peux les lire et les parler assez bien. C'est facile quand vous avez un don.

— Oui, encore faut-il l'avoir …

— Une fois que vous parlez deux ou trois langues, beaucoup d'autres vous paraîtront assez simples. Les gens ont peur des langues.

— Vos langues maternelles sont donc le polonais et le hongrois. Y en a-t-il d'autres ?

— Oui, une ou deux, mais elles sont sans importance. »

Je n'avais nullement l'intention de lui révéler quelle langue sans importance je parlais à la maison quand nous nous disputions. Après l'erreur que j'avais faite en parlant du *bomari* à Hollier, j'espérais avoir retenu la leçon. Mais je commençais à craindre que, si je ne me tenais pas sur mes gardes, Parlabane parvienne à m'arracher ce secret. D'une curiosité particulièrement insistante, il m'entraînait dans une conversation où il me poussait à dire plus de choses que je ne voulais. Peut-être qu'en lui enlevant l'initiative de l'interrogation je parviendrais à échapper à son indiscrétion ? J'ai donc contre-attaqué.

« Vous me posez un tas de questions, mais vous, vous ne racontez rien. Qui êtes-vous, docteur Parlabane ? Vous êtes canadien, n'est-ce pas ?

— Je vous en prie, appelez-moi frère John. J'ai renoncé à toutes les pompes universitaires il y a fort longtemps, quand j'ai déchu aux yeux du monde et découvert que mon seul salut résidait dans l'humilité. Oui, je suis canadien. Je suis un enfant de cette belle ville, de cette grande université et aussi de Spook. Connaissez-vous l'origine de ce surnom ?

— Oui. C'est le collège de Saint Jean et du Saint-Esprit, et l'on a donné à "esprit" le sens de revenant.

— Ce nom est parfois employé d'une manière péjorative, mais parfois aussi d'une manière affectueuse, comme je vous l'ai déjà dit. Vous devez connaître la référence. Saint Marc, chapitre 1, verset 8 : "Moi, je vous ai baptisés avec de l'eau, mais lui vous baptisera avec le Saint-Esprit." Le collège est donc une véritable *Alma Mater*, une mère généreuse qui, d'un sein, dispense à ses enfants le lait du savoir, et, de l'autre, celui du salut et de la bonne doctrine. En d'autres termes, l'eau sans laquelle personne ne peut vivre et le Saint-Esprit sans lequel personne ne peut vivre bien. Mais ces sales gosses mélangent tellement les nichons de maman qu'ils ne savent plus lequel donne quoi. Je n'ai découvert le salut et la bonne doctrine qu'après être tombé très bas.

— Comment en étiez-vous arrivé là ?

— Je vous le dirai peut-être un jour.

— Écoutez, vous ne pouvez pas toujours être celui qui questionne, frère John. Il paraît que vous avez fait une carrière universitaire particulièrement brillante.

— C'est exact. Oui, en effet, je fus un météore dans le monde de l'intellect. C'était quand j'ignorais encore tout de l'humanité et absolument tout de moi-même.

— Est-ce d'apprendre quelque chose à ces sujets qui a provoqué votre chute ?

— Non, ç'a été de mélanger ces deux sortes de savoir. »

C'est alors qu'il m'est venu l'idée de bousculer un peu frère John pour voir si je pouvais en tirer quelque chose au-delà de ces escarmouches verbales.

« Trop d'intelligence et pas assez de force de caractère, est-ce cela ? »

Ma provocation a fait son effet.

« Cette remarque est tout à fait indigne de vous, Maria Magdalena Theotoky. Si elle venait de quelque Canadienne bornée qui n'a jamais rien connu d'autre que Toronto et Georgian Bay, elle pourrait sembler pénétrante. Mais vous,

vous avez bu à de meilleures sources que cela. Qu'entendez-vous par caractère ?

— Du cran. Une forte volonté pour contrebalancer tout ce savoir livresque. Un peu de jugeote.

— Et aussi savoir comment obtenir un bon poste universitaire, la titularisation, puis l'élévation au rang de professeur émérite de manière à pouvoir extorquer au recteur un fantastique salaire en le menaçant de filer à Harvard s'il ne satisfait pas votre demande ? Ce n'est pas ce que vous voulez dire, n'est-ce pas, Maria ? Ces paroles-là sont de quelque imbécile appartenant à votre passé. Vous feriez bien de le coincer, celui-là, et de lui dire ceci : le genre de caractère dont vous parlez, c'est de la couillonnade. Ce qui nous forme et nous conditionne vraiment, c'est quelque chose que peu d'entre nous ont le courage d'affronter · l'enfant que vous étiez un jour, bien avant que vous ne tombiez entre les griffes d'éducateurs officiels — cet enfant impatient, exigeant, qui veut de l'amour et du pouvoir, qui ne peut jamais en avoir assez et qui continue à tempêter et à pleurer dans votre esprit jusqu'à ce que vos yeux se ferment enfin et que tous les crétins disent : ''Comme il a l'air apaisé.'' Ce sont ces enfants réprimés, insatiables, qui font toutes les guerres, qui sont les auteurs de toutes les horreurs, de tout l'art, de toute la beauté et de toutes les découvertes qui existent dans le monde, parce qu'ils essaient d'obtenir ce qui était hors de leur portée quand ils n'avaient pas encore cinq ans. »

J'avais donc réussi à le troubler.

« Et l'avez-vous trouvé, cet enfant, le petit Jackie Parlabane ?

— Je crois que oui. Il s'est d'ailleurs révélé être un bébé maltraité. Mais êtes-vous d'accord avec moi ?

— Oui. Hollier dit la même chose que vous, d'une autre manière. Que les gens ne vivent absolument pas tous dans ce que nous appelons le présent : la structure psychique de l'homme moderne saute d'avant en arrière et d'arrière en avant sur une période qui embrasse au moins dix mille ans. Et tout le monde sait que les enfants sont des primitifs.

— En avez-vous jamais connu, des primitifs ? »

Si j'en avais connu ! Maria, c'est le moment de tenir ta langue. J'ai acquiescé d'un signe de tête.

« Mais que fait-il réellement, Hollier ? Ne me répétez pas que c'est de la paléo-psychologie. Dites-le-moi en des termes qu'un simple philosophe peut comprendre.

— Un philosophe ? Hollier ressemble un peu à Heidegger, si vous voulez un exemple dans le domaine de la philosophie. Il essaie de retrouver la mentalité des premiers penseurs. Pas seulement des grands penseurs, mais aussi celle des gens ordinaires, dont certains occupaient des positions rien moins qu'ordinaires. Parmi eux, des rois et des prêtres, parce que, au moyen de traditions, de coutumes et de croyances populaires, ils ont marqué l'histoire du développement de l'esprit. Hollier veut simplement découvrir tout cela. Il veut comprendre ces modes de pensée anciens sans les critiquer. Il est plongé jusqu'au cou dans le Moyen Âge, période qui, située entre le lointain passé et la pensée post-Renaissance d'aujourd'hui, mérite bien son nom. Ainsi, il peut se tenir au milieu et regarder dans les deux directions. Il recherche des idées fossiles et essaie de reconstituer à partir d'elles la façon dont l'esprit a fonctionné à travers les siècles. »

J'avais commandé une autre bouteille de chianti. Parlabane l'avait pratiquement bue tout seul, deux verres constituant pour moi une limite. Il avait également avalé quatre stregas et fumé un autre de ces cigares asphyxiants. Mais j'ai l'expérience des ivrognes et des gens qui puent. Parlabane s'était mis à parler très fort, parfois en rotant. On aurait dit qu'il élevait la voix pour réduire au silence un contradicteur intérieur.

« Vous savez, quand nous étions à Spook ensemble, je n'aurais pas parié un sou sur les chances qu'avait Hollier de jamais devenir plus qu'un bon professeur dûment titularisé. Il a beaucoup progressé.

— Oui, il est l'un de ces professeurs émérites dont vous vous moquiez. Dans une interview donnée récemment, le président l'a appelé "un des fleurons de notre université".

— Bonté divine ! Le vieux Clem ! Il s'est épanoui sur le tard. Et, en plus, il vous a, vous.

— Je suis son étudiante. Une bonne étudiante, d'ailleurs.

— Foutaise ! Vous êtes sa *soror mystica*. Un enfant le verrait. En tout cas, un enfant aussi doué et aussi curieux de tout que le petit Johnnie Parlabane le perçoit bien avant que cela ne frappe les yeux fatigués des adultes. Hollier vous phagocyte. Il vous obsède.

— Ne parlez pas si fort. On nous regarde. »

Alors Parlabane s'est mis à crier pour de bon.

« ''Ce n'est pas la peine de hurler, je vous entends parfaitement : j'ai mon Morley Phone invisible dans l'oreille. Finie la surdité !'' Vous vous souvenez de cette vieille publicité ? Bien sûr que non. Vous savez trop de choses et n'êtes pas assez vieille pour vous rappeler quoi que ce soit. ''Ne parlez pas si fort. On nous regarde'', minauda Parlabane d'une voix de fausset. Mais tout le monde s'en fout, pauvre idiote. Que les gens nous regardent ! Vous êtes amoureuse de Hollier. Pis : vous vous fondez en lui et il ne le sait même pas. Comment peut-on être aussi stupide, professeur Hollier ? Honte à vous. »

Mais si, il le sait ! L'aurais-je laissé me prendre sur le canapé il y a cinq mois si je n'avais pas été certaine qu'il savait que je l'aimais ? Non ! Ne pose pas cette question. Je ne suis plus si sûre de la réponse maintenant.

Le propriétaire du Rude Plenty rôdait autour de nous. Je lui ai lancé un regard suppliant. Il m'a aidée à faire lever Parlabane et à le conduire à la porte. Il était aussi fort qu'un bœuf, ce moine, et il résistait. Il s'est mis à chanter à tue-tête, mais d'une voix étonnamment mélodieuse :

*Let the world slide, let the world go,*
*A fig for care and a fig for woe !*

*If I can't pay, why I can owe,*
*And death makes equal the high and the low.*

*Que le monde s'écroule, que le monde passe,*
*Je m'en soucie comme d'une guigne !*
*Si je ne peux pas payer, eh bien, je m'endetterai.*
*La mort rend égaux rois et mendiants.*

Finalement, j'ai réussi à l'entraîner dans la rue, puis je l'ai emmené jusqu'à la porte de Spook où je l'ai remis entre les mains du portier de nuit, un vieil ami à moi.

Pendant que je me dirigeais vers le métro, j'ai pensé : voilà ce que ça te rapporte de vouloir comprendre Parlabane. Une scène embarrassante au Rude Plenty. Allais-je poursuivre mes efforts ? Je me suis répondu par l'affirmative.

De toute manière, je n'ai plus eu le choix. En arrivant dans le bureau de Hollier, le lendemain matin, j'ai trouvé un mot placé à côté d'un bouquet de fleurs — de la sauge, qui provenait manifestement du jardin du recteur.

« A la plus aimable et compréhensive des créatures humaines.

« Excusez-moi pour hier soir. Cela faisait un bout de temps que je ne m'en étais plus jeté un derrière la cravate. Dirai-je que je ne recommencerai pas ? Ce serait malhonnête. Mais je dois réparer ma faute. Réinvitez-moi donc bientôt. Je vous raconterai alors l'histoire de ma vie : elle vaut bien le prix que vous coûtera ce repas.

« Votre humble esclave.

« P. »

## 3

Pour faire un doctorat, il faut commencer par suivre quelques cours se rapportant à votre sujet ; ce n'est qu'ensuite que vous pouvez vous attaquer à la rédaction de votre thèse.

J'avais fait tout le nécessaire, ou presque, à cet égard, mais Hollier m'a conseillé de suivre deux autres cours cette année : l'un avec le professeur Urquhart McVarish sur la culture européenne de la Renaissance, l'autre de grec du Nouveau Testament avec le révérend Simon Darcourt. McVarish était ennuyeux. Il avait de bons matériaux, mais, érudit jusqu'au bout des ongles, il les présentait d'une façon inintéressante de crainte d'être accusé de « vulgarisation ». C'était un petit homme tatillon qui tamponnait sans cesse son long nez rouge avec un mouchoir fourré dans sa manche gauche. Quelqu'un m'a dit que ce détail indiquait qu'il avait servi dans un régiment anglais de première classe. Une vingtaine d'étudiants assistaient à ses cours.

Le révérend était différent : c'était un pasteur rondelet, rose comme un bébé, qui ne faisait pas de cours mais dirigeait des séminaires pendant lesquels tout le monde était censé prendre la parole et donner son opinion ou, du moins, poser des questions. Nous n'étions que cinq : outre moi-même, trois jeunes hommes et un homme d'âge mûr, qui visaient tous le sacerdoce. Deux des jeunes hommes avaient le style débraillé moderne : cheveux longs et crasse. Ils voulaient faire un travail évangélique d'avant-garde, et, pendant leurs loisirs, assistaient à des offices où l'on jouait de la musique rock, où des gens comme eux dansaient pour chasser le Mal et, à la fin du spectacle, s'embrassaient les uns les autres en pleurant. Je pense qu'ils s'étaient inscrits à ce cours dans l'espoir de découvrir dans les textes originaux que Jésus lui aussi dansait et jouait de la guitare. Le troisième était très Haute Église. Il appelait Darcourt « mon père » et portait un costume gris auquel, de toute évidence, il espérait pouvoir bientôt ajouter un col ecclésiastique. L'homme d'âge mûr avait abandonné son métier d'assureur pour devenir pasteur. Il travaillait comme un forçat : ayant une femme et deux enfants, il devait se faire ordonner le plus vite possible. Aucun des quatre n'était très inspirant. Si Dieu les avait appelés à son service, ça devait être dans un moment de distraction, ou peut-être comme une plaisanterie juive très compliquée.

Heureusement, le professeur révérend était bien meilleur que ce que j'avais pu espérer.

« Qu'attendez-vous de ce séminaire ? a-t-il demandé tout de suite. Je ne vais pas vous enseigner une langue. Je suppose que vous savez tous le grec classique ? »

Moi, je ·le savais, mais les quatre hommes ont eu l'air d'hésiter, puis ont fini par avouer qu'ils en avaient fait un peu au lycée ou pendant des cours d'été.

« Si vous savez le grec, il est probable que vous savez aussi le latin », a repris le professeur.

Sa déclaration a été accueillie dans un morne silence. Mais cela n'a pas eu l'air de décourager le révérend, loin de là !

« Voyons un peu quel est votre niveau, a-t-il dit. Je vais écrire une phrase au tableau, puis, dans un instant, je vous demanderai de me la traduire. »

Malaise général. L'un des jeunes chevelus a murmuré qu'il n'avait pas apporté son dictionnaire.

« Vous n'en aurez pas besoin, a dit Darcourt. Ce texte est facile. »

Il a écrit : *Conloqui et conridere et vicissim benevole obsequi, simul leger libros dulciloquos, simul nugari et simul honestari*. Puis il s'est assis et, rayonnant, nous a regardés par-dessus ses lunettes demi-lune. « C'est là notre devise, le programme de ce que nous ferons dans ce séminaire cette année ; c'est l'esprit dans lequel nous travaillerons. Et maintenant, qui veut me traduire cette phrase en anglais ? »

Il y a eu un de ces terribles silences qui s'installent dans une pièce quand plusieurs personnes essaient de se rendre invisibles.

« Parler ensemble, rire ensemble, se faire mutuellement du bien ... », a murmuré le jeune anglican traditionaliste, puis il s'est tu.

Les deux chevelus ont regardé Darcourt comme s'ils le haïssaient déjà.

« Les dames d'abord », a dit le prof en m'adressant un sourire.

Je me suis lancée :

« Converser et plaisanter ensemble, se rendre mutuellement service, lire ensemble des livres à la prose mélodieuse, échanger des propos légers et des attentions. »

J'ai vu que Darcourt était content.

« Excellent, a-t-il dit. Et maintenant, quelqu'un peut-il me dire de quel livre est extrait ce texte ? Allons, vous l'avez tous lu, ne serait-ce qu'en traduction. Vous devriez bien le connaître ; son auteur devrait être un ami intime. »

Personne n'a ouvert la bouche. Par ignorance, je suppose. Vais-je me rendre odieuse ? me suis-je demandé. Pourquoi pas ? C'est ce que j'ai fait en classe toute ma vie.

« Les *Confessions* de saint Augustin », ai-je répondu.

Les deux chevelus m'ont regardée d'un air dégoûté, le traditionaliste comme s'il allait en faire une jaunisse. L'homme mûr a soigneusement pris des notes. Il allait acquérir toutes ces connaissances ou mourir : il le devait à sa femme et à ses gosses.

« Merci, mademoiselle Theotoky. Il vous faudra apprendre à être moins timides, messieurs, a dit le professeur Darcourt avec ce qui m'a semblé être une pointe d'ironie. Eh bien voilà ce que nous allons essayer de faire ici : converser et plaisanter ensemble à partir, je l'espère, de la lecture du Nouveau Testament. Non pas que ce soit un livre très humoristique, bien que le Christ ait un jour fait un jeu de mots avec le nouveau nom qu'il avait donné à Pierre : « Tu es Pierre et sur cette pierre je construirai mon Église. » Bien entendu, Pierre, c'est *petras* en grec. Mais pour les fidèles du XXᵉ siècle il n'y a pas là de quoi se tenir les côtes. Je suppose que le Christ a continué à appeler son disciple Cephas, c'est-à-dire pierre en araméen. Toutefois, le jeu de mots semble indiquer que Notre Seigneur parlait un peu de grec — peut-être même le parlait-il très bien. Si vous voulez le servir, c'est ce qu'il vous faudra faire aussi. »

J'ai eu l'impression que Darcourt était un peu sarcastique. Voyant que les chevelus n'aimaient pas son style, il se moquait d'eux.

« Ces études, a-t-il poursuivi, peuvent nous entraîner dans toutes sortes de directions et, bien entendu, en plein cœur du Moyen Âge, où ce genre de grec était à peine connu en Europe et déconseillé par l'Église. Cependant, une poignée de gens en savaient quelques bribes — des alchimistes et d'autres indésirables du même genre —, et il se maintenait au Proche-Orient, où il subissait la lente transformation qui en a fait ce que nous appelons aujourd'hui le grec moderne. C'est curieux, la façon dont une langue peut se dégrader pour devenir autre chose. L'effacement progressif du latin a donné ces épouvantables baragouins dégénérés que sont le français, l'espagnol et l'italien. Mais ô surprise ! les gens découvrirent qu'ils pouvaient exprimer des choses tout à fait nouvelles dans ces langues bâtardes, des choses auxquelles personne n'avait jamais pensé en latin. L'anglais se dégrade de la même façon : il devient une langue que le tout-venant doit apprendre et parler d'une manière qui donnerait le frisson au docteur Johnson. L'anglais courant correct est moribond. Même l'américain, qui, autrefois, en littérature, apparaissait comme un insolent intrus, semble vieillot maintenant comparé à ce que vous entendrez en Afrique, endroit où tout se joue de nos jours. Mais je suis en train de m'égarer, une mauvaise habitude de professeur. Chaque fois que vous me voyez partir dans une longue digression, je vous prie de m'arrêter, s'il vous plaît. Au travail, donc. Je suppose que vous connaissez tous l'alphabet grec et, par conséquent, savez compter jusqu'à dix dans cette langue ? Bien. Alors commençons par les changements qui se sont produits ici. »

J'ai su tout de suite que j'aimerais le professeur Darcourt. Il semblait penser qu'apprendre peut être amusant et que des gens peu éveillés ont besoin d'être secoués. Tout comme Rabelais, sur lequel même des personnes aussi cultivées que Parlabane avaient des idées stupides. Rabelais était un merveilleux érudit parce que apprendre l'amusait ; et, en ce qui me concerne, c'est la meilleure justification de l'étude. Pas la seule, mais la meilleure.

Ce n'est pas que je veuille acquérir une énorme quantité de connaissances pour devenir ce qu'on appelle une spécialiste, de manière à épater les gens qui n'en savent pas autant que moi dans le minuscule domaine que j'aurai fait mien. J'aspire à quelque chose de mieux : rien de moins que la Sagesse. Dans une université moderne, si vous demandez le savoir, on vous le donnera sous presque n'importe quelle forme — quoique, si vous désirez des choses démodées, on vous répondra comme dans un magasin : « Désolé, nous ne faisons pas cet article : il ne se vend pas. » Cependant, si vous demandez la sagesse — que Dieu nous protège ! Quelles démonstrations de modestie, quelles protestations ne suscitez-vous pas chez ces hommes et ces femmes dont les yeux brillent d'intelligence comme un phare ! De l'intelligence, tant que vous voudrez, mais pour ce qui est de la sagesse, pas même la plus petite lueur d'une chandelle.

Voilà ce qui m'enchaînait à Hollier : je croyais voir en lui de la sagesse. Et, comme dit Paracelse — ce Paracelse que j'ai dû apprendre à connaître parce qu'il faisait partie de mes travaux sur Rabelais : *La recherche de la sagesse est le deuxième paradis du monde.*

Hollier, pensais-je, me permettrait de l'atteindre, ce deuxième paradis. Et le premier aussi.

# LE NOUVEL AUBREY II

Désigner quelqu'un pour exécuter vos dernières volontés, est-ce jamais un acte de gentillesse ? C'est une marque de confiance, certes, mais celle-ci peut devenir une pénible servitude. Hollier et moi nous trouvâmes être de plus en plus absorbés par l'héritage Cornish, cela au détriment du temps et de l'énergie dont nous avions besoin pour notre propre travail. Une des clauses du testament stipulait qu'une fois la succession réglée chaque conseiller, ou sous-exécuteur, pouvait choisir pour lui « un objet qui lui plaît particulièrement, à la condition que celui-ci ne constitue pas déjà un legs ou une partie de legs ». En fait, cette disposition rendait notre tâche plus frustrante car nous ne cessions de tomber sur des objets que nous aurions aimé avoir et de découvrir qu'ils avaient été attribués à quelqu'un d'autre. Et le jeune avoué de Cornish nous dit que nous ne pouvions choisir ou emporter quoi que ce fût avant la fin de la liquidation. Nous étions pareils à des parents pauvres devant l'arbre de Noël d'enfants riches.

Riches et pas aussi reconnaissants que nous l'avions escompté. Les légataires importants étaient assez contents de prendre ce qui les intéressait, mais nous faisaient comprendre que certains des objets inclus dans le lot n'étaient pas spécialement à leur goût, voire les encombraient.

Ce fut le cas de la National Gallery. Cornish avait laissé à ce musée des douzaines de toiles, mais avait stipulé que les œuvres canadiennes devaient rester groupées et exposées en permanence sous le nom de « legs Cornish ». Les dirigeants de la Gallery nous dirent, et cela se comprend, qu'ils aimaient montrer leurs tableaux dans un contexte historique et que les Krieghoff de Cornish ainsi que d'autres œuvres anciennes devaient en principe être intégrées dans leurs expositions des débuts de la peinture canadienne : ils n'avaient pas envie d'avoir des primitifs éparpillés dans toutes leurs salles. Ils dirent également que certains des tableaux modernes ne leur semblaient pas être de premier ordre, quoi que Cornish ait pu en penser, et qu'ils ne pouvaient pas promettre de les inclure dans leur exposition permanente. S'il devait y avoir un legs Cornish, Cornish aurait pu en discuter avec eux auparavant ou penser à laisser de l'argent pour la création d'une salle spéciale destinée à loger son don. Toutefois, même s'il l'avait fait, le musée n'aurait pas eu de terrain pour la construire. Les lettres que nous envoyèrent ces gens étaient polies, mais tout juste. De plus, elles sous-entendaient souvent que les donateurs tendent à être tyranniques et sans égards, et que toute personne qui n'a pas fait les Beaux-Arts n'est au fond qu'un amateur.

Hollier prit tout cela assez mal. D'une loyauté extrême, il avait l'impression qu'on insultait la mémoire de Cornish. Moi, avec mon assommante faculté de toujours voir les deux côtés d'une question, j'en étais moins sûr. Quant à McVarish, il se montra frivole, comme si le testament et les désirs de Cornish n'avaient guère d'importance, ce qui rendit Hollier encore plus furieux.

« Tous les donateurs et tous les bienfaiteurs sont fous, déclara Urky. Ce qu'ils veulent, c'est une gloire et une reconnaissance posthumes. Chaque collège, chaque faculté de ce campus pourrait vous en raconter de belles à ce sujet. La famille qui réserva les revenus d'un million de dollars à la création d'une chaire de médecine interne, puis, des années plus tard, reprit sournoisement son argent parce qu'elle désapprouvait la ligne adoptée par le troisième titulaire. Le vieux salaud qui donna une collection d'ouvrages historiques à la bibliothèque universitaire, imposa silence à tout le monde et exigea un diplôme honorifique même quand il fut prouvé qu'en fait ces livres n'étaient pas à lui mais à une fondation qu'il dirigeait. Et ce vieux Mahaffy qui légua une jolie somme au Centre d'études celtiques, à la condition que par "études celtiques" on entendît études irlandaises, les Écossais, Gallois et Bretons pouvant aller se faire voir ailleurs. Et que dire de cette crapule qui créa un poste de conférencier, exigeant que les conférences commencent de son vivant et soient payées par l'université jusqu'à sa mort, et qui, des années plus tard, déclara en souriant au président qu'il avait changé d'avis et, de toute façon, ne trouvait aucun intérêt à ces cours ? Neuf fois sur dix, la bienfaisance sert à se faire plaisir. La fourberie qui permet aux bienfaiteurs d'amasser du fric les empêche pratiquement de s'en défaire à l'heure de la mort. Même notre cher ami Cornish, pourtant un être supérieur, comme nous le savons tous, a été incapable de lâcher entièrement prise. Mais quelle importance ? Si la National Gallery ne veut pas d'un tableau, on n'a qu'à le donner à la Provincial Gallery, qui reçoit un tas de toiles de toute façon. En fin de compte, une croûte de plus ou de moins, qu'est-ce que cela change ? Vous avez vu ce que dit le testament : quand les tableaux spécifiés dans ce document auront été remis aux divers légataires, les exécuteurs pourront disposer du reste à leur guise. Or les exécuteurs, c'est nous. Le neveu n'en saura rien et, de toute manière, cela lui serait égal. Notre boulot, c'est de distribuer les biens et de vider ces appartements. »

Hollier, cependant, ne voulut pas entendre parler d'une chose pareille. Cela faisait des années que je le connaissais, mais je n'avais jamais pénétré sa vraie nature. J'eus l'impression qu'il était plus scrupuleux qu'il n'est bon pour un homme. Une conscience très développée et aucun sens de l'humour — une dangereuse combinaison. On a tendance à parler de l'humour comme si celui-ci ajoutait quelque chose de merveilleux à la

personnalité, presque comme d'un substitut au bon sens, sinon
à la sagesse. Cependant, dans le cas de McVarish, il dénotait
une absence du sens des responsabilités, un mépris des besoins
et des désirs des autres quand ceux-ci contrariaient les siens.
C'était une façon de camoufler sous des couleurs gaies le dédain
qu'il éprouvait pour le monde entier. Dans la conversation et
la vie courante, il appréciait ce qu'il appelait la « légèreté » :
rien ne devait jamais être pris au sérieux, et le genre de sérieux
que montrait Hollier équivalait, comme McVarish le laissa assez
clairement entendre, à un manque de savoir-vivre. Moi aussi
j'aime bien une certaine « légèreté », mais chez McVarish c'était
trop visiblement un autre mot pour égoïsme. Il ne tenait pas à
remplir les instructions de Cornish aussi bien que possible ; ce
qui lui plaisait, c'était l'importance que lui donnait sa fonction
d'exécuteur testamentaire d'un riche original, et la fréquentation de conservateurs de musées, personnes qui étaient à la
hauteur de ses exigences. Comme c'est souvent mon rôle, je
dus jouer les médiateurs entre ces deux caractères inconciliables.

J'eus un problème particulier à résoudre : un conflit entre
archivistes. Non contente de l'assurance qu'elle recevrait une
magnifique collection de manuscrits et de livres rares, la
bibliothèque universitaire réclamait tous les papiers de Cornish. La Bibliothèque nationale d'Ottawa, qui n'était pas
mentionnée dans le testament, envoya une lettre polie mais
ferme dans laquelle elle demandait la correspondance de
Cornish, ses notes, ses papiers, bref, tout ce que nous
pouvions trouver qui se rapportât à la carrière de collectionneur
et de mécène du défunt. Les deux bibliothèques croisèrent
le fer et commencèrent, avec courtoisie mais ardeur, à se
battre pour ces documents. Cornish n'avait jamais dû penser
que ses vieilles lettres et autres papiers sans valeur pourraient
un jour intéresser qui que ce fût. Il n'avait jamais fait la
moindre fiche ; sa méthode de classement consistait à mettre
tout, dans n'importe quel ordre, dans des boîtes en carton.
Ses agendas, conservés simplement parce qu'il ne jetait jamais
rien, contenaient un fouillis de notes griffonnées relatives à

des rendez-vous, des chiffres représentant des sommes d'argent sans que fût spécifiée leur nature, des adresses et, ici et là, quelques mots ou une phrase qui, à un moment donné, avaient eu un sens pour lui. En les feuilletant, je trouvai dans l'un d'eux — comme il n'était pas plein, j'en déduisis que c'était le dernier — l'inscription suivante : « Prêt à McV ms Rab. 16 avril ».

Mais il y avait aussi des trésors dont personne à part moi ne connaissait l'existence : je ne permettais pas aux bibliothécaires de venir fouiner dans l'appartement. Je découvris, entre autres choses, des lettres de peintres, devenus célèbres par la suite, écrites à une époque où ils étaient jeunes et pauvres — des lettres amicales qui étaient souvent de touchants appels à l'aide. Elles comportaient des esquisses et des griffonnages drôles, charmants, parfois très beaux. Quand j'expliquai tout cela à Arthur Cornish, il répondit :

« Faites comme bon vous semble. Mon oncle avait confiance en vous, cela me suffit. »

Paroles flatteuses, mais qui ne m'aidaient guère car les bibliothécaires étaient vraiment coriaces.

La Bibliothèque nationale avançait que Cornish avait été un grand homme canadien (ce qui l'aurait bien fait rire car c'était l'homme le plus modeste que j'eusse jamais connu) et que tous les documents le concernant devaient passer par les mains d'un archiviste, être catalogués, indexés et conservés dans des réceptacles spéciaux anti-oxydation. Cependant, la bibliothèque de Spook voyait en Cornish un grand bienfaiteur de l'université qui avait montré son estime pour cet établissement en lui léguant une superbe collection de livres et de manuscrits. Dans la mesure du possible, sa mémoire devait reposer entre ses mains.

Pourquoi ? demandai-je. Les trésors ne leur suffisaient-ils pas ? Fallait-il encore y ajouter tous ces bouts de papier dont la plus grande partie me semblait juste bonne à brûler ? Oui, répondirent les archivistes en se maîtrisant, mais dans leurs voix perçaient la rage et l'horreur que suscitaient en eux ma bêtise et mon ignorance. Je ne devais tout de même pas oublier la Recherche, cette gigantesque industrie du savoir. Des étudiants en beaux-arts, en histoire et en Dieu sait quelle autre matière voudraient avoir sur Cornish tous les renseignements qu'il serait possible de réunir. Comment croyais-je qu'on pourrait écrire une biographie officielle de ce personnage si tous ses papiers ne se trouvaient pas en mains sûres, et cela pour toujours ?

Leurs arguments ne m'impressionnèrent pas. J'ai lu deux ou trois ouvrages de ce type sur des gens que j'avais bien connus et chaque fois j'ai eu l'impression qu'on me parlait de parfaits inconnus. Dans l'ensemble, les auteurs se montrent prudemment favorables envers leurs sujets ; cependant, ils n'omettent pas de souligner ce qu'ils aiment appeler les « faiblesses » de ces derniers. Pour les biographes modernes, il n'y a pas de caractères parfaits. En tant que prêtre chrétien, je souscris volontiers à cette affirmation ; cependant, les défauts qu'ils exhibent indiquent généralement que la personne qu'ils étudient ne partageait pas entièrement leurs opinions en matière de politique, de progrès social ou sur un autre sujet tout aussi impersonnel. Ce que moi je considère comme des défauts, l'orgueil, la colère, l'envie, la luxure, la gourmandise, l'avarice et la paresse, c'est-à-dire les sept péchés capitaux — et Cornish commettait fréquemment les quatre derniers —, est rarement traité d'une façon intelligente. Quant aux vertus — la foi, l'espérance, la charité, la prudence, la justice, la force et la tempérance (Cornish en avait largement pratiqué certaines) —, elles ne sont jamais mentionnées sous leurs véritables noms, ou même sous des noms modernes en vogue. Dans les biographies de gens que j'avais connus personnellement, je n'ai pas trouvé la moindre trace d'amour. Peut-être était-il impudent de ma part de souhaiter que Cornish reçût une part convenable de ce sentiment si jamais il faisait l'objet d'un tel ouvrage. Ou de haine, ou de n'importe quoi d'autre hormis l'incompréhension érudite d'un biographe professionnel.

Ainsi, je louvoyais et temporisais face à mes deux deman-
deurs. J'en perdis le sommeil. Parfois, je souhaitais avoir le
courage de profiter du droit que j'avais de jeter tout ce fatras
au feu, mais les merveilleuses lettres des peintres arrêtaient ma
main.

Que valait l'ensemble de ces objets qu'avait accumulés
Cornish ? Arthur Cornish, lui, avait la tâche facile : il
s'occupait d'argent. C'est là une entité que l'on peut exprimer
en des termes compréhensibles pour des percepteurs et des
tribunaux de succession. Les objets d'art, cependant, c'est
une autre affaire. Le fisc voulait avoir un chiffre à inscrire ici
et là sur ces papiers très importants, du moins pour lui, que
sont les formulaires. Nous ne pouvions pas nous référer à
des contrats d'assurance : Cornish n'avait jamais rien assuré.
Pourquoi assurer ce qui est irremplaçable ? Hollier et McVarish
se laissèrent convaincre sans peine quand je leur proposai de
faire venir des experts de la branche torontaise de Sotheby's.
Mais là encore, nous rencontrâmes des difficultés. Les commis-
saires-priseurs connaissaient leur métier : ils pouvaient nous
dire ce que vaudrait tout le lot, pièce par pièce, à une vente,
si tous les objets étaient catalogués et offerts sur les marchés
adéquats. Mais une estimation destinée à homologuer un
testament, c'était autre chose, vu qu'Arthur Cornish était
fermement décidé à éviter d'avoir à payer des droits de
succession sur les prix artificiellement gonflés qui avaient
maintenant cours sur le marché de l'art. A cet égard, le fait
qu'une si grande partie des biens allât d'une manière ou
d'une autre au public changeait beaucoup moins la situation
qu'Arthur ne le trouvait juste.

C'était un travail fatigant ; de plus, il m'empêchait de
faire celui pour lequel l'université me payait.

## 2

La principale justification de ma vie, c'est probablement
le fait que je suis un bon professeur. Cependant, pour

enseigner du mieux que je peux, il me faut de la tranquillité d'esprit. En effet, je ne me contente pas de débiter des cours que j'ai préparés depuis longtemps : j'invite mes étudiants, qui ne sont jamais très nombreux, à parler et à discuter. Chaque année, ce travail prend des formes différentes et donne des résultats différents car tout cela dépend autant de la qualité des étudiants que de mon enseignement. Or les exigences posthumes de Cornish me causaient trop de soucis pour que je fusse capable de donner le meilleur de moi-même.

J'étais particulièrement désireux de le faire parce que, pour la première fois depuis des années, j'avais une étudiante exceptionnelle : précisément cette Maria Magdalena Theotoky dont j'avais remarqué la présence à l'enterrement de Cornish. Quand je lui demandai si elle connaissait le défunt, elle me répondit que non ; toutefois, Hollier lui avait dit qu'un jour elle éprouverait peut-être beaucoup de reconnaissance envers Cornish et lui avait conseillé d'assister aux funérailles. Elle avait l'air d'être un chouchou de Hollier, ce qui m'étonna. Clem, en effet, n'a pas beaucoup de contacts avec ses étudiants en dehors des salles de cours. Je suppose qu'il était attiré comme moi par la soif de savoir de cette jeune fille. Maria Theotoky semblait s'intéresser à l'érudition en elle-même, et non pas pour les besoins d'une carrière. Étant donné ma formation de théologien, je me demandai si elle était l'un des élus du savoir — et je ne plaisante qu'à moitié. De même que pour Calvin l'humanité est divisée entre élus, choisis pour être sauvés, et réprouvés, de même pour moi le savoir, l'est également : il y a ceux auxquels il vient naturellement et ceux qui doivent peiner pour l'acquérir. Avec les élus du savoir, on a moins l'impression de leur apprendre quelque chose que de leur rappeler des connaissances qu'ils ont déjà. C'était le cas de Maria. Cette fille me fascinait.

Bien entendu, elle était mieux préparée à l'étude du grec des Évangiles que ne le sont généralement les étudiants : elle savait le grec classique, et au lieu de traiter celui du Nouveau Testament comme une langue abâtardie, elle le voyait tel qu'il était en réalité : une ruine magnifique, une statue grecque qui a perdu nez, bras et organes génitaux, mais qui n'en demeure pas moins grecque et splendide dans sa décrépitude. Une langue, en outre, qui avait servi à saint Paul et aux quatre apôtres pour dire des choses très fortes.

Pourquoi se donnait-elle la peine de l'apprendre ? Elle me parla de son travail sur Rabelais, auteur qui savait le grec, à la fois comme prêtre et comme humaniste, à une époque où l'Église n'encourageait pas l'étude de cette langue. C'est curieux, commentai-je à mon séminaire : à la Renaissance, ce furent les non-universitaires qui se penchèrent sur les classiques qu'on venait de redécouvrir ; même Archimède — qui, à la différence de Platon, n'avança aucune idée dérangeante, mais fit quelques découvertes scientifiques et proposa la théorie de la vis sans fin — n'était pas étudié dans les facultés. Maria comprit ce que je voulais dire : que les universités ne peuvent être plus universelles que les personnes qui y enseignent et les personnes qui y étudient. Rares sont ceux qui parviennent à aller au-delà des études qui sont à la mode à leur époque. Maria semblait être de leur nombre, et moi, je me croyais capable de la guider.

Avoir des chouchoux est dangereux, me dis-je à titre d'avertissement. Cependant, enseigner quelque chose à Maria, c'était comme jeter une allumette enflammée dans de l'huile tandis que les autres étaient pareils à du bois humide avec lequel j'essayais péniblement de faire un semblant de feu. Je regrettai que Cornish absorbât une si grande partie de mon énergie.

Je le regrettai aussi parce que le projet d'écrire un *Nouvel Aubrey* commençait à m'enthousiasmer. L'idée de ce pauvre Ellerman avait provoqué en moi une étincelle que je voulais attiser.

Simplement quelques notes éparses sur des contemporains des milieux professoraux — voilà ce qu'il avait suggéré. Mais par où commencer ? Il est facile de trouver des excentriques dans les universités si pour vous un excentrique est juste un individu pourvu de quelques habitudes étranges. En revanche, le véritable excentrique, l'homme qui se tient à l'écart de l'érudition en vogue de son temps et qui sera peut-être à l'origine d'un remarquable progrès dans le domaine du savoir est un oiseau plus rare. Ceux qui entrent dans cette catégorie sont généralement assez impopulaires car ils tirent leur énergie d'une source que leurs contemporains ne comprennent pas. J'avais des raisons de penser que Hollier était de leur nombre et je devais profiter de l'occasion que m'avait donnée Cornish pour l'étudier de près. Cependant, les excentriques plus spectaculaires, la *Species Dingbaticus*, comme j'entendais des étudiants les appeler, m'attiraient beaucoup : j'aime les charlatans. Or, avec Urquhart McVarish, j'en tenais certainement un très beau spécimen.

Non pas que mon collègue fût ignorant. Il avait la réputation d'être un très bon spécialiste de l'histoire de la Renaissance. Cependant, il manquait totalement de modestie à ce sujet ; c'est le seul personnage jouissant d'une certaine respectabilité dans le monde universitaire que j'aie jamais entendu se vanter sans honte d'être un « grand érudit ». Il avait été président du Centre d'études de la Renaissance, et pendant quelque temps on aurait dit qu'il donnerait à celui-ci une renommée internationale. Il encourageait les bons étudiants à travailler avec lui, mais ne s'intéressait nullement aux efforts que faisaient ceux-ci pour voler de leurs propres ailes. Utilisés comme des assistants qualifiés, ces jeunes gens voyaient s'évanouir leurs chances de jamais faire leur doctorat. Quand on lui reprochait cette attitude, Urky répondait gaiement que toute personne qui avait étudié avec lui pouvait aller n'importe où dans le monde et obtenir un poste de professeur à ce seul titre. On ne leur demanderait pas de doctorat. De toute façon, c'était là un diplôme stupide qu'on accordait chaque année à de parfaits crétins. Être un collaborateur de McVarish, c'était cent fois mieux. Les étudiants en doutaient, et cela pour une bonne raison : ce n'était pas vrai. Urky fut donc dégommé. En compensation, il devint membre du petit groupe des professeurs émérites, ces universitaires mirifiquement payés et trop éthérés pour faire du travail administratif. Démis tout en étant promu.

Une université ne peut pas renvoyer un professeur titularisé sans provoquer un scandale. Or, si les universitaires adorent les chamailleries, ils détestent les esclandres. Presque tout le monde était d'avis que le seul moyen de se débarrasser d'Urky serait de l'assassiner, mais bien qu'il ait peut-être été tenté de le faire, le doyen eut peur de se faire pincer. De toute façon, Urky n'était pas un mauvais érudit : il était simplement insupportable. Pour je ne sais quelle raison, ce n'est pas là une excuse acceptable quand on veut mettre quelqu'un à la porte. Urky devint donc un professeur émérite chargé de tâches légères, pourvu d'une secrétaire et de quelques étudiants.

L'intéressé, cependant, accepta mal sa transformation, et, selon ses propres termes, prit l'université « en grippe » ; dans le style persifleur qui lui était propre, il ne cessait de la débiner devant ses quelques étudiants préférés ou lèche-bottes. J'entendis certains de ces derniers faire des remarques méprisantes sur l'argent que Cornish léguait à Spook. « Un million de dollars, qu'est-ce que c'est de nos jours quand vous l'avez investi ? Deux profs médiocres de plus. Comme si nous avions besoin de ça ! » La source de ces propos n'était pas difficile à trouver. Oui, il fallait absolument que je cerne la personnalité de Urquhart McVarish.

Nous étions déjà à la mi-octobre quand Urky m'invita à l'une de ses réceptions. Il en donnait une tous les quinze jours, habituellement pour les étudiants et les jeunes professeurs. L'une d'entre elles, où son coiffeur avait été l'invité d'honneur, était devenue célèbre. La chevelure d'Urky était un chef-d'œuvre de crans argentés. On chuchotait que son propriétaire dormait avec un filet. Cependant, comme j'avais été obligé d'admettre depuis longtemps que je n'avais pas un haut front shakespearien, mais une calvitie avancée, je devais veiller à ce que l'envie ne me jouât pas des tours lorsque je pensais à la crinière de mon collègue. Cette fête, à laquelle Hollier était également convié, était censée avoir une « ambiance cornishienne ».

Et, de fait, elle l'avait, car Arthur Cornish était là, seul non-universitaire parmi les personnes présentes. Nous nous réunîmes à cinq heures, à peu de chose près. L'invitation qu'Urky avait composée de sa belle écriture italique indiquait en effet : « Cocktail de cinq à sept » ; or, dans notre université, nous tenons à la ponctualité.

Urky avait un bel appartement. On y voyait de beaux livres sur de coûteuses étagères et quelques très bons tableaux dans le style de la Renaissance — des Vierges, des saint Jean et un nu qui avait l'air assez rachitique pour être un Cranach, mais ne l'était certainement pas — ainsi que deux ou trois jolies statuettes anciennes. Prends garde à l'envie, me dis-je. En effet, j'aime les beaux objets, moi aussi, et en possède quelques-uns, bien qu'ils ne soient pas aussi précieux que l'étaient ceux-ci. Un excellent bar était installé sur ce qui avait dû être autrefois une petite armoire d'église. Un ami de notre hôte, un étudiant, y servait de généreux verres d'alcool. Ce cadre convenait merveilleusement à Urky.

Ce dernier se tenait au milieu de la pièce vêtu d'une veste d'intérieur — à moins que ce ne fût un smoking — faite d'une très belle soie vert bouteille. Pas question pour Urky de porter une vulgaire veste en tartan comme les Écossais de rang inférieur. D'ailleurs, il se moquait de ce vêtement, disant que c'était une foutaise romantique dont on n'avait pratiquement jamais entendu parler jusqu'au jour où sir Walter Scott avait donné un sérieux coup de pouce au développement de l'industrie touristique écossaise. Urky aimait à poser à l'Écossais de haute naissance. Son écossais était aristocratique lui aussi : juste un peu chantant et quelques r légèrement roulés ; pas la moindre trace de la langue populaire de Robert Burns.

A ma surprise, je découvris Maria parmi les invités. La tenant par le bras, Urky lui montrait un portrait accroché au-dessus de sa cheminée : un homme en costume du XVIIᵉ siècle en cravate à dentelle et veste de la même couleur que celle qu'il portait lui ; il avait un nez aussi long et le teint aussi rouge que ceux d'Urky.

« Le voilà, ma chère, disait ce dernier. Il devrait sûrement vous plaire : mon ancêtre, sir Thomas Urquhart, le premier traducteur de Rabelais, et, indéniablement, le meilleur jusqu'à ce jour. Bonsoir, Simon. Vous connaissez Maria Theotoky ? Cette charmante personne est exceptionnelle à deux titres : c'est une grande beauté et une rabelaisienne. Autrefois, on disait qu'aucune honnête femme ne lisait Rabelais. Êtes-vous une honnête femme, Maria ? J'espère que non.

— Je n'ai pas lu la traduction d'Urquhart, dit Maria. Je m'en tiens à l'original français.

— Vous ne savez pas ce que vous perdez ! C'est un monument d'érudition et d'anglais du XVIIᵉ siècle ! Pleine de superbes néologismes, surtout pour ce qui est des injures ! Vous devez absolument la lire. Je vous en donnerai un exemplaire. Au fait, est-il vrai, ma chère Maria, que les cuisses d'une dame bien née sont toujours fraîches ? C'est ce qu'affirme Rabelais. Je suis certain que vous savez comment il explique ce phénomène. Mais est-ce vrai ?

— Je pense que Rabelais ignorait presque tout des dames bien nées.

— C'est probable. Mon ancêtre, en revanche, les connaissait bien. C'était d'ailleurs un parfait gandin. On dit qu'il est mort d'extase en apprenant la restauration de Sa Majesté le roi Charles II.

— Je crois deviner de quel genre d'extase il s'agissait ...

— Pour cette remarque spirituelle, vous méritez un verre ! Peut-être vous procurera-t-il un peu d'extase, à vous aussi. »

Maria se tourna et se dirigea vers le bar sans attendre que son hôte l'y conduisît. De toute évidence, cette jeune personne avait la tête froide, me dis-je ; elle ne se laissait pas impressionner par la galanterie bruyante et lubrique d'Urky. Je lui présentai Arthur Cornish, qui ne connaissait presque personne dans cette réunion de professeurs et d'étudiants. Il entreprit d'aller lui chercher à boire. Elle demanda un Campari, boisson peu commune et plutôt chère pour une étudiante. Quoique assez ignorant en la matière, je regardai de plus près ses vêtements.

Le professeur Agnes Marley s'approcha de moi.

« Avez-vous entendu les nouvelles au sujet de ce pauvre Ellerman ? Il n'en a plus pour longtemps, je crains.

— Vraiment ? Il faut que j'aille le voir. J'irai demain.

— Les médecins interdisent toute visite.

— Dommage. Il y a quelques semaines, il m'avait fait une suggestion. J'aurais aimé lui dire que je la mets en pratique.

— Vous pourriez peut-être le dire à sa femme ?

— Bonne idée. C'est ce que je ferai. J'ai l'impression qu'Ellerman sera content de l'apprendre. »

Arthur Cornish, accompagné de Maria, nous rejoignit.

« J'ai vu que Murray Brown avait attaqué mon oncle, dit-il.

— Pour quelle raison ?

— Parce qu'il a légué autant d'argent à l'université. — Un million à Spook, à ce qu'on m'a dit.

— Oui, mais plusieurs autres millions ont été répartis entre d'autres collèges et facultés.

— Eh bien, quel mal y a-t-il à cela ?

— Ce qui est toujours mal pour Murray Brown : pourquoi certains groupes en ont-ils autant alors que d'autres en ont si peu ? Au nom de quoi un homme a-t-il le droit de choisir la destination de son argent sans se préoccuper du lieu où l'on en a besoin ? Pourquoi l'université recevrait-elle quoi que ce soit en dehors du budget qui lui est alloué par le gouvernement alors qu'elle gaspille ses fonds en bêtises et saletés ? Vous connaissez Murray, l'''ami des gens simples''.

— Mon illustre ancêtre l'aurait appelé une abjecte vipère, ou peut-être simplement un sac à merde, dit Urky, qui nous avait rejoints.

— Vous feriez bien de ne pas parler de merde. C'est justement là une des accusations de Murray : il a entendu dire qu'un savant de cette université faisait des recherches sur les excréments humains et veut savoir avec quel argent on finance de telles horreurs.

— Comment sait-il que ce sont des horreurs ? demanda Hollier.

— Il ne le sait pas, mais il peut le faire croire aux gens. Il a associé ces travaux à la vivisection, qui est un autre de ses chevaux de bataille : d'abord la torture, et maintenant le tripatouillage d'ordures. Est-ce à ça qu'on emploie notre argent ? Vous connaissez son style.

— Et où a-t-il parlé de tout ça ?

— A l'une de ses réunions politiques. Il prépare déjà sa campagne électorale.

— Je suppose qu'il fait allusion à Ozy Froats, dit Urky avec l'un de ses rires asthmatiques. Depuis plusieurs années, Ozy fait joujou avec des crottes humaines. Une étrange façon de passer le temps pour une ex-vedette du football, vous ne trouvez pas ?

— Je croyais que les démagogues aimaient la science, intervint Agnes Marley. Ils pensent pouvoir y discerner quelque application pratique. C'est généralement les lettres qu'ils attaquent.

— Oh, Murray ne s'en est pas privé ! Il dit qu'une fille s'est vantée d'être vierge et a porté de l'eau dans une passoire pour le prouver. Quel diable de jeu universitaire est-ce là ? a demandé Murray, avec ce qu'il doit considérer comme une indignation légitime.

— Oh ! mon Dieu ! s'exclama Maria. Il parle de moi !

— Qu'avez-vous bien pu faire, ma chère Maria ? interrogea Urky.

— Simplement mon travail. Je suis aide-enseignante, et

l'une de mes tâches consiste à faire un cours d'histoire de la science et de la technologie à des ingénieurs de première année. Ce n'est pas facile, car ils doutent que la science ait une histoire : pour eux, n'existe que le présent. Il faut donc que je rende mon cours le plus intéressant possible. Je leur avais parlé des vestales qui prouvaient leur virginité en apportant de l'eau du Tibre dans une passoire. J'ai mis les quelques filles, perdues dans mon immense classe de cent quarante étudiants, au défi de le faire. Certaines d'entre elles ont courageusement essayé... mais échoué. Tout le monde a bien ri. Ensuite, moi j'ai porté un peu d'eau sur une quinzaine de mètres sans en perdre une goutte. Gros succès. Quand le calme est revenu, j'ai prié les étudiants de venir examiner les passoires. Bien entendu, la mienne était enduite de graisse, ce qui prouve que les vestales avaient une connaissance pratique de la chimie colloïdale. Cela a beaucoup impressionné mes élèves, et maintenant ils sont dociles comme des moutons. Cependant, certains d'entre eux doivent avoir parlé de mon expérience, et ce Murray Machinchose en a eu vent.

— C'était très astucieux de votre part, commenta Arthur. Un peu trop peut-être.

— En effet, acquiesça Agnes Marley. La première règle, pour un prof comme pour un étudiant, c'est de ne pas se montrer trop astucieux ; sinon, il se met dans de mauvais draps.

— Mais cela marche-t-il vraiment, votre truc ? s'enquit Urky. Je vais prendre une passoire à la cuisine et nous essaierons. »

Faisant toutes sortes de manières, il passa aussitôt à l'action. Il graissa une passoire avec du beurre et réussit à garder un peu d'eau dedans ; cependant, il tacha son tapis.

« Évidemment, je ne suis pas vierge, déclara-t-il avec un gloussement plus coquin qu'il n'était nécessaire.

— Et puis, vous n'avez pas utilisé la graisse adéquate, précisa Maria. Vous ne vous êtes pas demandé quelle sorte de corps gras pouvaient employer les vestales. Si vous essayiez la lanoline, vous vous révéleriez peut-être vierge, après tout.

— Mais non, je préfère croire qu'il s'agit d'une vraie preuve, répondit Urky. Je préfère croire que vous êtes vraiment vierge, ma chère Maria. L'êtes-vous ? Allons, nous sommes entre amis ici. Êtes-vous vierge ? »

C'était là le genre de conversation qu'adorait Urky. L'étudiant-barman éclata d'un gros rire. Il avait l'air d'un provincial. De toute évidence, il pensait que c'était ça, le grand monde. Maria, cependant, ne se démonta pas.

« Qu'entendez-vous exactement par virginité ? riposta-t-elle. Selon la définition qu'en a donnée un jour un Canadien, c'est avoir son corps à la garde de son âme.

— Ah, si vous voulez parler de l'âme, je ne peux prétendre faire autorité. Nous devrons nous adresser au père Darcourt pour qu'il nous fixe là-dessus.

— Je crois que les vestales savaient parfaitement ce qu'elles faisaient, dis-je. Les gens simples exigent des preuves simples de choses qui ne le sont pas du tout. Je crois que l'écrivain auquel vous faites allusion, Mlle Theotoky, définissait la chasteté, qui est une qualité de l'esprit, plutôt que la virginité, qui n'est qu'un détail technique corporel.

— Oh ! Simon ! Quel jésuite vous faites ! s'écria Urky. Selon vous, donc, une jeune fille peut se dévergonder et, ensuite, déclarer : ''Oh, mais je suis toujours chaste, vous savez ; mon esprit n'était pas complice'' ?

— La chasteté n'est pas particulièrement un attribut féminin, Urky, commentai-je.

— Quoi qu'il en soit, ma démonstration a porté ses fruits, dit Maria. Mes ingénieurs ont presque accepté l'idée que la science ne date pas du jour où ils sont entrés à l'université, que les Anciens savaient peut-être deux ou trois choses, même si c'était d'une façon confuse. Ces derniers avaient toutes sortes d'épreuves, entre autres celle qui permet de reconnaître un sage. Est-ce que vous vous la rappelez, monsieur McVarish ?

— Je me réfugie derrière l'excuse de l'érudit spécialisé, ma chère Maria : cela n'est pas de mon domaine.

— Sauf si vous étiez un sage, rétorqua Maria. Ils disaient que celui-ci est capable d'attraper le vent dans un filet.

— Le graissait-il ?

— C'était une simple métaphore pour ''comprendre une chose qu'on peut sentir mais non voir''. Bien entendu, peu de personnes l'interprétaient de cette façon. »

Pendant toute cette conversation, Hollier avait eu l'air mal à l'aise. Il changea laborieusement de sujet.

« Cette attaque contre Froats est tout à fait ignoble, déclara-t-il. Ozy est un homme extrêmement brillant.

— Mais un excentrique, répliqua Urky. Vous ne pouvez pas dire le contraire. Un éplucheur d'étrons. Or vous savez quel profit un politicien peut tirer de la critique de ce genre de personne.

— Un homme extrêmement brillant, répéta Hollier, et un de mes vieux amis. Nos recherches ont beaucoup plus de points communs qu'un vulgaire agitateur comme Murray Brown pourrait le concevoir. Je suppose que, tous deux, nous essayons d'attraper le vent dans un filet. »

## 3

Les cocktails me coupent toujours l'appétit : je mange trop d'amuse-gueules. Après celui d'Urky, je rentrai directement chez moi. En chemin, j'achetai un journal pour voir si les accusations que Murray Brown avait lancées contre notre université faisaient encore partie de l'actualité.

Je suis officiellement professeur de théologie à Spook, mais je ne vis pas dans ce collège. J'ai un appartement dans celui de Ploughwright, qui se trouve à côté. C'est un bâtiment relativement moderne, mais pas à la façon irritante de l'architecture universitaire contemporaine, axée sur l'économie. Ma chambre se trouve dans la tour, au-dessus du portail.

J'ai donc une vue sur la cour carrée intérieure de Ploughwright ainsi que sur une grande partie de notre vaste campus.

Je n'ai pas de cuisine, mais je dispose d'une plaque chauffante et d'un réfrigérateur placés dans ma salle de bains. Je me préparai des toasts et du café et sortis un pot de miel. Pas tout à fait ce qu'il faut à un homme qui commence à être replet, mais je n'ai guère de goût pour la recherche moderne de la minceur. Manger m'aide à penser.

Le journal ne rapportait que des extraits du discours de Murray Brown, mais ceux-ci suffisaient à donner une idée de l'ensemble. A l'époque où j'étais pasteur de paroisse, avant de devenir professeur, j'avais rencontré le député un certain nombre de fois. C'était un homme irascible qui avait transformé sa colère en une croisade au profit des pauvres. En pensant au sort injuste des déshérités, Murray Brown pouvait se mettre dans une fureur délectable, dire toutes sortes de choses excessives, attribuer des motifs honteux à quiconque n'était pas d'accord avec lui et rejeter comme des éléments sans importance tout ce qu'il ne comprenait pas. Haï des conservateurs, il embarrassait les libéraux car il manquait d'envergure intellectuelle et de programme défini. Il était toutefois assez populaire auprès d'un grand nombre de gens qui pensaient comme lui pour se faire sans cesse réélire à l'assemblée de la province. Il avait toujours quelque cause brûlante à défendre, quelque iniquité à dénoncer, et, maintenant, il avait pris l'université dans son collimateur. A sa façon un peu primaire, c'était un bon polémiste. Notre argent servait-il à entretenir des types qui font joujou avec de la merde et des filles qui tiennent des propos stupides et obscènes dans les salles de cours ? Bien entendu, nous avions besoin de médecins, d'infirmières et d'ingénieurs, voire de juristes. Nous avions besoin de quelques économistes et enseignants. Mais avions-nous besoin d'un tas de fioritures ? L'auditoire de Murray était certain du contraire.

Murray me considérerait-il comme une fioriture ? Sans aucun doute. J'étais un soldat qui avait déserté son poste.

Pour Murray, un pasteur était quelqu'un qui travaillait parmi les pauvres, peut-être pas aussi efficacement qu'un travailleur social diplômé, mais qui faisait de son mieux et pour pas cher. Je doute que la notion de religion en tant que façon de penser et de sentir et comme activité susceptible d'absorber les meilleurs efforts intellectuels d'un homme capable soit jamais venue à l'esprit de Murray Brown. J'avais essayé pendant un certain temps d'être un pasteur tel que le concevait Murray, mais je m'étais ensuite tourné vers l'enseignement universitaire parce que j'avais acquis la conviction que, selon des termes chers à Einstein, le véritable chercheur était le seul être profondément religieux à notre époque essentiellement matérialiste. Ayant découvert combien il était difficile de sauver les âmes de mes prochains (au cours de mes années de ministère passées parmi les pauvres et les moins pauvres, ai-je jamais vraiment sauvé une seule âme ?), je voulais consacrer tout le temps libre dont je pouvais disposer au salut de ma propre âme, et, de ce fait, voulais faire un travail qui me donnât les loisirs nécessaires à l'accomplissement de cette tâche supérieure. Murray me traiterait d'égoïste. Mais le suis-je ? J'œuvre pour l'être le plus proche et le plus sensible à mes efforts, et peut-être mon exemple persuadera-t-il d'autres personnes de m'imiter.

Tâche sans fin ! On commence en ne sachant rien hormis que ce que l'on fait est probablement mal et que la bonne voie est enveloppée d'un épais brouillard. Quand j'étais jeune et plein d'espoir, j'entrepris de suivre l'Imitation de Jésus-Christ et crus bêtement qu'il me fallait essayer de ressembler en tout point au Seigneur, d'adjurer mes semblables de faire le bien, alors que j'ignorais ce que c'était, et de me mortifier aussi souvent que possible. La crucifixion n'était pas une méthode moderne pour améliorer la société, mais au moins je pouvais la pratiquer sur le plan de l'esprit, ce que je fis. Je pendis sur ma croix jusqu'au jour où je commençai à entrevoir que j'étais un emmerdeur public et pas du tout semblable au Christ — même pas à ce Christ *détraqué* * de mon imagination immature.

Peu à peu, le dur travail que je faisais parfois dans la paroisse me montra à quel point j'étais stupide, et je devins un chrétien « musclé ». Très actif dans les clubs d'hommes et de garçons, je proclamais que ce qui comptait, c'était les œuvres, et que la foi pouvait fleurir dans les gymnases et les cours de travaux manuels. C'est peut-être vrai pour certaines personnes, remarquez ; mais, pour moi, ça ne l'était pas.

Graduellement, je compris que l'imitation du Christ, ce n'était peut-être pas une représentation de la Passion donnée par une troupe ambulante dans laquelle je jouais lamentablement le rôle principal. Ce qu'on pouvait peut-être imiter chez le Christ, c'était sa façon d'accepter entièrement sa destinée et de s'y tenir même si elle le conduisait à une mort ignominieuse. C'était l'intégralité de la personne Jésus-Christ qui avait illuminé tant de millions de vies ; ma tâche était donc de chercher et de manifester l'intégralité de Simon Darcourt.

Pas celle du révérend Simon Darcourt, professeur, quoiqu'il fallût donner son dû au personnage qui portait ce superbe titre car l'université le payait pour qu'il remplît ce double rôle. Le pasteur et le professeur fonctionneraient convenablement si Simon Darcourt, dans sa totalité, vivait en étant vraiment conscient de ce qu'il était et s'adressait au reste du monde depuis cette conscience de soi, en tant que prêtre et enseignant, et toujours en tant qu'homme — un homme qui s'humiliait devant Dieu, mais pas nécessairement devant ses semblables.

C'était cela, la véritable imitation du Christ, et si Thomas a Kempis la désapprouvait, c'était parce qu'il n'était pas Simon Darcourt. Mais le vieux Thomas pouvait être un ami. « Si vous êtes incapable de vous modeler selon vos désirs, comment pouvez-vous demander à autrui d'être exactement

---

* En français dans le texte (N.d.T.).

comme vous le souhaiteriez ? » écrivit-il. On ne le peut pas, évidemment. Mais j'avais décidé que les pénibles tentatives que j'avais faites dans ma jeunesse pour me modeler, les prières, les mortifications (pendant une courte période, j'allai jusqu'à mettre des pois secs dans mes chaussures et flirtai même avec un fouet jusqu'au jour où ma mère le découvrit) et cette façon de jouer l'âne bâté en me prenant pour le serviteur qui souffre, étaient parfaitement stupides. J'avais renoncé à me modeler de l'extérieur et attendais patiemment que ma destinée le fût de l'intérieur.

Attendais patiemment !... Dans mon âme, peut-être, car l'université ne me payait pas pour cela. J'avais mes cours à donner, mes théologiens à pousser vers l'ordination, et puis je devais assister à toutes sortes de réunions, commissions et groupes professionnels variés. J'étais un universitaire très occupé, mais je trouvais du temps pour ce que j'espérais être ma croissance spirituelle.

Mon plus gros handicap, comme je le découvris, c'était le sens de l'humour. Si celui d'Urquhart McVarish exprimait un manque de sérieux et un mépris pour le reste de l'humanité, le mien reflétait un goût pour l'absurde. J'avais la manie de mettre les choses à l'envers aux moments les plus inopportuns. En tant que professeur dans une faculté de théologie, j'ai quelques devoirs ecclésiastiques, et, à Spook, nous sommes ritualistes. J'approuve entièrement. Qu'a dit Yeats ? « Où peuvent naître l'innocence et la beauté si ce n'est dans les coutumes et les cérémonies ? » Cependant, à l'instant où ces dernières devraient me porter le plus à la ferveur, je peux avoir à lutter contre un accès de fou rire. Était-ce de cette même infirmité que souffrait Lewis Carroll ? La religion et les mathématiques, deux domaines d'où l'humour semble complètement absent, le poussèrent à écrire *Alice*. Le christianisme ne fait aucune place à l'absurde et montre peu de tolérance pour l'humour. On a essayé de me convaincre que saint François en avait beaucoup, mais je ne le crois pas. Il était gai, peut-être, mais ça, c'est autre chose.

De plus, je me suis parfois demandé si saint François n'était pas légèrement toqué. Il mangeait trop peu, ce qui ne vous mène pas nécessairement à la sainteté. Combien de visions de l'éternité ont été provoquées par une hypoglycémie ? (Je me pose cette question tout en tartinant mon troisième toast d'une épaisse couche de miel.)

En fait, une certaine dose de ce qu'on pourrait appeler du cynisme — mais qui pourrait tout aussi bien être de la lucidité, tempérée par de la charité — est l'une des caractéristiques de ce Simon Darcourt que j'essaie de découvrir et de libérer. C'est à cause de cela que je ne pus m'empêcher de remarquer que le portrait de sir Thomas Urquhart, qui présentait une ressemblance si frappante avec Urky, avait été retouché pour donner précisément cette impression. L'habit vert, les cheveux (une perruque) et la plus grande partie de la figure étaient authentiques, mais quelqu'un s'était livré à un petit travail pour accentuer la similitude. Quand vous regardiez le tableau de côté, à la lumière violente du projecteur qui l'éclairait, vous aperceviez nettement les rajouts. Je m'y connais un peu en peinture.

Ce pauvre vieil Urky. J'avais trouvé détestable la manière dont il avait importuné la jeune Maria Theotoky avec ses questions sur la virginité et les cuisses des femmes bien nées. Je cherchai ce passage dans mon Rabelais en anglais : oui, les cuisses étaient fraîches et humides parce que les femmes étaient censées uriner un peu de temps en temps (je me demande bien pourquoi ; elles n'ont pas l'air de le faire de nos jours) et parce que le soleil ne les atteignait jamais. Elles étaient également rafraîchies par des pets. Quel vieux dégoûtant, ce Rabelais ! Et Urky aussi ! Mais Maria était une fille qui ne se laissait pas démonter. Un bon point pour elle !

Quel pitoyable charlatan, cet Urky ! Se pouvait-il que toute sa vie fût aussi fausse que la façade qu'il présentait au monde ?

Cette pensée était-elle charitable ? Paul nous décrit la

charité dans toute sa variété, mais à aucun moment il ne nous dit qu'elle est aveugle.

Ce serait certainement une erreur pour le véritable Simon Darcourt d'exclure Urky du *Nouvel Aubrey*. Tout comme ce serait une erreur que de ne pas aller dire quelques mots amicaux au professeur Ozias Froats alors qu'il est en butte à de violentes attaques. Je l'avais assez bien connu autrefois, à l'époque où il était un as du football.

# LE DEUXIÈME PARADIS III

« Non, je ne peux pas vous promettre que je ne me soûlerai pas cette fois. Qu'avez-vous donc contre une plaisante élévation de l'esprit, Molly ?

— Je trouve l'ivresse désagréable. C'est bruyant, ennuyeux et ça attire l'attention sur vous.

— Quelle attitude petite-bourgeoise ! Je pensais que vous réagiriez un peu mieux que ça, vous, une lettrée, une rabelaisienne. Vous devriez être libre de tout préjugé vulgaire et avoir une largeur d'esprit digne du sujet de votre thèse. Vous n'avez qu'à vous soûler avec moi. De cette manière, vous ne vous apercevrez pas que le populo nous regarde.

— Je déteste les ivrognes. Je n'en ai que trop vu dans ma vie.

— Ah oui ? Voilà une révélation — la première que vous m'ayez jamais faite. Vous êtes quelqu'un de très réservé, Molly.

— En effet.

— C'est inhumain et probablement malsain. Déboutonnez-vous un peu, ma chère. Racontez-moi votre vie.

— Je croyais que c'était vous qui alliez me raconter la vôtre. Un marché équitable, je trouve : je paie le dîner et vous, vous parlez.

— Mais je ne peux pas parler dans le vide.

— Je ne suis pas le vide. J'ai une excellente mémoire pour

79

tout ce que j'entends — meilleure, en fait, que pour ce que je lis.

— Tiens, c'est intéressant. Cela semble indiquer des origines paysannes.

— Tout le monde a des origines paysannes si vous remontez l'arbre généalogique dans la bonne direction. Je déteste parler dans un endroit bruyant comme celui-ci.

— Je vous ferai remarquer que c'est vous qui m'avez emmené ici, dans cette gargote estudiantine.

— C'est un restaurant italien tout à fait correct. Et, pour ce qu'on vous y donne, ce n'est pas cher.

— Maria, quel manque de délicatesse ! Vous invitez un homme pauvre et malheureux — car c'est ainsi que nous nous décrivons dans le bénédicité que nous récitons à Spook, vous vous rappelez : *miseri homines et egentes* — et vous lui dites en face que vous l'avez emmené dans un bouis-bouis, sous-entendant que vous auriez pu faire mieux pour quelqu'un d'autre. Vous n'êtes pas une jeune fille érudite et bien élevée, mais une pédante et un mufle.

— C'est bien possible, mais ce n'est pas en m'injuriant que vous allez me désarçonner, Parlabane.

— Frère John, s'il vous plaît. Oh ! allez au diable ! Vous avez toujours tellement peur que quelqu'un vous ''désarçonne'', comme vous dites. Qu'entendez-vous exactement par là ? Qu'on vous renverse pour faire la bête à deux dos, comme l'appelle Rabelais ?

— Oh ! taisez-vous ! J'ai l'impression d'entendre parler Urky McVarish. Tout homme qui a appris à lire ramasse inévitablement quelque grossièreté dans la traduction anglaise de Rabelais, puis la ressort à une femme pour voir sa réaction. Il se prend alors pour un vrai petit chef. Cela me fait chier, si vous voulez une opinion rabelaisienne. Par désarçonner, je veux dire que les hommes cherchent toujours à déconcerter les femmes pour les mettre en position d'infériorité. C'est simplement une forme d'intimidation pratiquée de façon joviale et condescendante. Je ne le supporte pas.

— Vous me blessez plus profondément que je ne saurais le dire.

— Quelle blague ! Vous êtes un parasite pétri de culture, frère John. Mais cela m'est égal. Je vous trouve intéressant et suis prête à payer le repas si vous faites les frais de la conversation. J'estime que c'est équitable. Comme je vous l'ai déjà dit, j'ai horreur de parler dans un endroit bruyant où il faut crier pour se faire entendre.

— Oh ! cette obsession du silence qu'ont les gens suréduqués ! Elle est complètement artificielle. D'une manière générale, nous sommes tous conçus avec une certaine quantité de bruit. Pendant les neuf mois où notre mère nous porte dans son ventre, nous vivons dans un vrai vacarme : tam-tam du cœur, coassements et gargouillis des boyaux, sons qui doivent ressembler à ceux que font les poulies et cordages d'un voilier, rire bruyant de notre mère — vous vous imaginez un peu ce que doit éprouver le bébé quand il est secoué comme un prunier dans sa bouteille aqueuse alors que le diaphragme monte et descend ? Pourquoi les enfants sont-ils bruyants ? Parce que, depuis leur conception, ils ont toujours vécu dans le bruit. Les gens critiquent leurs rejetons quand ceux-ci affirment mieux travailler avec la radio allumée ; en fait, ces gosses essaient simplement de retrouver le vacarme primitif dans lequel ils ont appris à se transformer d'une goutte informe en têtard, puis du têtard en être humain. Le silence correspond à un goût acquis, tout à fait sophistiqué. Il est anti-humain.

— Que voulez-vous manger ?

— Commençons par une grosse portion de crevettes. Elles sont certainement surgelées, mais comme vous ne voulez pas m'offrir mieux, adonnons-nous à un luxe de troisième catégorie. Avec beaucoup de sauce très pimentée. Pour suivre, une omelette *frittata* au poulet. Puis de nouveau des spaghettis. Ceux de la dernière fois étaient tout à fait acceptables, mais doublez la portion. Je suis sûr que le chef peut mijoter une sauce plus épicée. Dites-lui d'y ajouter quelques petits piments supplémentaires. Mon amie ici présente les paiera. Ensuite des *zabaglione* ; surtout ne lésinez pas sur le marsala. Nous terminerons par une orgie de fromages ; apportez-nous vos chèvres les plus forts et les plus dégoûtants : j'aime les fromages qui ont du caractère. Il nous faudra au moins une miche entière de votre pain italien, bien croustillant, du beurre non salé, quelques crudités — un de ces radis qui font rôter, si vous en avez —- et un peu de beurre aillé pour en mettre ici et là, selon nos besoins. Enfin, un café bien mousseux. Quant au vin... Dieu ! quelle liste ! Enfin, ça ne sert à rien de se plaindre. Prenons un fiasco d'orvieto et un autre de chianti. Et surtout ne rafraîchissez pas l'orvieto ! Dieu n'a jamais voulu une chose pareille et je refuse de me faire le complice d'une telle hérésie. Nous parlerons de strega le moment venu. Et ne nous faites pas attendre. »

La serveuse m'a lancé un regard de biais. J'ai approuvé le choix de Parlabane d'un signe de tête.

« C'est une belle commande, vous ne trouvez-pas ? Un bon repas devrait être pareil à une représentation. Voilà une chose que les édouardiens comprenaient. Leurs dîners, ou leurs déjeuners, étaient une forme magnifique de théâtre. Comme une pièce de Pinero, ils comprenaient une habile exposition, du suspense, un dénouement et une fin satisfaisante. Une pièce bien faite, un repas bien fait. Du drame comestible. Puis arrivèrent Shaw et Galsworthy, et le théâtre comme la nourriture passèrent sur un plan plus élevé. On dépouilla les pièces de leurs délicieux adultères, et, aux repas, vous mangiez un plat peu appétissant d'épis d'eau, plus un œuf à la coque si vous étiez vraiment goinfre.

— Est-ce là une introduction à l'histoire de votre vie ?

— A peu près n'importe quoi mène à l'histoire de ma vie. Bon, je commence : je suis né de parents aisés, mais honnêtes, dans cette bonne ville de Toronto, il y a quarante-cinq ans bourrés d'événements. Votre sens historique remplira les blancs : la guerre menace ; tel le colosse de Rhodes,

Hitler se campe sur le monde, jambes écartées, et, comme d'habitude, aucun homme politique ne voit que c'est un salaud. Le conflit éclate. On suit avec angoisse le combat courageux que notre mère l'Angleterre mène seule contre l'ennemi (bien entendu, la France et plusieurs autres nations ne sont pas d'accord sur ce point). Les États-Unis se joignent tardivement et bruyamment à elle. Enfin la victoire. Un monde nouveau s'élève d'une façon assez précaire sur les ruines de l'ancien. D'alliée, l'Union soviétique se transforme en diable des temps de paix. Pendant toute cette effervescence, moi je vais à l'école, une très bonne école d'ailleurs. En effet, non seulement j'y apprends certaines choses et acquiers un goût précoce pour la philosophie, mais j'y rencontre aussi quelques garçons très riches et élégants comme David Staunton ou extrêmement brillants comme Clement Hollier, votre patron actuel. Il avait le même âge que moi, à quelques mois près, et nous étions amis. Il me croyait plus intelligent que lui parce que j'avais une grande facilité d'élocution et savais me mettre en valeur ; en réalité, j'étais convaincu qu'il me surpassait intellectuellement bien qu'il eût beaucoup de mal à s'exprimer. Il m'a soutenu alors que je connaissais une terrible épreuve et je lui en reste très reconnaissant. Puis j'entrai à l'université et traversai le ciel de Spook comme une comète. J'étais tellement stupide que j'eus le culot de plaindre Clem, et même de le mépriser un peu, parce qu'il devait bûcher si dur pour obtenir quelques diplômes sans grand prestige.

« La liberté qui régnait à l'université m'enchantait. Bien entendu, je n'avais pas la moindre idée de ce qu'est une université : ce n'est pas une rivière où l'on pêche, c'est un océan où les jeunes devraient se baigner en s'abandonnant aux marées et aux courants. Mais moi j'étais un pêcheur — un bon pêcheur, qui plus est. Pendant ce temps, sans que je m'en rendisse compte, Clem, lui, devenait un nageur très puissant. Mais tout ce que je raconte là est bien solennel.. D'ailleurs, voici nos crevettes.

« Je ne sais pourquoi, mais les crevettes me rappellent mes premières aventures amoureuses. J'étais très innocent et, pour des raisons évidentes — vous n'avez qu'à regarder ma gueule —, je n'osais pas courtiser les jeunes filles. Cependant, un jeune homme qui réussit dans ses études ou sa carrière est irrésistible pour un certain genre de femmes plus âgées. Elsie Whistlecraft s'intéressa à moi.

« Vous avez entendu parler d'Ogden Whistlecraft ? De nos jours, il est considéré comme un des plus grands poètes canadiens. A cette époque, il était ce qu'on appelait une voix nouvelle, et aussi un jeune prof à notre université. Elsie, qui avait de l'énergie et du culot à revendre, était en train de lui bâtir une carrière à toute allure. Il lui restait cependant un peu de temps pour avoir des aventures amoureuses, activité qu'elle jugeait seyante pour la femme d'un poète. Ainsi, une nuit où Oggie était parti lire sa poésie quelque part, elle me séduisit.

« Du point de vue d'Elsie, ce fut un échec. L'orgasme féminin était alors en train de devenir à la mode, et elle n'en avait pas eu. Tout cela à cause de son chien, une énorme bête nommée Mat. Elle avait oublié de l'enfermer et Mat trouva toute cette affaire si excitante qu'il se mit à aboyer. Comme elle essayait de le faire taire, Elsie ne put se concentrer sur l'événement principal. A un moment critique, Mat vint fourrer sa truffe froide dans mon postérieur, me faisant éjaculer beaucoup trop tôt. Je ris si fort qu'Elsie se fâcha et refusa de recommencer. Pendant les semaines qui suivirent, nous fîmes des progrès. Cependant, je continuais à penser à Mat et prenais cette liaison dans un esprit qui déplaisait à Elsie. Elle jugeait que seule une passion dévorante pouvait justifier et sanctifier l'adultère. Mat, toutefois, avait appris à m'associer à l'idée d'actions intéressantes, et, même quand il était attaché dehors, il aboyait bruyamment pendant tout le temps que j'étais dans la maison.

« Cette liaison, néanmoins, me donna confiance en moi-même, et l'idée d'avoir cocufié un poète était un baume pour mon esprit. Durant mes années estudiantines, je ne me débrouillai pas trop mal dans ce domaine, tout compte fait, mais je ne tombai jamais amoureux, comme on dit.

« Ça, ça m'arriva plus tard, quand je partis à Princeton faire mon doctorat. Là, je m'épris profondément et totalement d'un jeune homme. C'est un épisode d'une très grande beauté, le plus beau de toute l'histoire de ma vie, à la vérité.

« Jusque-là, je ne m'étais guère épanoui sur le plan affectif. C'est le vieux syndrome universitaire auquel vous avez fait allusion d'une façon si puritaine la dernière fois que nous sommes venus ici : une intelligence surdéveloppée et un cœur sous-développé. Je pensais être assez développé question sensibilité parce que j'avais cherché l'émotion dans les arts — surtout dans la musique. L'art, bien sûr, n'est pas émotion en soi : c'est plutôt l'évocation d'émotions qu'on a déjà éprouvées dans le passé. Cependant, si vous êtes un peu futé, vous simulerez facilement l'émotion et vous vous raconterez des histoires, car ce que vous donne l'art ressemble terriblement à une vraie émotion. Cet amour, donc, fut pour moi une révolution de l'esprit, et, comme tant de révolutions, celle-ci laissa dans son sillage une série de gouvernements provisoires qui, l'un après l'autre, s'avérèrent incapables de gouverner. Et comme c'est souvent le cas pour les révolutions, ce qui suivit fut pire que ce qui avait précédé.

« Je vous épargnerai les détails. Mon amant s'est lassé de moi, c'est tout. Cela arrive dans des relations amoureuses de tous genres. Si la mort est pire que cela, alors Dieu est un maître cruel.

« Ah, voilà l'omelette. Encore un peu d'orvieto ? Non ? Moi j'en prendrai. Pour vous fournir la prochaine livraison de mon feuilleton, j'ai besoin de me fortifier.

« Sans exagérer, ce fut une descente en enfer. Vous allez voir. Je revins ici, où l'on me donna un poste de professeur de philosophie — ce qui a toujours été un bon boulot et vous permet de gagner votre croûte. Et à Spook, ils étaient tous très contents de récupérer l'un de leurs petits génies.

Moins contents quand il furent obligés de se rendre à l'évidence que j'entraînais certains de leurs étudiants dans des voies qu'ils ne pouvaient que réprouver. Les gosses sont de terribles mouchards, vous savez. Vous les séduisez, et ils aiment ça, mais ils aiment aussi raconter à tout le monde ce qui leur est arrivé. Et puis, je ne devais pas être très gentil avec eux. Quand ils avaient des scrupules de conscience, je me moquais d'eux.

« Je fus donc viré. Ensuite, j'eus deux ou trois postes de professeur dans l'Ouest, mais il arriva la même chose, cette fois plus vite. Je vous rappelle que cela se passait avant la naissance de la société permissive.

« Je réussis à trouver du travail aux États-Unis juste au moment où la libération des mœurs commençait à rosir l'horizon. J'allais plutôt mal, à cette époque : mes ébats brutaux avec des gosses n'effaçaient pas le souvenir de ma liaison avec Henry, et je buvais beaucoup. J'étais devenu un ivrogne, sans toutefois m'admettre comme tel. L'alcool, cependant, ne suffisait pas. Aussi, comme c'était la mode, je tâtai de la drogue et trouvai celle-ci formidable. Vraiment formidable. Je me voyais comme un esprit libre, comme un initiateur de la jeunesse ... Maria, votre bague jette des feux extraordinaires chaque fois que vous portez votre fourchette à votre bouche. N'est-ce pas un diamant un peu gros pour une jeune fille qui invite ses amis au Rude Plenty ?

— Ce n'est qu'un bijou fantaisie », ai-je répondu.

J'ai enlevé la bague et l'ai rangée dans mon sac. Ç'avait été très bête de ma part de la porter, mais je l'avais mise la veille pour le cocktail de McVarish et gardée au doigt pour dîner ensuite avec Arthur Cornish, qui m'avait invitée. J'aimais ce bijou et l'avais distraitement remis aujourd'hui, enfreignant la règle que je m'étais faite de ne jamais porter ce genre de chose à l'université.

« Menteuse. C'est un très beau caillou.

— Continuez votre histoire. Je suis fascinée.

— Comme si j'étais le Vieux Marin* ? ''Il écoute comme un enfant de trois ans. C'est exactement ce que veut le Marin.'' Bon, pour abréger, le F.B.I. a réexpédié le Marin au Canada car il avait eu de petits ennuis à son université américaine. Puis, brusquement, sans qu'il sût comment, le Marin s'est retrouvé dans une fondation de la Colombie britannique où des gens consciencieux et expérimentés essayaient de le désaccoutumer de la drogue et de l'alcool. Savez-vous comment ils procèdent ? Ils se contentent de vous sevrer complètement, et pendant quelque temps vous avez un sérieux avant-goût de l'enfer. Vous vous agitez et vous vous roulez par terre, puis vous vous sentez aussi faible que doivent se sentir les grands vieillards quand ils vieillissent mal. Pour vous désintoxiquer de l'alcool, ils vous bourrent d'un médicament spécial et vous laissent prendre un verre quand vous en avez envie ; seulement vous n'en avez pas envie parce que ce produit donne à l'alcool un effet si affreux que même un petit verre de xérès vous fait horreur. Ce médicament s'appelle, ou s'appelait quand je le prenais, Antagnole. Vous saisissez ce jeu de mots d'une légèreté aérienne ? Antignôle ! L'humour du monde médical, c'est gratiné ! Puis quand vous allez mieux physiquement, mais que vous êtes dans un état mental épouvantable, ils entreprennent de vous remettre intellectuellement sur pied. Pour moi, ce fut le pire... Dieu ! ce que c'est bon les spaghettis ! Et le chianti ! Non, non, ne vous inquiétez pas, Maria : je ne suis pas en train de retomber dans l'alcoolisme. Je fais simplement une petite bringue avec une amie. Ne craignez rien : je me contrôle parfaitement.

« Bon, où en étions-nous ? Ah oui. La thérapie de groupe. Avez-vous une idée de ce que c'est ? Eh bien, vous vous réunissez avec un certain nombre de vos pairs et vous discutez de vos problèmes ensemble. Vous avez le droit de dire tout ce que vous voulez, sur vous ou sur toute autre personne qui

---

* Référence à un poème de Coleridge (N.d.T.).

a envie de parler, et tout cela est extrêmement thérapeutique. Cela vous libère. Un petit jeu psychologique tout ce qu'il y a de plus folichon. Le sang gicle sur les murs. Bien entendu, j'avais eu quelques séances privées avec un psy, mais le truc vraiment magique, c'était la thérapie de groupe.

« Le seul ennui, c'était que mes compagnons n'étaient nullement mes pairs. Qui sont mes pairs ? De brillants philosophes imprégnés de toutes les idées qui existent dans le monde philosophique, depuis Platon jusqu'aux jeunes génies de notre temps — les positivistes logiques et autres cracks de ce genre. Au lieu de cela, je me trouvais dans une minable assemblée de poivrots repentis. Un marchand de voitures qui avait perdu la foi kiwanienne* ; une Juive incomprise par sa famille, celle-ci ne supportant pas qu'elle tentât de l'éclairer sur toute chose ; deux instits dont la spécialité devait avoir été l'instruction civique ; quelques hommes d'affaires qui adoraient Mammon et un camionneur qu'on avait sans doute inclus dans notre groupe pour nous faire garder les yeux sur la route et empêcher que nos discussions décollent de la réalité. La réalité de qui ? Certainement pas la mienne. Le démon de la perversité m'incita donc à embrouiller joliment nos entretiens et à perturber ces pauvres soûlots encore plus qu'ils ne l'étaient avant. Cela faisait des années que je ne m'étais pas autant amusé.

« Le groupe se plaignit. Le psy me dit que je devais montrer de la compassion pour mes semblables. Par compassion, il entendait accepter sans broncher n'importe quelle déclaration indéfendable et admettre qu'une complaisance affreusement gnan-gnan passât pour de la pénétration. C'était un imbécile, un imbécile pourvu d'une technique, mais un imbécile tout de même. Quand je lui dis ce que je pensais de lui, il fut

---

* Kiwani's International : association masculine fondée aux États-Unis en 1915 pour développer le sens civique et créer des liens d'amitié durables entre ses membres (N.d.T.).

indigné. Laissez-moi vous donner un conseil, Maria : ne vous mettez jamais entre les mains d'un psy moins intelligent que vous, même si cela signifie endurer sa souffrance sans aide extérieure. A long terme, cela vaut mieux ainsi. Tous les psy ne sont pas intelligents, et ce ne sont certainement pas des prêtres. Je commençai d'ailleurs à croire que c'était un directeur de conscience qu'il me fallait quand la fondation déclara qu'elle avait fait pour moi tout ce qu'elle pouvait et que je devais retourner dans le monde. En fait, on me fichait à la porte.

« Où trouve-t-on un bon prêtre ? J'en essayai quelques-uns. Étant comme tout le monde porté à la sentimentalité, je croyais encore qu'il devait y avoir quelque part dans le monde des saints hommes dont la bonté m'aiderait. Mais dès que l'un d'eux découvrait combien j'étais instruit, vif d'esprit et capable de lui citer les textes, il commençait à s'appuyer sur moi. Il me racontait ses ennuis, attendant que je le conseille. Certains d'entre eux voulaient se défroquer et se marier. Que devais-je faire ? Foutre le camp ! Foutre le camp ! Mais où ?

« A cette époque, j'avais un peu d'argent : mes parents étaient morts, et, bien que leur dernière et longue maladie eût engouffré une grande partie de la fortune familiale, il en restait assez pour me permettre de voyager. Et où choisis-je d'aller ? A Capri ! Oui, Capri, ce symbole éculé de la débauche — mais cet endroit est tellement envahi par les touristes de nos jours que les débauchés ont du mal à y trouver de la place pour se livrer au péché. Je poursuivis donc ma route vers l'est, en direction des îles grecques où l'ardente Sapho aima et chanta. Elle y a toutefois été éclipsée par de beaux et jeunes pêcheurs qui, pour un prix élevé, plus des cadeaux, partageront avec vous une maison au bord de l'eau. Ils peuvent aussi vous tabasser de temps à autre, juste pour le plaisir. Par un vilain printemps, l'un d'eux m'a envoyé à l'hôpital pour six semaines. Je vous choque, Maria ?

— Certainement pas en me disant que vous appartenez à la confrérie des gays.

— Mais ce n'est pas vrai, voyez-vous : j'appartiens à la confrérie des tristes et des laids. Les gays me font rire : leur attitude est tellement petite-bourgeoise et militante. Ils vont tout fiche en l'air, avec le bruit qu'ils font : *Gay Lib*, styles de vie alternatifs, n'importe quel genre d'amour est sacré et ''les deux partenaires doivent être méticuleusement propres''. C'est placer ce bon vieux jeu de l'amour sur le même plan que les boissons gazeuses basses calories et le café décaféiné : l'apparence sans la réalité. Ôtez à l'homosexualité ce qu'elle a de sombre et de dangereux, qu'est-ce qu'il reste ? Une excentricité, un peu comme si je fourrais ce spaghetti dans mon oreille au lieu de le mettre dans ma bouche. Ce serait là un style de vie alternatif et indéniablement une perversion, mais qui cela intéresserait-il ? Moi je veux que mon péché soit un Péché, sinon il perd toute dimension.

— Si vous préférez les hommes aux femmes, que voulez-vous que cela me fasse ?

— Mais ça aussi, c'est faux, sauf pour une seule et unique forme de satisfaction. Non, je ne veux rien avoir à faire avec l'érotisme homo et toutes ces affreuses petites lopes perfides et intéressées qu'on rencontre inévitablement dans ce milieu. Je ne veux rien avoir à faire avec le *Gay Liberation* ni avec ces idioties de ''styles de vie alternatifs''. Je ne veux ni de l'amour qui n'ose dire son nom ni de l'amour qui bêle le sien devant tous les comités de défense des citoyens. *Gnosce teipsum*, dit l'oracle de Delphes : connais-toi toi-même. C'est ce que je fais. Je ne suis qu'un vieux et grossier pédéraste qui aime la baise brutale. J'aime que ça soit bordélique et que ça pue. Mais ne me demandez pas d'aimer mes partenaires. Ils ne sont pas mon genre.

— D'après ce que vous m'avez dit, frère John, peu de gens le sont.

— Pourtant, je ne suis pas tellement difficile ! Je ne

demande qu'un haut degré d'intelligence et de l'honnêteté au sujet de choses qui sont vraiment importantes.

— C'est là une exigeance qui suffit à exclure la plupart d'entre nous. Mais qu'est-ce qui vous a fait quitter la Grèce et endosser cette robe ?

— Vous vous en méfiez, de cette robe, n'est-ce pas ?

— Pas vraiment. Toutefois, elle me rend prudente. Vous savez ce qu'a dit Rabelais : "Ne vous fiez jamais à ceux qui regardent par le trou d'une capuche."

— C'est ce qu'il a fait lui-même pendant assez longtemps pour savoir ce qu'il disait. Maria, vous ne m'avez jamais confié ce qui vous amène à consacrer une si grande partie de votre temps à ce vieux moine renégat, lubrique et mysogyne. Pouvait-il avoir appartenu à la même confrérie que moi ?

— Non. Il n'aimait pas beaucoup les femmes, c'est vrai, mais il semble en avoir aimé une suffisamment pour lui faire deux enfants, et il ne fait aucun doute qu'il aimait son fils. Il n'a peut-être pas rencontré le genre de femme qui lui aurait convenu. Il a fréquenté des paysannes et des femmes de la cour, mais en a-t-il jamais connu une qui fût intelligente et cultivée ? Il ne pouvait vous ressembler, frère John, car c'était un être passionné et heureux de vivre, et certainement pas un parasite de l'université comme vous, maintenant. Il aimait l'étude et n'utilisait pas son savoir pour dominer les autres, ce qui semble être votre attitude. Non, ne vous rangez pas dans la même catégorie que maître François Rabelais ! Alors, comment êtes-vous devenu moine ? Allez, dites-le-moi.

— Ah ! voilà les *zabaglione* ! Juste ce qu'il nous faut pour accompagner le reste de mon récit. Mais excusez-moi un instant : je dois aller aux toilettes. Dommage que vous ne puissiez pas m'accompagner : c'est toujours très amusant de voir la tête des autres messieurs quand un moine s'approche de l'urinoir et relève sa robe. Ils ne se gênent pas pour regarder ! Ils veulent savoir ce qu'un moine porte sous l'habit. Juste un caleçon relativement propre, je vous assure. »

Parlabane est parti d'un pas assez incertain. D'autres dîneurs l'ont regardé, mais il leur a adressé un sourire tellement radieux et empreint d'onction que les curieux ont aussitôt reporté leurs yeux sur leur assiette.

« Ah ! ça va mieux ! a dit Parlabane en se rasseyant. Vous voulez donc savoir comment je suis devenu moine. C'est tout un roman. Pendant mon séjour en Grèce, je m'étais quelque peu déclassé. Mes connaissances commençaient à m'éviter. Mes aventures sur les plages — car je n'avais même plus les moyens de louer une maison, aussi humble fût-elle — étaient ce qu'on doit sans doute appeler notoires, même dans une société aussi coulante que celle qu'il y avait là-bas. Une mauvaise réputation sans fric pour la dorer vous rend la vie drôlement difficile. Puis, un jour que je passais au consulat demander s'il y avait du courrier pour moi — il y en avait rarement, mais j'en profitais toujours pour essayer de taper quelqu'un —, on me remit effectivement une lettre. Je me rappelle encore l'extase dans laquelle me plongea la vue de l'écriture : elle était d'Henry. Mon ami avait noirci plusieurs pages : il pensait qu'il m'avait traité injustement et me demandait pardon. Il me disait ensuite qu'il avait épuisé toutes les possibilités d'un genre de vie très semblable au mien (sauf que, dans son cas, une grosse fortune l'avait rendu beaucoup plus confortable) et qu'il avait trouvé autre chose. Ce quelque chose d'autre, c'était la religion. Il avait décidé de se vouer à la vie monastique dans un ordre qui travaillait parmi les pauvres. Dieu ! quelle lettre merveilleuse ! Par-dessus le marché, il m'offrait de m'envoyer l'argent du voyage si j'en avais besoin, de manière que je pusse le rejoindre et voir si je voulais moi aussi accepter ce joug.

« J'ai dû me donner pas mal en spectacle, au consulat. Je pleurais, incapable de prononcer un mot. Finalement, les choses s'arrangèrent. Je réussis même à taper le consul en personne pour le montant d'un télégramme à Henry, moyennant la promesse que je le rembourserais dès que mon argent arriverait. Vous savez, les consuls doivent se méfier des gens comme moi, sinon ils seraient constamment fauchés.

« Pendant quelques jours j'eus vraiment l'impression de savoir ce qu'était la rédemption, et quand la réponse à mon câble et l'assurance d'un crédit bancaire arrivèrent enfin, je fis une chose que je n'avais encore jamais faite de ma vie : je me rendis dans une église et promis à Dieu que, quoi que me réservât l'avenir, je vivrais dans la reconnaissance de sa grande miséricorde.

« C'était là un vœu sacré, Maria, et Dieu me mit à bien rude épreuve dans les jours qui suivirent. Avant de retourner en Amérique du Nord, je passai par l'Angleterre, où je voulais récupérer certaines affaires que j'y avais laissées : surtout des livres dont j'avais eu besoin dans ma vie professionnelle. A Londres, je trouvai un autre télégrame m'annonçant qu'Henry était mort. Aucune explication, mais quand je découvris ce qui s'était passé, je compris qu'il s'était suicidé.

« C'était un coup affreux, qui ne me plongea toutefois pas dans le désespoir. Car, voyez-vous, j'avais reçu cette lettre dans laquelle Henry m'assurait qu'il avait changé d'attitude envers moi, que je comptais pour lui. Cela m'empêcha de devenir fou. Je gardais à l'esprit les intentions qu'il avait eues et mon propre vœu prononcé dans l'église grecque. Je deviendrais moine, je me consacrerais aux malheureux en tant que pénitence pour mes erreurs et en souvenir d'Henry.

« Oui, mais comment devient-on moine ? Vous faites le tour des monastères pour voir qui veut bien vous accepter. Or ça, ce n'est pas évident du tout. Les religieux se méfient en effet des gens qui veulent soudain mener leur genre de vie ; ils ne se considèrent pas comme une alternative à la Légion étrangère. J'entrai finalement dans la Société de la mission sacrée. J'avais commencé par contacter les groupes anglicans parce que je voulais devenir moine tout de suite sans avoir à passer par tout le tintouin qu'aurait impliqué une conversion au catholicisme. J'avais quelques-unes des références nécessaires : j'avais été baptisé et mon bagage intellectuel était cent fois supérieur à celui qu'on exigeait. J'eus, à Londres, une entrevue avec le provincial. Cet homme avait vraiment les plus gros sourcils que j'aie jamais vus, et quand il vous regardait par-dessous ces énormes touffes de poil vous vous sentiez vraiment tout petit et humble, même quelqu'un comme moi. En fait, c'était ce que je voulais. De plus, je découvris son point faible : il aimait les plaisanteries et les jeux de mots. Avec beaucoup de respect, remarquez, je réussis à tirer de lui quelques rires, ou plutôt des tressautements d'épaules, car il riait silencieusement. Et, quelques jours plus tard, j'étais en route pour le Nottingham-shire avec une minuscule valise qui contenait ce que j'étais autorisé à appeler mes objets personnels : peigne, brosse à cheveux et à dents, et cetera. Bien que le prieur ne parût pas plus enchanté de ma personne que ne l'avait été le provincial, je fus mis en probation, instruit, confirmé et, au bout de quelque temps, accepté comme novice.

« La vie qu'on menait là-bas était exactement ce que j'avais souhaité. La maison mère était un immense manoir victorien auquel on avait ajouté une chapelle et quelques autres bâtiments nécessaires. Nous avions une interminable série de tâches domestiques à accomplir, et cela d'une façon parfaite.

*Who sweeps a room as for Thy laws*
*Makes that and th'action fine.*

*Quiconque balaie une chambre comme si c'était selon*
*Ta loi fait à la fois du bon travail et une bonne action.*

C'était ainsi qu'on nous encourageait à voir ces corvées. Et il n'y avait pas que le ménage des chambres : nous trimions aussi dans le potager — nous mangions en effet beaucoup de légumes car il y avait de nombreux jours de jeûne — et exécutions toutes sortes d'autres travaux pénibles. Le monas-tère comportait une école ; on me chargea d'y donner quelques cours, mais rien qui touchât à la doctrine, à la philosophie ou à quoi que ce fût d'autre d'essentiel dans la vie de la communauté. J'enseignais le latin et la géographie. Je devais assister à des cours de théologie — non pas la théologie en tant que branche de la philosophie, mais la théologie en soi, pourrait-on dire. Et tout cela s'insérait dans le cadre de l'emploi du temps quotidien.

« Savez-vous ce qu'est la journée d'un moine ? C'est incroyable qu'on puisse prier autant. *Prime* à 6 h 15 et *matines* à 6 h 30 ; *messe basse* à 7 h 15 et, après le petit déjeuner, *tierce* à 8 h 55 suivie de vingt minutes de méditation. Puis nous travaillions comme des forçats jusqu'à *sexte* à 12 h 25, ensuite déjeuner, et de nouveau travail jusqu'à 15 h 30, suivi peu après de *none* à 15 h 50. Puis une récréation : échecs ou tennis, et une cigarette. Après dîner, il y avait *vêpres* à 19 h 30 et, après l'étude, la journée se terminait avec *complies* à 21 h 30.

« Vous semblez être quelqu'un qui sait se taire. Vous auriez aimé cette vie. Les jours ordinaires, nous devions respecter le petit silence de 9 h 30 à *sexte*. Ensuite, c'était le grand silence, qui durait de *complies* à 9 h 30 le lendemain matin. Pendant le carême, nous devions nous taire des *vêpres* à *complies*. Nous pouvions parler en cas d'absolue nécessité — si nous étions en train de nous faire éventrer par un taureau ou un truc comme ça —, sinon nous communiquions par signes, langage dont l'honneur nous interdisait d'abuser. Je ne tardai pas à trouver le point faible de cette règle : rien ne nous empêchait d'écrire, et je m'attirais souvent des remontrances parce que je faisais passer des billets pendant les offices.

« Ceux-ci exigeaient une grande agilité d'esprit : vous deviez en effet vous familiariser avec le *diurnal monastique*, savoir distinguer un *simple* d'un *double* ou d'un *semi-double de première classe* et apprendre toutes les autres astuces qui font partie du métier de moine. Voulez-vous que je vous tuyaute sur le *commun des apôtres de la semaine pascale* ?

Que je vous résume les règles concernant l'usage des bicyclettes ? Ou que je vous décrive une ''position respectueuse et disciplinée'' ? Cela veut dire qu'il ne faut pas croiser les jambes pendant les offices et ne pas appuyer sa tête sur ses mains quand vous êtes sur le point de succomber au sommeil.

« Pas de sexe, évidemment. A l'école, nous devions veiller à ce que les garçons restent à leur place. On ne tolérait aucune familiarité, aucun manque de respect. Interdiction de recevoir des élèves dans sa chambre ou de se promener avec eux. Ces religieux connaissent la perversité du cœur humain. Aucune femme ne pouvait entrer dans le monastère sans une permission spéciale du prieur, le grand manitou. Dans l'accomplissement de ses fonctions, celui-ci avait droit à une aussi grande autorité et à un aussi grand respect que s'il avait été le Christ en personne. Mais, bien entendu, le prieur avait un confesseur qui était censé l'empêcher d'attraper la grosse tête.

« Selon les apparences, c'est donc une méthode parfaite pour atteindre le but qu'on se propose, vous ne trouvez pas, Maria ? Pourtant, elle recèle toutes sortes de difficultés quand ce que nous appelons aujourd'hui la démocratie entre en conflit avec le vieux système monastique. Ainsi, il arrivait parfois qu'un novice ne fût pas confirmé et retournât dans le monde. Je veux dire : il faisait de nouveau partie du monde. Notre ordre travaillait beaucoup dans le monde ; en plus de l'école, il avait des œuvres pour les clochards, où des moines spéciaux se tuaient à la tâche — quoique je n'ai jamais entendu dire qu'aucun d'eux en soit vraiment mort. Mais, voyez-vous, ces religieux-là n'appartenaient pas au monde, même s'ils étaient dedans.

« Je vais vous donner un bon conseil : méfiez-vous de tout homme qui a été dans un monastère et qui en est sorti. Il vous dira sûrement qu'il a choisi de partir avant de prononcer ses vœux définitifs, mais il y a de fortes chances pour qu'on l'ait mis à la porte, et cela pour d'excellentes raisons, ne serait-ce que parce qu'il était un élément subversif. Il y a plus de moines ratés que vous ne pouvez l'imaginer, et tous ont besoin d'être surveillés.

— Y compris vous-même, frère John ?

— Je n'ai pas été foutu dehors : j'ai fait le mur. J'avais réussi en tant que moine, vous savez. J'avais exprimé mon intention de rester avec la Société toute ma vie ; j'avais terminé mon noviciat et étais devenu frère lai. J'avais prononcé les vœux de pauvreté, de chasteté et d'obéissance et avais quelque espoir d'être un jour ordonné prêtre. Je connaissais la règle par cœur et savais quels étaient mes points faibles : l'article neuf, c'est-à-dire le silence, et l'article quinze : l'obéissance. J'étais incapable de tenir ma langue et j'avais horreur d'être réprimandé par quelqu'un que je considérais comme un inférieur.

— C'est bien ce que je pensais.

— Oui, mais je suis sûr que vous vous trompez. Je ne ressemblais pas du tout à certains de ces postulants et frères méprisants qui détestaient être morigénés par le sous-prieur parce que celui-ci avait un de ces accents du Yorkshire qu'on entend dans les mauvaises comédies. Je n'étais pas du tout snob sur le plan social. Mais bien avant d'avoir jamais entendu parler de la Mission, je m'étais fait une place dans un monde intellectuel exigeant. Or la règle disait clairement : *Tout le monde est assez intelligent pour ce que Dieu attend de lui et assez fort pour ce qu'il voudrait faire, sinon pour ce qu'il voudrait être.* Quand, plein d'humilité et de respect, je demandais au prieur et à mon confesseur de me donner un travail qui ferait appel à mes meilleures qualités, c'est-à-dire mon savoir et l'intelligence avec laquelle j'étais capable de l'utiliser, je me heurtais toujours à un refus. Ils citaient la règle aussi bien que moi : *Tu ne peux pas faire à la fois la volonté de Dieu et la tienne, à moins qu'elles ne coïncident. Dans ce cas, tu n'as pas besoin de tenir compte de ta volonté ; dans le cas contraire, tu as grand besoin de mortifier celle-ci.* Ils me mortifièrent donc, mais comme eux aussi

étaient des êtres faillibles, ils prirent une décision malheureuse : ils me chargèrent de la préparation des objets du
culte pour la messe. Or cela voulait dire que j'avais toutes
ces grosses carafes de vin de communion sous la main. Tout
d'abord, je me contentai d'y goûter, ensuite je me mis à en
siffler de plus grandes quantités, rajoutant de l'eau dans les
récipients ; enfin, il y eut un matin où je m'oubliai et où
l'on me retrouva complètement beurré dans la sacristie. Il ne
faut jamais boire ce genre de piquette à jeun, Maria. Je
suppose que je pris ma faute avec trop d'insouciance et fis
ma pénitence dans un esprit d'indocilité. Les choses allaient
d'ailleurs de mal en pis, et je savais que je risquais d'être
mis à la porte. La Société expliquait toujours très clairement
aux postulants qu'elle pouvait les renvoyer sans autre forme
de procès.

« J'aurais pu éviter qu'on en arrivât là, mais je commençais
à avoir soif d'un autre genre de vie. Pas que celui qu'offrait
la Société fût mauvais ! C'était justement là le problème : il
était bon d'une façon tellement constante ! J'avais connu un
monde différent et me mis à soupirer après la tristesse
existentialiste, la joie mauvaise que provoquent le malheur
des autres et l'humour noir — bref, toutes ces choses qui
mettent du sel dans la vie intellectuelle moderne, à l'extérieur
du monastère. J'étais comme un enfant auquel on ne donne
que la nourriture la plus saine. Mon âme avait faim de
cochonneries pour assurer, en quelque sorte, un équilibre.

« Grâce à un visiteur venu faire une retraite, je pus passer
une lettre à l'extérieur. Ce cher Clem m'envoya un peu
d'argent et je sautai le mur.

« C'est une façon de parler : il n'y avait pas de mur. Mais
un jour, pendant la récréation, je descendis l'allée vêtu d'un
complet et d'une perruque rousse piqués dans la malle
aux costumes de l'école — celle-ci donnait toujours des
représentations théâtrales à Noël. Les monastères ne lancent
pas de chiens à la poursuite des fugitifs. D'ailleurs, je suis

sûr qu'à la Mission sacrée tout le monde était bien content d'être débarrassé de moi.

« J'ôtai la perruque dès que je pus et enfilai la robe que j'avais providentiellement, sinon tout à fait honnêtement, emportée. Cet habit aplanit les obstacles d'une façon miraculeuse. Je pris un avion et retournai directement dans les bras de ma généreuse mère, ce cher vieux Spook. Beurk ! Excusez-moi si je semble rôter ... Molly, puis-je jeter un tout petit coup d'œil à ce diamant que vous avez si précipitamment rangé ?

— Non. Il est comme n'importe quel autre diamant.

— Pas du tout, ma chérie. Comment pourrait-il être comme n'importe quel autre diamant, alors que c'est *votre* diamant. C'est vous qui lui donnez sa splendeur. La réciproque, en revanche, n'est pas vraie. Aucune pierre n'a ce pouvoir.

— Il est l'heure de partir. J'ai encore des choses à faire avant de rentrer chez moi.

— Tiens, elle a un chez-soi ! La belle Maria Magdalena a un chez-soi ! Je me demande où cela peut bien être.

— Cela ne vous regarde pas.

— Elle a un chez-soi et une bague de diamant. Ce bijou a tous les privilèges. Vous connaissez Burton — *Anatomie de la mélancolie* —, un contemporain de Shakespeare ? Il a écrit quelques phrases au sujet d'une bague de diamant. Je les avais lues et retenues pendant ma vie prémonastique et elles avaient une fâcheuse tendance à se glisser parfois dans mon esprit pendant les offices. C'était sans doute le diable qui me murmurait ces mots : "Dans les *Apologues* de Calcagnine, un amoureux souhaite de tout son cœur être la bague de sa bien-aimée pour entendre, embrasser, voir et faire je ne sais quoi. Ô triste fou, dit la bague, si tu étais à ma place, tu entendrais, observerais et verrais *pudenda et po-enitenda* ; cela t'emplirait de dégoût et de haine pour elle, et peut-être même pour toutes les femmes." Mais cette bague était simplement stupide et bégueule car elle voyait tout ce que l'amoureux aurait voulu voir, même au prix de son âme.

— Venez, frère John. Assez de bêtises.

— Non, non, pas encore. Vous comprenez ce que je veux dire ? Il existe même une chanson là-dessus. »

Parlabane s'est mis à chanter très fort en battant la mesure sur la table avec le manche de son couteau.

> *I wish I were a diamond ring*
> *Upon my lady's hand,*
> *Upon my lady's hand ;*
> *So every time she wiped her arse*
> *I'd see the Promised Land*
> *I'd see the Promised Land !*

> *Je voudrais être une bague de diamant*
> *Au doigt de ma bien-aimée,*
> *Au doigt de ma bien-aimée.*
> *Ainsi, chaque fois qu'elle se torcherait le cul,*
> *Je verrais la terre promise, la terre promise !*

« Ça suffit, frère John ! On s'en va.

— Ne soyez pas si bégueule ! Si vous croyez que je ne vois pas clair dans votre petit jeu ! Vous achetez l'histoire de ma vie en me payant un dîner pas cher et vous restez assise là, comme un juge qui s'apprête à me condamner à mort. Et maintenant vous vous énervez et voulez vous enfuir comme si vous n'aviez jamais entendu une chanson cochonne de votre vie. Je parie que c'est vrai, d'ailleurs ! Je parie que vous n'en connaissez pas une seule, espèce de garce au visage de marbre ! »

Je ne sais pas pourquoi j'ai fait ça. Non, ce n'est pas vrai, je le sais fort bien : mes ancêtres m'interdisent de ne pas relever un défi. Les ancêtres des deux côtés de ma famille. Brusquement, je me suis sentie furieuse contre Parlabane. J'ai rejeté ma tête en arrière et d'une voix forte — je suis tout à fait capable de hurler quand c'est nécessaire — j'ai chanté :

> *There's a nigger in the alley with a hard-on,*
> *'Cause a woman in the window has her pants down*

> *Y a un négro qui bande dans la ruelle*
> *Parce qu'à une fenêtre une gonzesse a le cul nul*

et ainsi de suite.

Mon petit récital a fait sensation. Pendant que Parlabane chantait, les autres clients, dont la plupart étaient des étudiants, avaient évité de regarder de notre côté. Pour eux, brailler une chanson paillarde faisait partie des choses permises. Mais moi j'avais été franchement ordurière. Et j'avais employé un mot raciste inexcusable. « Négro » avait aussitôt déclenché des sifflets et des « chut ! ». Un jeune homme avait bondi sur ses pieds comme s'il allait protester. Deux secondes plus tard, le propriétaire est arrivé. Il m'a prise par le coude, m'a fait me lever et m'a poussée vers la porte, ne me donnant que le temps de payer à la caisse au passage ...

« Vous ne pas revenir ici, prêtre non plus », a-t-il grondé à voix basse, car il avait horreur du scandale.

Eh bien voilà ! Nous avions été mis à la porte du Rude Plenty ! N'étant pas du tout ivre, bien qu'assez énervée, je me dis que je devais raccompagner Parlabane à Spook.

« Bon sang, Molly, a-t-il dit alors que nous descendions la rue en trébuchant, où diable avez-vous appris une chanson pareille ?

— Où Ophélie a-t-elle appris sa chanson cochonne ? ai-je rétorqué. Elle l'a sans doute entendue quelque part. Des soldats la chantaient peut-être dans la cour pendant qu'elle était assise à la fenêtre et tricotait des chaussettes pour Polonius. »

Du coup, les pensées de Parlabane se sont tournées vers Shakespeare.

« Chante-moi une chanson paillarde ! a-t-il braillé. Chante-moi une chanson paillarde qui fasse rougir mes yeux ! »

Il a continué ainsi un moment, pendant que je m'efforçais de l'empêcher de tomber. Une voiture est arrivée avec deux vigiles de l'université à bord. Ils nous ont dépassés à toute allure en regardant ailleurs : être mêlés à un ennui quelconque était bien la dernière chose dont ils avaient envie. Mais qu'avaient-ils vu, en fait ? Parlabane avec sa robe et moi, vêtue d'une cape assez longue à cause du froid de cette nuit d'automne, nous devions avoir eu l'air de deux femmes en train de se chamailler. Soudain, Parlabane m'a prise en grippe et a commencé à me donner des coups de poing. Cependant, comme j'ai un peu d'expérience en ce domaine, je lui ai flanqué deux ou trois taloches qui l'ont légèrement dégrisé. Enfin, je l'ai poussé par la porte principale de Spook et l'ai remis entre les mains du portier. A voir la tête qu'a fait ce dernier, j'ai compris qu'il commençait à en avoir assez de cette plaisanterie.

A juste titre, d'ailleurs.

## 2

Le lendemain matin, je me suis sentie un peu faible et repentante. Rien à voir avec la gueule de bois : je ne bois jamais beaucoup. Simplement, j'avais conscience de m'être conduite comme une idiote. Je n'aurais pas dû chanter cette chanson sur le négro. Où l'avais-je apprise ? A mon école religieuse, où les filles chantaient les chansons préférées de leurs frères. J'ai une très bonne mémoire auditive ; jamais je n'oublie une chanson grivoise ou un limerick, alors que je dois parfois fouiller longuement ma mémoire pour retrouver des faits sérieux que j'ai lus. Mais j'avais refusé de me laisser désarçonner par Parlabane. Ni ma mère ni mon père, aussi différents fussent-ils, n'auraient voulu me voir reculer devant un défi.

J'ai rangé ma bague de diamant — misérable symbole de la vanité féminine et, pis encore, d'une prospérité inconnue chez les étudiants — et je n'ai pas pris ma petite voiture pour me rendre au collège. Attention, Maria ! La conduite de Parlabane m'avait un peu ébranlée : elle avait éveillé en moi la ménade, cet esprit que toute femme de caractère veille à réprimer, mais qui bouleverse les hommes quand il leur est révélé. Les ménades qui mirent Penthée en pièces et le dévorèrent ne sont pas mortes : elles ne sont qu'endormies. Cependant, je ne veux pas me joindre aux ménades politiques : le Mouvement pour la libération de la femme. Je les évite avec autant de soin que Parlabane dit éviter le mouvement gay : ces organisations transforment en cause publique une chose qui est beaucoup trop profonde, beaucoup trop importante pour une action politique concertée. Ma ménade personnelle avait pris le dessus et j'avais gaspillé sa terrible énergie à clouer le bec à un moine agressif et gâté. Repens-toi, Maria, et fais preuve de plus de prudence !

Chez Hollier, pas trace de Parlabane. En revanche, Hollier était là.

« Alors, il paraît que frère John et vous avez fait la bringue hier soir ? » a-t-il dit.

Comme je n'ai rien trouvé à répondre, j'ai acquiescé d'un signe de tête. J'avais l'impression de me retrouver à l'âge de seize ans, en train de me faire gronder par Tadeusz.

« Asseyez-vous, a dit Hollier, j'ai à vous parler. Il faut que je vous mette en garde contre Parlabane. Oui, je sais que cela paraît exagéré, que vous êtes parfaitement capable de vous défendre, et tout ça. Mais quand je vous ai demandé d'essayer de comprendre mon ami, je ne pensais pas que vous iriez aussi loin. Je suis très sérieux. Vous ne devriez pas fréquenter un homme comme Parlabane. Pourquoi ? Vu le travail que nous faisons ensemble, je ne suis pas obligé d'employer un vocabulaire moderne. De très vieux termes expliqueront tout aussi bien la chose : Parlabane est quelqu'un de mauvais. Or le mal est contagieux. Vous risquez de l'attraper.

— N'êtes-vous pas un peu dur pour lui ?

— Non. Vous comprenez bien que je ne parle pas au nom de la morale ordinaire. Je me réfère à quelque chose qui appartient réellement à la paléo-psychologie : il y a des gens mauvais. Ils sont rares, mais ils existent. Être mauvais exige autant d'énergie qu'être bon, et peu d'individus en ont assez pour aller jusqu'au bout de l'une ou de l'autre de ces voies. Ce n'est pas le cas de Parlabane. Cet homme est habité par un démon destructeur. Il vous entraînerait avec lui, puis se moquerait de vous parce que vous lui avez cédé. Faites attention, Maria. »

Ces derniers mots m'ont fait sursauter : c'était en effet ce que je n'avais cessé de me répéter depuis mon réveil. Typique de Hollier. C'est son côté sorcier. Mais on ne peut pas simplement s'incliner devant le jugement d'un sorcier comme si on était incapable de réfléchir par soi-même. Pas encore, du moins.

« Personnellement, je le trouve assez pitoyable.

— Ah oui ?

— Il m'a parlé de sa vie.

— Son histoire doit être bien rodée maintenant.

— Elle est assez triste.

— Mais racontée d'une façon amusante, je parie.

— Est-ce que vous le démolissez ainsi parce qu'il est homosexuel ?

— Ce n'est pas pour cela qu'il est nécessairement mauvais. Oscar Wilde était pédéraste, mais il n'existait pas d'homme meilleur et plus généreux que lui. Le mal n'est pas quelque chose que l'on fait : c'est quelque chose que l'on est et qui contamine tout ce qu'on fait. Il vous a tout raconté, alors ?

— En fait, non. La plupart des gens qui entreprennent de vous raconter leur vie s'étendent toujours un peu sur leur enfance. Parlabane a fait commencer son histoire beaucoup plus tard.

— Alors, je vais vous dire une ou deux choses sur lui. C'est un camarade d'enfance. Nous avons été à l'école et dans des camps de vacances ensemble. Vous a-t-il expliqué ce qui était arrivé à sa figure ?

— Non, et je n'ai pas eu l'occasion de le lui demander.

— C'est un événement presque banal, mais qui a eu d'énormes conséquences. Un été — nous devions avoir quatorze ans —, nous étions au camp, et Parlabane, qui était très bricoleur, réparait un canoë. Il travaillait sous la direction d'un moniteur et tout semblait parfaitement en ordre. Mais il avait mis un pot de colle à chauffer à même le feu, alors qu'il faut toujours le faire au bain-marie. Dieu sait où était le moniteur à ce moment-là. Le pot de colle éclata et son contenu bouillant sauta à la figure du gosse. Parlabane fut aussitôt transporté à l'hôpital. Là, il fallut prendre des mesures assez draconiennes, mais, dans l'ensemble, le chirurgien fit du bon travail car, même si la figure de Parlabane resta couverte de cicatrices, elle garda un aspect humain, et ses yeux furent moins abîmés qu'on ne l'avait craint. Je l'accompagnai. Les responsables du camp demandèrent pour moi l'autorisation de demeurer à l'hôpital avec lui : j'étais son meilleur ami et ils voulaient qu'il eût de la compagnie. Quand il n'était pas en salle d'opération, j'étais assis à son chevet. Je lui ai tenu la main durant trois jours.

« Et pendant tout ce temps, il ne cessa de fulminer contre ses parents qui n'étaient pas venus. Ils auraient très bien pu faire le voyage en quelques heures. Le directeur du camp les avait prévenus. Ils apparurent enfin, le quatrième jour après l'accident : lui, un homme effacé, timoré ; elle, tout le contraire. Elle jouait un rôle important dans la vie politique de la ville : elle était membre du Comité de l'éducation et aussi conseillère municipale. Une femme très occupée, comme elle nous l'expliqua. Elle était venue dès que cela lui avait été possible, mais ne pourrait pas rester longtemps. Elle se montra très affectueuse et charmante. C'était, comme j'avais lieu de le croire, une personne vraiment intelligente et capable ; simplement, elle n'avait pas la fibre maternelle très développée.

« Parlabane lui parla d'une façon si désagréable que j'eus envie de quitter la chambre, mais il ne voulait pas me lâcher la main. Elle, qui était sa mère, que faisait-elle quand il souffrait ? Elle œuvrait pour le bien public, mais était incapable d'abandonner celui-ci pour s'occuper d'un besoin personnel.

« Mme Parlabane le prit très bien. Elle eut un petit rire et dit : ''Voyons, Johnny, je sais que c'est dur, mais ce n'est pas la fin du monde, tout de même ?''

« Alors, Parlabane se mit à pleurer, mais comme il avait des blessures aux yeux les larmes lui firent si mal que ses sanglots se transformèrent en cris. Ses hurlements jaillissaient du petit trou qu'on avait laissé dans l'énorme bandage qui entourait sa tête pour pouvoir y introduire une sonde. Quand Parlabane parlait, on aurait dit que c'était du fond d'un puits : une voix d'enfant étouffée, indistincte, mais qui disait des choses terribles.

« Toute la chaleur de l'été semblait s'être concentrée dans ce petit hôpital. Il n'y avait pas de climatisation. Dans cette canicule, les bandages devaient être insupportables, les blessures, brûler, et les calmants donner une impression de nausée. Les cris firent accourir un médecin muni d'une seringue. Bientôt John se tut. Pendant tout ce temps, Mme Parlabane ne perdit jamais son sang-froid.

« ''Vous resterez ici, n'est-ce pas, Clement ? me demanda-t-elle. Parce qu'il faut absolument que je retourne en ville.'' Exit la mère avec son docile mari. Je remarquai qu'avant de partir, celui-ci tapota doucement la main insensible de John.

« Au bout de quelques semaines, on enleva les bandages et la figure actuelle de Parlabane apparut. John n'avait jamais été beau, mais maintenant il portait un masque rouge. Celui-ci a pâli avec le temps. Je suis certain que les spécialistes de chirurgie esthétique auraient pu faire beaucoup pour lui dans les années qui suivirent, mais la famille Parlabane n'entreprit jamais rien à ce sujet.

— Ils ne portèrent même pas plainte contre le camp ?

— Les propriétaires étaient des amis à eux. Ils ne voulaient pas leur faire de tort. John trouva cela terriblement injuste.

— Et c'est ce malheur qui l'a rendu tel qu'il est ?

— Je suppose que oui, du moins en partie. En tout cas, il n'a certainement pas contribué à le rendre différent. Après son accident, il fut en très mauvais termes avec sa mère. Il l'appelait *The Bitch Goddess*, d'après le *Bitch Goddess Success* de Henry James. Selon ses critères à elle, elle avait réussi. Parlabane maintenait qu'elle l'avait abandonné à un moment où il avait eu grand besoin d'elle, et elle, elle pensait qu'il dramatisait un malheur qui aurait pu arriver à n'importe qui. Tout cela n'est qu'une parenthèse, mais elle éclaire sans doute le caractère de Parlabane, et aussi celui de sa mère, naturellement. Le fait qu'il n'ait pu se résoudre à vous en parler — quoiqu'il vous ait sûrement raconté en termes émouvants l'autre grande trahison dont il a été victime, celle de ce giton narcissique, Henry Loewi III, la Beauté de Princeton — montre à quel point cet épisode de son enfance l'a affecté.

« J'espère que les choses vont s'arranger un peu pour lui, maintenant. J'ai réussi à lui dégoter un travail et, en ce moment même, il est en train de régler cette affaire. Appleton, qui fait quelques cours publics, s'est cassé la jambe ; même s'il reprend le travail, il devra se ménager. J'ai donc persuadé le directeur de ce département d'engager Parlabane pour finir l'année. Une fois par semaine il traitera des principes fondamentaux de la philosophie, et, deux fois par semaine, il analysera six grands textes philosophiques.

— C'est merveilleux.

— Je crains qu'il ne soit pas de cet avis. Donner des cours publics signifie enseigner le soir, et la plupart de ses étudiants sont des personnes d'âge mûr, aux idées arrêtées. Rien à voir avec la tâche enivrante de former les jeunes. Or c'est justement ce qu'il aime.

— Pas tellement marrant pour les jeunes, j'imagine.

— Je crains fort que sa vraie carrière de professeur ne soit terminée. Il a — ou avait — une bonne tête, mais il discourt et divague un peu trop. Il veut que je l'emploie, vous savez.

— Comme quoi ?

— Comme assistant spécial de recherche.

— Mais vous m'avez déjà, moi !

— Oh, il n'hésiterait pas à vous évincer. Mais ne vous inquiétez pas : je ne veux pas de lui.

— Le traître !

— Et vous n'avez pas encore vu le pire. Ça, c'est juste son comportement habituel. Mais il y a des limites à ce que je peux faire et ferai pour lui. Je lui ai trouvé un boulot et ça s'arrête là.

— Je pense que vous avez été extrêmement gentil avec lui.

— C'est un vieil ami. Nous ne choisissons pas toujours nos vieux amis, vous savez. Vous connaissez quelqu'un depuis plusieurs années et ensuite cette personne vous restera probablement sur les bras pour la vie. Parfois, on doit faire ce qu'on peut pour elle.

— Au moins il a vidé les lieux.

— N'y comptez pas ! Je le pousserai à prendre une chambre quelque part, mais il n'aura pas de bureau sur le campus. Il reviendra ici pour ''emprunter'' des livres et pour vous voir.

— Pour me voir ?

— Vous lui plaisez, vous savez. Mais oui ! Le fait qu'il soit homosexuel n'y change rien. D'une manière ou d'une autre, presque tous les hommes ont besoin d'une femme, à moins d'être vraiment tordus. Il aime vous tourmenter. Cela lui fait du bien. Et vous ne devriez pas sous-estimer la reconnaissance que tous les hommes éprouvent pour la beauté féminine. Rares sont ceux qui, réellement, n'aiment pas les fleurs, et encore plus rares ceux qui restent indifférents à une belle femme. Il ne s'agit pas forcément de sexe : la beauté élève l'esprit. Oui, je suis sûr que Parlabane viendra vous tourmenter, vous faire enrager, mais, en réalité, ce sera pour avoir le plaisir de vous regarder. »

J'ai risqué une question téméraire.

« Et vous, est-ce pour cela que vous me gardez ici ?

— En partie, mais surtout parce que vous êtes la meilleure étudiante et assistante — la plus proche sur le plan intellectuel — que j'aie jamais eue.

— Merci. Je vous apporterai des fleurs.

— Elles seront les bienvenues. Je n'arrive jamais à trouver le temps d'en acheter moi-même. »

Comment interpréter tout ça ? Pour moi, l'un des attraits de Hollier, c'était cette espèce d'indifférence possessive qu'il avait. Il devait savoir que je l'adorais, mais ne me donnait jamais une chance de le lui prouver. Sauf cette unique fois. Dieu, qui voudrait être à ma place ? Mais comme Parlabane quand il était à l'hôpital, je devrais me rendre compte que ce n'est pas la fin du monde.

De toute évidence, Hollier était en train de réfléchir. Au bout d'un long silence, il dit :

« J'aimerais que vous fassiez deux choses pour moi, Maria. »

Oh ! n'importe quoi ! Absolument n'importe quoi ! Ma ménade était complètement soumise, à présent, remplacée par la patiente Griselda.

« La première, c'est que vous alliez voir ma vieille connaissance, le professeur Froats. Par certains côtés, ses travaux et les miens se ressemblent et je voudrais en savoir un peu plus là-dessus. Vous avez sûrement entendu parler de lui. Sa notoriété dérange d'ailleurs l'université, autant que lui-même, je suppose. Il travaille sur des excréments humains — c'est-à-dire sur une matière que l'humanité rejette — dans l'espoir, sans doute, d'y découvrir quelque chose de précieux. Comme vous le savez, j'étudie depuis des mois la thérapie par l'ordure qu'on pratiquait au Moyen Âge, dans l'Antiquité et en Orient. Les mères bédouines lavent leur nouveau-né dans de l'urine de chameau ou dans la leur. Elles ignorent probablement pourquoi elles le font, mais elles suivent la tradition. Le biologiste moderne, lui, connaît la raison de cette coutume : elle assure une bonne protection contre plusieurs sortes d'infections. Les nomades du Moyen-Orient enferment les jambes d'un enfant rachitique dans des attelles et les recouvrent de crottin d'âne ; en quelques semaines les membres déformés se redressent. Ces hommes, eux non plus, ne comprennent pas pourquoi, mais ils savent que ça marche. Le portier de Ploughwright, un Irlandais, a été traité ainsi quand il avait trois ans par des Bohémiennes irlandaises, et aujourd'hui ses jambes sont aussi droites que les miennes. La thérapie par l'ordure était très répandue. Parfois ce n'était qu'une superstition, parfois c'était efficace. La pénicilline de Fleming a commencé en tant que thérapie par l'ordure. Chaque bûcheron savait que le meilleur remède pour une coupure de hache, c'était d'appliquer dessus du pain moisi. Le salut par la saleté. Pourquoi ? J'ai l'intuition qu'Ozias Froats connaît la réponse à cette question.

« Dans son principe de base, ce travail ressemble étonnamment à l'alchimie : il s'agit de découvrir un élément de valeur dans une chose que les hommes "aveugles" méprisent. Rappelez-vous la longue quête de la pierre des alchimistes et cette pierre biblique que les maçons refusèrent d'utiliser pour former l'angle extérieur d'un bâtiment. Connaissez-vous la paraphrase écossaise de cet épisode ?

> *That stone shall be chief corner-stone*
> *which builders did despise*
>
> *Cette pierre sera la pierre angulaire*
> *Que les maçons dédaignèrent*

et la *lapis angularis* de la croix alchimique, et la pierre du *filus macrocosmi*, c'est-à-dire le Christ, le Bien parfait ?

— Je connais ce que vous avez écrit sur tout cela.

— Eh bien, Froats, le scientifique, cherche-t-il la même chose, mais par des moyens différents des nôtres et sans se douter de ce que nous faisons, alors que nous suivons tous à peu près la même piste ?

— Ça serait fantastique !

— Je crains fort que ça soit exactement cela : fantastique, mais au sens littéral du terme. Si je me trompe, c'est une folle spéculation. Si j'ai raison, et si jamais la chose se savait, cela pourrait compliquer encore davantage la vie de ce pauvre vieil Ozy. Nous devons donc nous taire. C'est pour cela que je voudrais que ce soit vous qui vous chargiez de cette mission. Si moi j'arrivais dans son labo, Ozy trouverait cela bizarre. Il penserait que je veux quelque chose, et si je lui disais ce que c'est, il serait trop impressionné ou piquerait une crise. Vous savez à quel point les savants se montrent puritains au sujet de leur travail : il ne faut surtout pas que celui-ci soit contaminé par quelque élément impossible à prouver, et tout ça. Mais vous, vous pouvez aller le voir en tant qu'étudiante. Je lui ai dit que vous vous intéressiez à ses recherches en raison de la thèse que vous êtes en train d'écrire. J'ai mentionné Paracelse. C'est tout ce qu'il sait, ou devrait savoir.

— J'irai le voir.

— Allez-y après les heures de cours, pas quand ses étudiants sont là : ils l'empêcheraient de se montrer enthousiaste. Ce sont tous des novices en matière de science. Aussi incrédules que Thomas : ils ne croiraient pas que leur grand-mère a des rides à moins de pouvoir mesurer celles-ci avec un micromètre. Mais, tout au fond de lui, Ozy est un enthousiaste. Allez-y donc après dîner. Il est toujours là jusqu'à onze heures, au moins.

— J'irai dès que je pourrai. Ne m'aviez-vous pas dit que vous vouliez que je fasse deux choses ?

— Ah oui, en effet. Mais si elle vous pose le moindre problème, laissez tomber la seconde. »

Quelle idiote je suis ! Je savais que c'était quelque chose qui concernait notre travail. Peut-être du nouveau sur le manuscrit dont il m'avait parlé au début du trimestre. Mais une idée folle ne m'en est pas moins venue à l'esprit : peut-être voulait-il que je vive avec lui, ou que je parte avec lui en week-end, ou même que je l'épouse ! C'était encore plus invraisemblable que tout cela.

« Je vous serais très reconnaissant si vous pouviez me présenter à votre mère. »

# LE NOUVEL AUBREY III

L'enterrement d'Ellerman fut une triste affaire. Ce que je dis là n'est pas aussi bête que ça en a l'air. J'ai assisté à des funérailles pleines d'entrain de personnes qui avaient été très courageuses ou très aimées. Mais celles-ci manquaient totalement de qualité ou de grâce. Les dépôts funéraires sont bien commodes : ils permettent aux familles de ne pas encombrer leurs maisons de cérémonies pour lesquelles elles n'ont pas de place, et aux églises de ne pas enterrer des hommes qui n'avaient aucun penchant pour elles et n'ont jamais contribué à les faire vivre. On dit que les gens s'éloignent de la religion, mais peu d'entre eux le font au point qu'au moment de leur mort leur entourage n'éprouve pas le besoin d'une cérémonie religieuse quelconque. Est-ce parce que l'humanité est d'un naturel religieux ou simplement parce qu'elle est d'un naturel prudent ? Quoi qu'il en soit, nous répugnons à nous séparer d'un ami sans la moindre mise en scène. Mais, trop souvent, celle-ci est bien mauvaise.

Le pasteur d'une secte qu'un publicitaire appellerait « pour tous les goûts » lut des passages de la Bible et quelques prières, et suggéra qu'Ellerman avait été un brave type. Ce à quoi je dis amen.

Ç'avait été quelqu'un qui aimait une certaine élégance, un homme hospitalier. Cet enterrement l'aurait consterné : il aurait voulu que les choses fussent mieux faites. Mais comment mieux faire les choses si personne ne croit plus à rien d'une manière très ferme et si l'inaptitude des Canadiens à célébrer n'importe quelle sorte de cérémonie condamne les funérailles à la médiocrité ?

Qu'aurais-je fait, moi, si j'avais été responsable de leur organisation ? J'aurais exposé les médailles de guerre d'Ellerman, qui sont nombreuses et honorables, et j'aurais drapé son cercueil de sa robe et de son épitoge rouges de docteur. En souvenir de ce qu'il avait été, de ses talents. Mais *nu je suis sorti du sein de ma mère et nu j'y retournerai*. Au bord de la tombe, j'aurais donc retiré ces vestiges d'une vie, et, sur le cercueil, j'aurais jeté de la terre au lieu de ces pétales de rose qui, pour les entrepreneurs de pompes funèbres modernes, symbolisent les paroles : *Que la terre retourne à la terre, les cendres aux cendres, la poussière à la poussière*. Entendre les mottes frapper le couvercle de la bière a quelque chose d'honnête. Ellerman avait enseigné la littérature anglaise ; c'était un spécialiste de Browning. Quelqu'un n'aurait-il pas pu lire des passages de *l'Enterrement d'un grammairien* ? Mais de telles pensées sont oiseuses. Tu demandes de la théâtralité, Darcourt ; or l'affliction doit être humble et pauvre — pas sur le plan financier, bien sûr, mais sur celui de l'expression et de l'imagination. Mort, ne sois pas fière : ni le crâne grimaçant, ni la panoplie du cérémonial, ni la splendeur touchante de la foi ne sont de mise à un enterrement bourgeois et citadin moderne ; l'affliction doit être dissimulée comme le plus petit dénominateur commun de l'émotion permise.

Je regrette de ne pas avoir pu voir Ellerman juste avant sa fin. J'aurais aimé lui dire que son idée d'un *Nouvel Aubrey* s'était implantée en moi ; ainsi, quelle qu'ait pu être sa croyance, une part de lui, aussi humble fût-elle, survivrait.

Il attira pas mal de monde. Mon œil de professionnel estima qu'il y avait environ soixante-quinze personnes. Pas signe de McVarish ; pourtant, Ellerman et lui avaient été amis. Autant que faire se peut, Urky ne tient pas compte de la mort. En revanche, je fus surpris de voir le professeur

Ozias Froats dans l'assistance. Je savais qu'il avait reçu une éducation mennonite, mais je pensais qu'une vie consacrée à la science risquait d'avoir effacé en lui toute croyance dans les choses invisibles, dans les cimes et les abîmes insondables. Alors que nous nous tenions devant le dépôt funéraire, je m'approchai de lui.

« J'espère que toutes ces bêtises qu'on écrit dans les journaux ne vous ennuient pas trop, dis-je.

— J'aimerais bien pouvoir vous répondre que non. Les journalistes sont tellement injustes ! On ne peut pas leur demander de comprendre, évidemment.

— Ils ne peuvent pas vous causer de dommages permanents, tout de même.

— Si. Supposons que je doive dételer pour satisfaire ce type, Brown. Son avantage politique pourrait me coûter sept ans de travail. Si je devais réduire mon activité pour un temps, il faudrait que je reparte de zéro. »

Je ne pensais pas le trouver si abattu. Je l'avais connu bien des années auparavant, quand il était une vedette du football. Il était alors assez cyclothymique ; apparemment, il n'avait pas changé.

« Je suis sûr que ces articles vous feront autant de bien que de mal, dis-je. Ils ont dû attirer l'attention de milliers de gens sur vos recherches. Beaucoup d'entre eux commencent certainement à s'intéresser à ce que vous faites. Je suis de leur nombre. Me permettriez-vous de vous rendre visite un de ces jours ? »

A mon étonnement, je vis Froats s'épanouir.

« Quand vous voudrez, répondit-il. Mais venez plutôt le soir quand je suis seul, ou presque. Je serais très heureux de vous montrer et de vous expliquer mon travail. Je vous remercie de votre intérêt. »

La chose s'était donc faite très facilement. Maintenant, je pouvais étudier Ozy pour le mettre dans mon *Nouvel Aubrey*.

## 2

Il serait injuste, aussi bien pour Ozias Froats que pour moi, de dire que j'épinglais le savant comme un collectionneur de papillons. Ce n'était pas sous ce jour-là que je voyais le *Nouvel Aubrey*. Bien entendu, ce pauvre Ellerman, qui aimait tout ce qui était désuet dans la littérature anglaise, avait savouré le style délicieux de John Aubrey, le mélange de ruse et de naïveté avec lequel cet auteur rapportait son pot-pourri d'informations sur les célébrités de son temps. Mais moi cela ne m'intéressait pas. Les étudiants adorent écrire ce genre de prose dans leurs magazines littéraires : « Le journal de notre Mr. Pepys » et autres parodies de ce genre. Ce que j'appréciais en Aubrey, c'était la force de sa curiosité et l'énergie qu'il mettait à découvrir tout ce qu'il pouvait sur les gens qui l'intéressaient. Là étaient les qualités que j'essaierais de retrouver.

Il ne s'agissait pas d'une simple envie de fouiner dans la vie des autres. C'était un véritable projet universitaire. L'énergie et la curiosité sont le sang vital des facultés ; le désir de découvrir, de mettre au jour, de creuser plus profond, d'éclaircir des obscurités en est l'esprit, et c'est en canalisant cette inlassable curiosité qu'on resserre les liens entre les hommes. Quant à l'énergie, seuls ceux qui ne s'y sont jamais essayés pour une semaine ou deux peuvent supposer que la quête du savoir n'exige pas de la force et de la résolution, une volonté de vaincre, c'est-à-dire une énergie spéciale ; ceux qui en manquent ne deviendront jamais des érudits ou des professeurs, car le véritable enseignement en réclame aussi. Instruire requiert de l'énergie ; demeurer à l'écoute, vigilant et secourable, pendant que l'étudiant s'instruit lui-même, en requiert encore plus. Le regarder tomber (ce qui lui apprendra à éviter ce genre d'accident à l'avenir) alors qu'un mot de vous lui aurait permis de garder l'équilibre, mais sans qu'il se rende compte du danger qui le menaçait, est l'une des tâches du maître ; elle demande une énergie particulière, car se retenir d'intervenir est plus difficile que pousser un cri d'alarme.

C'était de l'énergie et de la curiosité que j'apportais au *Nouvel Aubrey*. Par cet ouvrage, je voulais rendre hommage à mon université, même si celle-ci n'en prendrait sans doute conscience qu'après ma mort. J'avais fourni ma part de travail d'érudition : deux assez bons livres sur les apocryphes du Nouveau Testament, des études sur quelques-uns des Évangiles et des Apocalypses tardifs qui n'ont pas été admis dans le canon de la Bible. Je ne me sentais donc plus obligé de faire mes preuves dans ce domaine. Aussi étais-je prêt à consacrer du temps et de l'énergie — et bien entendu de la curiosité, qui, chez moi, est inépuisable — à la rédaction du *Nouvel Aubrey*. J'avais commencé à en établir le plan car je voulais que mon ouvrage eût une structure. Le vieil Aubrey est charmant parce qu'il en manque totalement, mais le *Nouvel Aubrey* ne devait pas l'imiter en cela.

Je ne me rendis pas tout de suite au laboratoire d'Ozy : je voulais réfléchir à ce que j'allais y chercher. De toute évidence, il ne s'agissait pas pour moi d'évaluer le travail scientifique de Froats : d'abord, j'en aurais été bien incapable, et, ensuite, ses collègues et pairs se chargeraient suffisamment de cela quand ils prendraient connaissance de ses recherches. Non, moi, ce que je voulais, c'était saisir l'esprit de cet homme, la source de l'énergie qui se trouvait derrière son travail.

Un soir, quelques jours après l'enterrement d'Ellerman, j'étais plongé dans ce genre de considérations quand on frappa à ma porte. Surprise ! c'était Hollier.

Depuis nos années d'études à Spook, nous avons toujours été en bons termes, mais sans jamais vraiment être des amis. Je le connaissais assez bien alors. Nous n'étions pas des intimes parce que j'étais dans la section classique, en préparation à mes études de théologie (avant de les pousser vers l'ordination, Spook aime donner à ses pasteurs une éducation générale), et nous ne nous voyions que dans les associations d'étudiants. Depuis lors, nos rencontres étaient toujours empreintes de cordialité, mais nous ne cherchions pas à les provoquer. Cette visite, supposai-je, devait avoir un rapport avec la succession Cornish. Hollier n'était pas quelqu'un qui entretenait des relations mondaines.

J'avais raison. Après avoir accepté un verre et, manifestement mal à l'aise, s'être plaint pendant cinq minutes de nos conditions de travail, il en vint au fait.

« Quelque chose me perturbe, dit-il. Comme cela concerne votre partie des legs, cela m'ennuie un peu d'en parler. Avez-vous trouvé un catalogue des livres et des manuscrits ?

— Cornish en avait commencé deux ou trois, et il avait pris quelques notes. Il n'avait pas la moindre idée de ce que peut être un catalogue.

— Par conséquent, vous ne pourriez pas dire s'il manque quelque chose ?

— Cela me serait possible s'il s'agissait de partitions autographes, parce que Cornish me les a souvent montrées. J'ai une idée assez précise de ce qu'il avait dans ce domaine, mais pas pour le reste.

— Je sais qu'il avait un manuscrit particulier parce qu'il l'avait acquis en avril dernier et que je l'avais vu un soir chez lui. Il avait acheté toute une série de textes pour leur calligraphie : des copies contemporaines de lettres adressées à la chancellerie papale de Paul III ou reçues d'elle. Comme vous le savez, Cornish s'intéressait à cet art en amateur éclairé. C'était l'écriture, plutôt que le contenu, qui l'avait séduit. Ce lot provenait d'une collection particulière, et la pièce maîtresse en était une lettre de Jacob ben Samuel Martino. Celle-ci contenait une allusion au divorce d'Henry VIII, pour lequel Martino était l'un des experts. Le document comportait des corrections autographes de Martino ; à part cela, il ne présentait guère d'intérêt, hormis l'écriture. Juste bon pour une note en bas de page. McVarish était là aussi. Pendant que Cornish et lui admiraient cette lettre, moi je regardais le reste du lot. Je trouvai un porte-documents en cuir d'environ vingt-cinq centimètres sur dix-huit qui portait les initiales S.G. estampées dessus. L'or des caractères était presque entièrement parti. Avez-vous vu cet objet ?

— Non, mais la lettre de Martino est effectivement là. Une jolie pièce. Ainsi que nombre de documents qui l'accompagnent. Je suppose que ce sont ceux que vous aviez vus.

— Où le S.G. peut-il bien être passé ?

— Je ne sais pas. C'est la première fois que j'en entends parler. Qu'est-ce que c'était exactement ?

— Je ne suis pas certain de pouvoir vous le dire.

— Dans ce cas, mon cher, comment voulez-vous que je le cherche ? Cornish peut l'avoir mis dans un autre classeur — si l'on peut appeler ainsi les vieux cartons à bouteilles dans lesquels il rangeait ses manuscrits. On distingue un très vague plan dans ce désordre, mais à moins que je ne sache de quel genre d'écrit il s'agit, je n'ai pas la moindre idée de l'endroit où je pourrais le chercher. Qu'avait-il de si intéressant pour vous ?

— J'étais en train d'essayer d'en découvrir plus sur lui quand McVarish s'est approché et a voulu le voir. Il m'aurait été difficile de refuser : je n'étais pas chez moi et ce manuscrit ne m'appartenait pas. Ensuite, il n'est plus revenu entre mes mains. En tout cas, je peux vous dire que McVarish l'a regardé et a écarquillé les yeux.

— Et vous, avez-vous écarquillé les vôtres ?

— Je suppose que oui.

— Allons, Clem, laissez tomber votre discrétion d'érudit. Cessez de faire des mystères et dites-moi ce que c'était.

— Je suppose qu'il n'y a pas d'autre remède. C'était l'un des grands, vraiment grands manuscrits perdus. Vous devez connaître ce genre de chose.

— Oh oui, ils sont très communs dans ma spécialité. Au XIXᵉ siècle apparurent des lettres de Ponce Pilate dans lesquelles le proconsul décrivait la crucifixion. Elles étaient écrites en français sur du papier moderne, et un riche paysan paya une fortune pour les acquérir. Ce n'est que lorsque le même escroc essaya de lui vendre la dernière lettre du Christ adressée à sa mère et écrite à l'encre violette que l'acheteur commença à avoir des soupçons.

— Cessez de plaisanter.

— Mais c'est parfaitement vrai, je vous assure. Je sais très bien de quoi vous voulez parler : le journal perdu de Henry Hudson, ou celui de James Macpherson concernant la compositon d'*Ossian*, par exemple. Et certains manuscrits réapparaissent effectivement. Prenez le cas de ce gros paquet de papiers de Boswell trouvés dans une malle, dans un grenier en Irlande ! Était-ce quelque chose de cet ordre ?

— Oui. C'était *Stratagèmes* de Rabelais.

— Je ne connais pas cette œuvre.

— Personne ne la connaît. Rabelais travaillait comme historiographe pour son protecteur Guillaume du Bellay, et c'est à ce titre qu'il écrivit *Stratagèmes, ou les prouesses et ruses de guerre du très pieux et très célèbre chevalier de Langey au début de la Troisième Guerre césarienne*. Il l'écrivit en latin et le traduisit ensuite en français. Cette œuvre est censée avoir été éditée par son ami, l'imprimeur Sébastien Gryphius, mais il n'en existe aucun exemplaire. On ne sait donc pas si elle a été publiée ou non.

— Et c'est elle que vous avez vue ?

— Oui. Il devait s'agir du manuscrit original à partir duquel Gryphius a édité ou comptait éditer le livre, car il comportait des indications de composition — un détail extrêmement intéressant en lui-même.

— Comment se fait-il que personne ne l'ait découvert avant vous ?

— Parce qu'il aurait fallu pour cela connaître certains faits très particuliers. Ce manuscrit n'avait pas de page de titre. Le texte commençait directement en haut de la page dans une écriture très serrée et assez ordinaire. C'est pour cette raison, je suppose, que les amateurs de calligraphie n'y ont pas prêté grande attention.

— De toute évidence, c'est une superbe trouvaille.

— Naturellement, Cornish ne savait pas ce que c'était, et je n'ai jamais eu l'occasion de le lui dire. Je voulais d'abord examiner ce document de près.

— Et vous ne vouliez pas qu'Urky vous devance ?

— C'est un spécialiste de la Renaissance. Sans doute avait-il autant le droit que n'importe qui à la primeur du manuscrit de Gryphius.

— Oui, mais vous ne vouliez pas qu'il prît conscience d'un tel droit. Je comprends fort bien. Vous n'avez pas besoin de vous justifier.

— J'aurais préféré faire ma découverte, en informer Cornish (puisque ce foutu manuscrit était à lui, après tout) et lui laisser le soin de décider à quel chercheur il devait remettre ce document.

— Ne croyez-vous pas qu'il l'aurait confié à Urky ? N'oubliez pas que McVarish se considère comme un grand spécialiste de Rabelais.

— Bon sang, Darcourt, ne dites pas de bêtises ! L'ancêtre de McVarish — si sir Thomas Urquhart était vraiment son ancêtre, ce dont doutent certaines personnes généralement bien renseignées — a traduit une œuvre, ou partie d'une œuvre, de Rabelais en anglais, mais un grand nombre de spécialistes de cet auteur pensent que son travail est exécrable : bourré d'inventions fantaisistes et de sottises indignes d'un érudit, exactement comme McVarish, en fait ! Ici même, dans cette université, il y a des gens qui connaissent vraiment bien Rabelais et qui se moquent d'Urky.

— Oui, mais c'est un spécialiste de la Renaissance, et ce document constituait un élément important de l'histoire de cette époque. Il est donc du domaine d'Urky, beaucoup plus que du vôtre. Je suis désolé, mais c'est comme cela que je le vois.

— Je n'aime pas le mot ''domaine''. On a l'impression que nous sommes tous de misérables chercheurs d'or, prêts à tirer sur quiconque pénètre dans notre concession.

— Eh bien, cela ne correspond-il pas à la réalité ?

— Je crois que je ferais mieux de tout vous raconter.

— Bonne idée. Que m'avez-vous caché ?

— Il y avait donc le manuscrit de *Stratagèmes*, comme je vous l'ai dit. Une quarantaine de pages d'un texte écrit très serré. Pas une très belle écriture et pas de signature, sauf celle que constituait cette écriture elle-même — le livre perdu de Rabelais. Mais dans un autre petit paquet, dans une sorte de poche, à l'arrière du porte-documents, il y avait les originaux de trois lettres.

— De Rabelais ?

— Oui, de Rabelais. C'étaient les brouillons de trois lettres adressées à Paracelse. Il avait toutefois signé ces ébauches. Peut-être, comme beaucoup de gens, aimait-il écrire son nom. Cette signature, en tout cas, me sauta aux yeux : un grand paraphe orné, non pas à proprement parler dans une calligraphie de scribe officiel, mais plutôt dans un style maniériste qui lui était propre.

— C'est exactement ce que dit toujours Urky : que Rabelais est un maniériste.

— Que le diable emporte Urky ! C'est à moi qu'il a piqué cette idée. Il serait incapable de reconnaître le style maniériste dans n'importe quel art : il n'a pas l'œil. Toujours est-il que Rabelais est un poète maniériste qui se trouve écrire en prose. Il obtient dans ce domaine ce que Giuseppe Arcimboldo obtient en peinture. Bref, ces lettres étaient là, sous mes yeux, avec leur célèbre et unique signature. J'ai dû me retenir pour ne pas tomber à genoux. Rendez-vous compte de ce que ça représente !

— Une belle trouvaille, en effet.

— Belle ? Une trouvaille sensationnelle ! J'ai juste eu le temps d'y jeter un coup d'œil, mais j'ai vu que ces lettres contenaient des passages en grec (des citations, de toute évidence), quelques mots hébreux ici et là et une demi-douzaine de symboles indéniablement révélateurs.

— Révélateurs de quoi ?

— Du fait que Rabelais entretenait une correspondance avec le plus grand spécialiste des sciences naturelles de son temps, ce que personne ne savait encore. Du fait que Rabelais, soupçonné d'être protestant, était quelque chose d'au moins aussi répréhensible pour l'Église, et même un homme dangereux, un renégat : c'était un étudiant de la cabale, voire un cabaliste ; un amateur d'alchimie, voire un alchimiste ! Et ces faits-là entrent foutrement dans mon domaine. Ils peuvent faire la renommée de n'importe quel érudit qui les découvre, et que le diable m'emporte si je veux que ce fils de pute, ce charlatan ricaneur de McVarish mette la main dessus !

— Voilà qui est parler en lettré !

— Et je pense qu'il a mis la main dessus ! Je pense que ce salaud a piqué le porte-documents.

— Calmez-vous, mon cher ! Si ces papiers réapparaissaient, il faudrait qu'ils aillent à la bibliothèque universitaire, vous savez. Je ne pourrais pas simplement vous les confier.

— Vous savez comme moi que ce genre de chose est facile à arranger : un mot au bibliothécaire en chef suffirait. D'ailleurs, je ne vous demanderais même pas d'intervenir. Je pourrais régler ça moi-même. Je veux être le premier à lire ce manuscrit, c'est tout !

— Je comprends fort bien, mais j'ai une mauvaise nouvelle à vous annoncer. Dans l'un des carnets de Cornish, j'ai trouvé l'inscription suivante : ''Prêt à McV. ms Rab. 16 avril.'' Que pouvons-nous en déduire ?

— Prêt ? Cela veut-il dire qu'il avait l'intention de le prêter, ou qu'il l'a effectivement prêté ?

— Comment voulez-vous que je le sache ? Je crains toutefois que vous ne vous raccrochiez à un très mince espoir. Je soupçonne Urky de l'avoir.

— Il l'a fauché ! Je le savais ! Le sale voleur !

— Attendez une minute. Nous devons nous garder de tirer des conclusions hâtives.

— Elles ne sont pas hâtives du tout. Je connais McVarish.

Vous le connaissez aussi bien que moi. Il a extorqué ce manuscrit à Cornish, et maintenant il est en sa possession. C'est un ignoble escroc !

— Je vous en prie, laissons-là les suppositions. C'est très simple : comme j'ai cette note, je la montrerai à McVarish et lui demanderai de rendre le document.

— Et vous croyez qu'il va le faire ? Il se contentera de nier. Il me faut ce manuscrit, Darcourt. Autant vous le dire : je l'ai promis à quelqu'un.

— N'était-ce pas prématuré ?

— C'était dans des circonstances assez spéciales.

— Écoutez, Clem, je ne voudrais pas avoir l'air tatillon, mais les livres et les manuscrits de la collection Cornish sont sous ma responsabilité, et les circonstances doivent être réellement spéciales pour que vous ayez le droit d'en parler à quiconque avant que les formalités juridiques aient été terminées et que cette partie de la succession ait été mise à l'abri dans la bibliothèque universitaire. Quelles sont ces circonstances spéciales ?

— Je préférerais ne pas en parler.

— J'entends bien, mais je pense que vous devriez le faire quand même. »

Hollier se tortilla sur son fauteuil. Il n'y a pas d'autre mot pour décrire la façon dont il bougea, comme s'il espérait qu'un changement de position soulagerait son embarras. A mon étonnement, je le vis rougir. Cela me fut très désagréable. Sa gêne me gênait. Lorsqu'il parla, ce fut avec une expression de chien battu. Le grand Hollier, que le recteur avait appelé récemment « un des fleurons de notre université » — pour impressionner le gouvernement, qui menaçait de nous couper les crédits —, rougissait devant *moi*. Or moi, qui n'ai qu'une fonction utilitaire et non ornementale, je suis beaucoup trop loyal envers notre *Alma Mater* pour prendre plaisir au spectacle d'un de ses fleurons en train de se tortiller d'embarras.

« Il s'agit d'une étudiante particulièrement douée. Ce

manuscrit pourrait la lancer dans la carrière universitaire. Je superviserais son travail, bien sûr. »

Je possède un peu de cette intuition que l'on attribue généralement, d'un façon tout à fait arbitraire, aux seules femmes.

« Vous voulez parler de Mlle Theotoky ?

— Comment diable le savez-vous ?

— C'est votre assistante de recherche et l'une de mes étudiantes. Rabelais a un rapport avec sa thèse. C'est une jeune fille pleine de promesses. Comme vous voyez, ce n'est pas sorcier à deviner.

— En effet, c'est elle.

— Que lui avez-vous dit ?

— Je lui ai parlé une fois du manuscrit, en termes très généraux. Plus tard, quand elle m'a posé des questions à ce sujet, je lui en ai dit un peu plus. Mais pas grand-chose, finalement.

— Dans ce cas, cette affaire est facile à régler. Vous lui expliquez que tout a été retardé. Récupérer le manuscrit, liquider la succession et faire examiner et cataloguer cette pièce par la bibliothèque pourrait prendre un an.

— Si vous parvenez à l'arracher à McVarish.

— J'y parviendrai.

— Mais ensuite, il voudra peut-être l'avoir pour lui ou pour l'un de ses chouchoux.

— Ça ne me regarde pas. Vous aussi, vous le voulez pour l'un de vos chouchoux.

— Qu'entendez-vous exactement par ce mot ?

— Un ou une élève préféré, c'est tout. Pourquoi ?

— Je n'ai pas de chouchoux.

— Alors vous seriez bien le seul parmi un millier d'autres professeurs. Nous avons tous des chouchoux. Comment pourrions-nous l'éviter ? Certains étudiants sont meilleurs et plus attirants que d'autres.

— Attirants ?

— Clem, vous avez l'air dans tous vos états. Prenez un autre verre. »

Très étonné, je le vis saisir la bouteille de whisky, s'en verser trois doigts et l'avaler en deux traits.

« Clem, qu'est-ce qui vous tracasse ? Vous feriez mieux de me le dire.

— Écouter des confessions fait partie de votre boulot, je suppose.

— Depuis que j'ai cessé d'exercer mon ministère dans une paroisse, je n'en ai plus écouté beaucoup. Et même alors, c'était rare. Toutefois, je sais comment procéder. Et je sais aussi qu'il n'est pas bon d'entendre les confessions de gens qu'on connaît. Cependant, si vous voulez me dire quelque chose à titre non officiel, allez-y. Je n'en soufflerai mot à personne, évidemment.

— Quand j'ai décidé de venir vous voir, je craignais précisément de me mettre dans cette situation-là.

— Je ne vous force pas. Faites comme bon vous semble. Mais si je ne suis pas votre confesseur, je suis votre coexécuteur testamentaire et j'ai le droit de savoir ce qui s'est passé avec des objets dont je suis responsable.

— Je dois des réparations à Mlle Theotoky. Je lui ai fait gravement tort.

— Comment ?

— J'ai profité d'elle.

— Vous lui avez fauché quelques bonnes idées ? Cela ressemble davantage à McVarish qu'à vous, Clem.

— Oh non, c'est beaucoup plus personnel que ça : j'ai eu des relations charnelles avec elle.

— Bon sang, Clem ! Vous vous exprimez comme dans l'Ancien Testament ! Vous voulez dire que vous l'avez baisée ?

— Je trouve cette expression extrêmement déplaisante.

— Je sais, mais en existe-t-il de plaisantes ? Je ne peux pas dire que vous avez *couché* avec elle, parce que ce n'était peut-être pas le cas. Ou que vous l'avez *possédée*, car, de toute évidence, cette jeune fille est en pleine possession d'elle-même. ''A eu des rapports sexuels avec elle'' fait très rapport de police, ou bien les flics parlent-ils encore de ''relations intimes'' ? Que s'est-il vraiment passé ?

— C'était en avril dernier...

— Un mois fertile en incidents, on dirait.

— Fermez-la, Simon. Vous ne voyez pas à quel point c'est sérieux pour moi ? Je me suis mal conduit. Les relations entre maître et élève sont spéciales, pleines de responsabilités, voire sacrées.

— Certes. Mais nous savons tous ce qui se passe dans les universités. De jolies filles arrivent, les profs sont humains, et hop ! Parfois, c'est dur pour la fille, parfois pour le prof. Une jeune et jolie intrigante qui se jette à votre cou peut vous détruire. Vous ne devez pas oublier la chute de l'homme, Clem. Je doute que Maria vous ait séduit : elle a bien trop de respect pour vous. C'est donc vous qui l'avez séduite, elle. Comment ?

— Je l'ignore. Honnêtement. Enfin... voilà ce qui s'est passé : j'étais en train de lui parler des progrès de mon travail sur la thérapie par l'ordure au Moyen Âge quand soudain elle m'a dit quelque chose — quelque chose au sujet de sa mère — qui ajoutait une énorme pièce au puzzle que j'essayais d'assembler. Cela m'a tellement excité, j'ai ressenti une si grande joie, qu'avant de comprendre ce qui m'arrivait je me suis trouvé en train de lui faire l'amour ...

— Et Abélard et Héloïse revécurent pour environ quatre-vingt-dix secondes. Ou bien avez-vous récidivé ?

— Pas du tout. Je ne lui ai même jamais reparlé de cet incident.

— Une fois, donc.

— Vous pouvez vous imaginer ce que j'ai ressenti à la soirée de McVarish quand celui-ci la harcelait pour lui faire dire si elle était vierge ou non.

— Mais elle s'est brillamment tirée de cette situation, je trouve. L'était-elle, vierge ?

— Comment voulez-vous que je le sache.

— Il y a quelques indications, tout de même. Vous êtes médiéviste. Vous devez savoir quel genre de preuve cherchaient les gens à cette époque.

— Vous ne croyez tout de même pas que j'ai regardé ! Me prenez-vous pour un voyeur ?

— Non, mais je commence à vous prendre pour un imbécile. N'aviez-vous jamais eu d'expériences dans ce domaine auparavant ?

— Bien sûr que si ! On peut difficilement l'éviter. L'amour vénal, deux fois, pendant des voyages. Il y a des années de ça. Et lors d'une conférence, une fois, avec une collègue, pendant quelques jours. Elle parlait sans arrêt. Mais j'étais en proie à une sorte de possession démoniaque : je n'étais pas moi-même.

— Que si ! Ces possessions démoniaques sont les éléments refoulés d'une vie déséquilibrée. Vous avez donc promis le manuscrit de Rabelais à Maria pour vous faire pardonner. C'est bien ça ?

— Je dois réparer ma faute.

— Je ne voudrais pas avoir l'air de vous sermonner comme un pasteur, Clem, mais je dois vous dire que vous ne pouvez pas procéder ainsi. Vous pensez avoir fait du tort à une jeune fille et croyez qu'un beau cadeau — ce qu'est ce manuscrit, dans votre optique à tous deux — arrangera les choses. Eh bien, ce n'est pas vrai ! La réparation doit se situer sur le même plan que la faute.

— Que voulez-vous dire ? Que je dois l'épouser ?

— Je ne pense pas un seul instant qu'elle voudrait de vous.

— Je n'en suis pas si sûr. Parfois, elle me regarde d'une façon... Je ne suis pas vaniteux, mais il y a des regards qui ne trompent pas.

— Elle a dû s'amouracher de vous. Les filles s'amourachent souvent de leur professeur, je viens de vous le dire. Mais ne l'épousez pas, même si elle était assez bête pour accepter.

Cela ne marcherait pas. Dans deux ans, vous en auriez tous deux assez. Cessez donc de vous faire du souci pour Maria : elle sait très bien se débrouiller dans la vie et elle vous oubliera. C'est vous-même qu'il faut remettre sur les rails. S'il y a une faute à réparer, c'est de ce côté-là qu'il faut le faire.

— Comment ? Oh, vous voulez parler d'une pénitence, je suppose.

— Bonne déduction de médiéviste.

— Mais quoi ? Je pourrais faire quelque offrande à la chapelle du collège.

— Mauvaise déduction de médiéviste. Une pénitence doit vous coûter quelque chose qui fait mal.

— Quoi alors ?

— Vous voulez vraiment en faire une ?

— Oui.

— Je vais vous en recommander une qui a fait ses preuves. Qui détestez-vous le plus au monde ? Si vous deviez nommer un ennemi, qui serait-il ?

— McVarish !

— C'est bien ce que je pensais. Alors, pour votre pénitence, vous irez voir McVarish et lui répéterez la même confidence que celle que vous venez de me faire.

— Vous êtes fou !

— Non.

— Vous voulez ma mort ?

— Pas du tout.

— Il raconterait mon secret à tout le monde.

— C'est fort probable.

— Je serais obligé de quitter l'université !

— Cela m'étonnerait. Mais peut-être pourriez-vous porter un grand A* rouge au dos de votre imperméable pendant environ un an.

— Vous vous moquez de moi !

* Référence à *La lettre écarlate* de Nathaniel Hawthorne (N.d.T.).

— Et vous, êtes-vous sérieux ? Écoutez, Clem : vous venez ici me demander de jouer les confesseurs, vous insistez pour que je vous impose une pénitence, puis vous rejetez celle-ci parce qu'elle vous ferait mal. Vous êtes un vrai protestant. Vous dites : ''Oh mon Dieu, pardonnez-moi, mais, pour l'amour du ciel, gardez tout cela pour vous !'' Vous avez besoin d'un prêtre plus complaisant. Pourquoi ne pas essayer Parlabane ? Comme vous l'entretenez, vous pouvez être sûr de l'avoir dans votre manche. Allez vous confesser à lui. »

Hollier se leva.

« Bonne nuit, dit-il. Je vois que c'était une grosse erreur de venir ici.

— Ne faites pas l'andouille. Asseyez-vous et reprenez un verre. »

C'est ce qu'il fit : il se versa une autre généreuse ration de scotch.

« Vous connaissez Parlabane ? demanda-t-il.

— Pas aussi bien que vous, mais durant nos années d'études nous nous voyions assez souvent. C'était un type attirant, très drôle. Puis je l'ai perdu de vue, mais je nous croyais toujours amis. Je me suis demandé quand il viendrait me voir. Je n'ai pas voulu l'inviter. Vu les circonstances, cela pourrait l'embarrasser.

— De quelles circonstances voulez-vous parler ?

— A l'époque où nous nous fréquentions, à Spook, il se moquait de moi parce que je me destinais à l'Église. Lui, c'était le grand sceptique, vous vous souvenez, et il ne comprenait pas que, contre toute raison — ou ce que lui appelait raison —, je pusse croire au christianisme. Aussi suis-je presque tombé de ma chaise, il y a quelques mois, quand j'ai reçu une lettre de lui m'apprenant qu'il était moine dans la Société de la mission sacrée. De telles volte-face sont assez fréquentes, surtout autour de la quarantaine, mais, de la part de Parlabane, cela m'a surpris.

— Et il voulait quitter la confrérie, n'est-ce pas ?

— Oui, c'est ce qu'il me disait. Il avait besoin d'aide. Je la lui ai apportée.

— Vous lui avez envoyé de l'argent, c'est ça ?

— Oui ? Cinq cents dollars. Je me suis dit qu'il valait mieux les lui donner : si cet argent lui faisait le moindre bien, c'était un acte de charité à son égard ; dans le cas contraire, c'était un acte de charité envers la Mission sacrée. Il voulait sortir du monastère.

— Cela m'a coûté cinq cents dollars à moi aussi.

— Peut-être a-t-il expédié une lettre circulaire. Quoi qu'il en soit, je ne veux pas avoir l'air de faire des gorges chaudes de ses malheurs ou de demander qu'il me rembourse.

— Simon, ce type est un salaud.

— Qu'est-ce qu'il a fait ?

— Il se conduit comme un vrai parasite. Il porte ce foutu habit de moine. Et il dévoie Maria.

— L'importune-t-il ? Je le croyais homo.

— C'est un peu plus compliqué que ça. Un homo, c'est simplement quelqu'un qui sort de l'ordinaire. J'en ai connu un certain nombre qui étaient d'excellentes personnes. Parlabane, lui, est mauvais. C'est là un terme démodé, mais qui convient très bien.

— Qu'a-t-il fait à Maria ?

— Il y a quelques jours, on les a fichus à la porte d'un restaurant d'étudiants parce qu'ils braillaient des chansons paillardes. Ensuite, on les a vus se battre dans la rue. J'ai trouvé un boulot à Parlabane : un remplacement aux cours publics. Je lui ai dit qu'il fallait qu'il cherche un autre logement, mais c'est comme si je tapais dans un ballon à moitié dégonflé : il se contente d'acquiescer. Il continue à traîner chez moi et traite Maria comme s'il avait des droits sur elle.

— Comment ça ?

— Il n'arrête pas d'insinuer des choses. Je pense qu'il est au courant de mon aventure avec elle.

— Peut-elle lui en avoir parlé ?

— Impensable. Mais Parlabane a un flair pour ce genre de chose. Et je viens de découvrir qu'il fréquente McVarish à présent. »

Je soupirai.

« C'est triste, mais vrai : on ne regrette jamais rien autant qu'une bonne action. Nous aurions dû le laisser croupir dans sa Société : ces religieux en connaissent un bout sur les pénitences. Cela l'aurait peut-être aidé à reprendre pied.

— Ce que je ne peux comprendre ou pardonner, c'est la façon dont il semble se retourner contre moi.

— C'est tout à fait normal, Clem : il ne supporte pas d'être l'obligé de quelqu'un. Il a toujours été aussi orgueilleux que Lucifer. Quand je repense à nos années d'université, je me dis que Parlabane était aussi luciférien que peut l'être un gars de taille moyenne avec un visage ravagé. Nous tendons en effet à imaginer Lucifer grand, brun et très beau — l'ange déchu, quoi. Toutefois, si Parlabane a jamais été un ange, j'ignore à quelle catégorie d'esprits il pouvait appartenir. C'était juste un très bon étudiant en philosophie avec un don particulier pour l'hypotypose sceptique.

— Pardon ?

— C'est-à-dire une vue d'ensemble purement cérébrale, un dénigrement glacial, ou une autre réaction tout aussi négative. Quand vous parliez de quelque chose que vous considériez comme beau et auquel vous attachiez de l'importance, Parlabane le plaçait aussitôt dans un contexte qui vous faisait apparaître comme un imbécile crédule ou un type limité qui n'avait pas assez lu ou pas assez réfléchi. Cependant, il le faisait avec tant d'assurance et de légèreté que vous aviez l'impression d'avoir été illuminé.

— Jusqu'au jour où vous en aviez marre.

— Oui, jusqu'à ce que vous rassembliez assez de confiance en vous pour comprendre que vous ne pouviez pas vous tromper complètement tout le temps et que le fait de démontrer que tout n'était que duperie, illusion ou folie ne vous aidait en rien. On avait l'impression que, chez Parlabane, le scepticisme s'était emballé.

— Je trouve que le scepticisme a quelque chose de curieux. Je connais quelques philosophes sceptiques, et, à l'exception de Parlabane, tous se comportent d'une façon absolument normale dans la vie quotidienne. Ils paient leurs dettes, empruntent sur hypothèque, élèvent leurs gosses, gâtifient avec leurs petits-enfants et s'efforcent d'acquérir une certaine compétence, exactement comme le reste de la bourgeoisie. Comment concilient-ils cela avec les idées qu'ils professent ?

— Grâce au bon sens, Clem. C'est lui qui nous sauve, nous les travailleurs de l'esprit. Nous faisons un compromis entre ce que nous pouvons comprendre intellectuellement et ce que nous sommes dans le monde où nous nous trouvons. Seuls les génies et les excentriques tentent d'échapper à cela, et même les génies vivent souvent selon une morale totalement bourgeoise. Pourquoi ? Parce que cela simplifie tout ce qui est inessentiel. On ne peut sans cesse improviser et voir chaque bagatelle d'un œil neuf. Mais Parlabane, lui, est un excentrique.

— Il y a des années, beaucoup de gens le prenaient pour un génie.

— Je me rappelle avoir été l'un d'eux.

— Croyez-vous que ce soit cet affreux accident qui l'a rendu excentrique ? Ou sa famillle ? Sa mère, peut-être ?

— Autrefois, j'aurais dit oui, mais plus maintenant. Certaines personnes surmontent des handicaps familiaux bien pires que ne peut avoir été le sien et font des choses étonnantes malgré des corps très abîmés. J'en ai par-dessus la tête d'entendre les gens se plaindre de leur mère. Tout le monde doit en avoir une, or tout le monde ne peut pas gagner le gros lot, en supposant que c'en soit un. En effet, qu'est-ce qu'une mère parfaite ? On nous rebat les oreilles avec des mères aimantes qui fabriquent des homosexuels, des mères négligentes qui fabriquent des escrocs et des mères ordinaires qui étouffent l'intelligence de leurs enfants. Toute cette histoire de mère a besoin d'être sérieusement revue.

— J'ai l'impression que, dans une seconde, vous allez me faire un sermon sur le péché originel.

— Et pourquoi pas ? Nous avons eu la psychologie et aussi la sociologie, mais, en pratique, nous en sommes restés exactement au même point. Quelques-unes des vieilles et dures conceptions théologiques valent parfaitement ces deux sciences, non pas parce qu'elles expliquent vraiment quoi que ce soit, mais parce qu'elles admettent implicitement qu'elles ne peuvent pas expliquer un tas de choses. Elles mettent donc tout sur le dos de Dieu, qui peut être cruel et imprévisible, mais qui, au moins, assume la responsabilité de beaucoup de souffrances humaines.

— A votre avis, donc, on ne peut pas expliquer Parlabane ? Ni le fait qu'il ne s'est pas réalisé ? Ni ce qu'il est à présent ?

— Vous avez vécu plus longtemps dans une université que moi, Clem. Vous avez dû voir beaucoup de jeunes gens pleins de promesses sombrer dans la médiocrité. Nous accordons trop de valeur à une certaine sorte de cerveau doué pour les examens et pour s'exprimer.

— Dans un instant, vous me direz que le caractère importe plus que l'intelligence. Je connais plusieurs personnes dotées d'un caractère magnifique qui ont autant de cervelle qu'une poule.

— Cessez de me dire ce que je vais vous dire dans un instant, Clem, et examinez votre propre cas : vous êtes incontestablement l'un des plus brillants membres de cette université, un homme jouissant d'une réputation mondiale ; pourtant, dès que vous avez eu à affronter un petit problème moral concernant une fille, vous êtes devenu complètement stupide.

— Vous profitez de votre habit ecclésiastique pour m'insulter !

— Foutaises ! Je ne porte pas mon habit : je n'arbore ma tenue complète que les dimanches. Prenez un autre verre.

— Dites-moi, vous ne trouvez pas que cette discussion dégénère en propos d'ivrognes ?

— C'est bien possible. Mais avant que nous ne coulions, je vais vous dire ce que vingt ans d'Église m'ont appris. Les dons intellectuels sont l'un des facteurs du destin d'un homme. Il en est de même du caractère, de l'assiduité au travail et du courage, mais toutes ces qualités peuvent se perdre complètement sans un autre facteur que personne n'aime admettre : la chance, purement et simplement.

— J'aurais plutôt cru que vous alliez me dire : la grâce divine.

— Évidemment, on peut l'appeler ainsi. La façon dont Dieu la distribue dépasse l'entendement humain. Dieu est un drôle de petit plaisantin, il ne faut jamais l'oublier.

— Il nous a plutôt gâtés, vous ne trouvez pas, Simon ? Je bois au drôle de petit plaisantin !

— Au drôle de petit plaisantin ! Puisse-t-il continuer à nous sourire ! »


3


Le laboratoire du professeur Ozias Froats ressemblait surtout à la cuisine d'un hôtel de première catégorie. Des tables métalliques et des éviers luisants de propreté, une série de meubles de rangement pareils à de grands réfrigérateurs et quelques instruments de mesure qui avaient l'air très élaboré. Je ne sais à quoi je m'attendais, mais, au moment où je rendis visite à Ozy, les attaques de Murray Brown avaient tellement coloré l'idée que le public se faisait de son travail que je n'aurais pas été surpris si je l'avais trouvé dans le décor qu'on associe avec le personnage du savant fou dans un mauvais film.

« Entrez donc, Simon. Vous permettez que je vous appelle par votre prénom ? Appelez-moi Ozy, vous l'avez toujours fait. »

De ce sobriquet donné à un étudiant mal dégrossi, il avait réussi à faire le nom affectueux et honoré d'un footballeur de premier ordre. A la grande époque, quand lui et Boom-Boom Glazebrook étaient les vedettes de l'équipe universitaire, la foule chantait une version revue et corrigée d'une chanson qui avait été à la mode des années plus tôt :

> *Ozy Froats and dozy doats*
> *And little Lambsie divy...*

Et quand il était blessé au cours du match, les *cheer-leaders* * menés par sa petite amie Peppy Peggy le faisaient se relever en poussant un long cri plein de tendresse : *"Come o-o-o-o-n Ozy ! Come O-O-O-O-N OZY ** !"* Cependant, tout le monde savait qu'Ozy était aussi brillant en biologie qu'au football et qu'il était un grand manitou du campus. Dieu seul et quelques biologistes savaient ce qu'il avait fait depuis qu'il avait passé son examen et obtenu une bourse d'études supérieures à Oxford, mais le recteur l'avait mentionné lui aussi comme étant un autre « fleuron de l'université ». J'étais donc content qu'il ne m'eût pas complètement oublié.

« Murray Brown est vraiment dur avec vous, Ozy.

— Oui. Vous êtes au courant de la manifestation qu'il y a eu hier devant l'Assemblée ? Des gens réclamaient la réduction du budget de l'éducation. Sur quelques-unes des pancartes, on lisait : *"Chassez la merde de notre université."* Cela me visait directement. Je suis la bête noire de Murray.

— Au fait, travaillez-vous vraiment avec de... ?

— Bien sûr. Et c'est très bien, d'ailleurs. Il était temps que quelqu'un s'attaque à cette question. Dieu ! ce que les gens peuvent être stupides !

— Ils ne comprennent pas. De plus, ils sont écrasés

---

* *Cheer-leaders* : ceux qui dirigent et encouragent par la voix et les gestes une équipe (N.d.T.).

** « Vas-y, Ozy ! » (N.d.T.).

d'impôts, ils ont peur de l'inflation. Les universités ont toujours constitué une cible facile. *Dégraissez l'enseignement. Apprenez un métier aux étudiants, ainsi ils pourront gagner leur vie*. La plupart des gens ne veulent pas croire qu'étudier et gagner sa vie sont deux choses différentes. Et quand ils voient certains individus faire le travail qu'ils aiment le mieux et être payés pour cela, ils sont jaloux et veulent y mettre fin. Renvoyez les professeurs non rentables. Dès qu'il s'agit d'enseignement et de religion, tout le monde se prend pour un spécialiste ; tout le monde fait appel à son bon sens, comme on dit. Vos recherches coûtent cher, j'imagine ?

— Pas autant que beaucoup d'autres choses, mais assez tout de même. Les deniers publics ne constituent qu'une faible partie de mon budget. Je reçois des subsides de fondations, du Conseil national de la recherche, et cetera, mais c'est l'université qui m'appuie et me paie. Je suis donc un bouc émissaire tout désigné pour des gens comme Brown.

— Vos recherches choquent à cause de la matière sur laquelle vous travaillez. Quoiqu'elle doive être bon marché.

— Oh non ! pas du tout ! Je n'utilise pas de simples engrais, Simon. Il me faut une matière spéciale, or celle-ci coûte trois dollars le seau. Si vous multipliez ce chiffre par cent ou par cent vingt-cinq — et c'est là un échantillonnage minimal —, vous obtenez trois cents dollars ou plus par jour, sept jours par semaine, pour commencer.

— Cent seaux par jour ! C'est considérable.

— Si je faisais des recherches sur le cancer, personne ne piperait. Il n'y en a plus que pour cette maladie, vous savez, et cela depuis des années. Dans ce secteur, vous obtenez tout l'argent que vous voulez.

— Ne pourriez-vous pas dire que vos travaux ont un rapport avec les recherches sur le cancer ?

— Oh ! Simon ! Vous, un pasteur ! Ce serait un mensonge ! J'ignore avec quoi mes travaux ont un rapport. C'est justement ce que j'essaie de découvrir

— Est-ce de la science pure, alors ?

— Presque. Bien entendu, j'ai une petite idée, mais je pars du connu pour aller vers l'inconnu. Je m'intéresse à un domaine négligé et impopulaire parce que personne n'aime manier cette substance. Mais, tôt ou tard, il fallait bien que quelqu'un le fît ; or il se trouve que c'est moi. Vous voudriez que je vous en parle, je suppose ?

— J'en serais ravi, mais je ne voudrais pas être indiscret. Je suis simplement venu vous faire une petite visite amicale.

— Je serais heureux de pouvoir vous dire tout ce que je peux. Mais voulez-vous patienter quelques minutes ? J'attends quelqu'un d'autre : une jeune fille que m'envoie Hollier. Elle voudrait des renseignements sur mes recherches pour un travail qu'elle fait dans sa spécialité à lui — quelle que soit celle-ci. Elle ne va pas tarder. »

La jeune fille en question arriva peu après. C'était mon étudiante en grec du Nouveau Testament et l'épine dans le pied du professeur Hollier, ce puritain insoupçonné : Mlle Theotoky. Nous formions un groupe bizarre : j'avais mis mon costume d'ecclésiastique et un col dur boutonné sur la nuque parce que j'avais été à un dîner de comité où cette tenue semblait appropriée. Maria avait l'air d'une Marie-Madeleine sortie d'une enluminure médiévale, quoiqu'en moins triste. Quant à Ozias Froats, il ressemblait à ce qui reste d'un grand footballeur devenu un chercheur scientifique contesté. Il était toujours immense et très fort, mais il perdait ses cheveux, et, par moments, sa blouse blanche révélait ce qui semblait être un melon caché à l'avant de son pantalon. Nous échangeâmes des politesses, puis Ozy se lança dans son topo.

« Les gens se sont toujours intéressés à leurs excréments. Après être allés à la selle, les primitifs regardent leurs crottes pour voir si elles leur révèlent quelque chose, et plus d'hommes civilisés que vous ne croyez font de même. D'habitude, ils ont peur. Ils ont entendu dire que le cancer peut faire apparaître du sang dans les excréments, et vous seriez étonnés de savoir combien d'entre eux se précipitent chez leur médecin, complètement angoissés, parce qu'ils ont oublié que, la veille, ils avaient mangé des betteraves. Autrefois, les médecins regardaient les matières fécales tout comme ils regardaient l'urine. Ils ne savaient pas ouvrir un corps humain, mais ils faisaient beaucoup de ces examens-là.

— C'est ce qu'ils appelaient la scatomancie, précisa Maria. Pouvait-elle leur apprendre quelque chose ?

— J'en doute, répondit Ozy, quoique, si vous vous y connaissez, l'odeur des excréments peut vous fournir quelques indications : les fèces d'un toxicomane, par exemple, sont faciles à identifier. Bien entendu, quand la véritable science d'investigation a commencé à se développer, on a fait quelques recherches sur les excréments : on a mesuré les quantités d'extraits de nitrogène et d'éther, de graisse neutre et d'acide cholalique, de tout le concentré de mucus, de bile, de bactéries vivantes et mortes qu'elles contenaient. La quantité de déchets alimentaires est assez réduite. Ce travail-là était utile dans un domaine limité en tant qu'élément de diagnostic, mais personne ne l'a poussé très loin. Ce qui a vraiment déclenché mon intérêt pour ce sujet, ce sont les écrits d'Osler.

« Osler était un type qui concevait sans cesse de magnifiques idées, mais sans jamais les approfondir. Peut-être pensait-il que d'autres s'en chargeraient pour lui quand ils en prendraient connaissance. Étudiant, je fus frappé par ses brèves remarques sur ce qu'on appelait alors l'entérite catarrhale. Il mentionne des changements dans la composition des sécrétions intestinales. "Nos connaissances sur le *succus entericus*, dit-il, sont trop limitées pour que nous puissions être en mesure de parler d'influences provoquées par une modification de la quantité ou de la qualité de celui-ci." Il a écrit cela en 1896. Mais il a suggéré des rapports entre diarrhée et cancer, ou anémie, ou certaines maladies du rein, et ce qu'il a dit s'est gravé dans ma mémoire.

« Il y a à peine dix ans, je suis tombé sur un livre qui m'a rappelé ses observations, malgré une application complètement différente. Dans cet ouvrage, l'auteur — W.H. Sheldon, un respectable savant de Harvard — présentait ce qu'il appelait une psychologie de la constitution. Il disait, en gros, qu'il y avait un rapport fondamental entre physique et tempérament. Pas une idée très neuve, bien sûr.

— On la trouve dans de multiples écrits de la Renaissance, déclara Maria.

— Oui, mais vous n'iriez pas jusqu'à les qualifier de scientifiques.

— Ils n'étaient pas mal, vous savez, maintint Maria. Paracelse disait qu'il y a plus d'une centaine, et même probablement plus d'un millier d'estomacs différents. Aussi, si vous réunissiez mille personnes, il serait stupide de dire qu'elles ont le même corps et de les traiter comme si cette affirmation était exacte. Aussi stupide que de leur attribuer des esprits identiques. ''Il y a des centaines de formes de santé, écrit-il ; l'homme capable de soulever cinquante livres peut être aussi vigoureux que celui qui en soulève trois cents.''

— Il l'a peut-être écrit, mais il ne pouvait pas le prouver.

— Il le savait par intuition.

— Voyons, voyons, Mlle Theotoky, cela est inacceptable. Ces choses-là doivent être vérifiées expérimentalement.

— Sheldon a-t-il vérifié expérimentalement cette affirmation de Paracelse ?

— Absolument !

— Cela prouve simplement que Paracelse lui était supérieur : il n'a pas eu besoin de trimer dans un labo pour trouver la *bonne* réponse.

— Nous ignorons si Sheldon a trouvé la bonne réponse. Jusqu'ici, nous n'avons que des observations très précises. Mais ...

— Elle vous taquine, Ozy, dis-je. Maria, taisez-vous et laissez parler le grand homme. Nous pourrons toujours discuter de Paracelse plus tard. Vous savez sûrement que le professeur Froats est très critiqué en ce moment et que ces attaques sont d'une nature qui pourrait lui nuire beaucoup.

— Paracelse a connu le même sort. Chassé d'un pays à l'autre, il était l'objet de risées de la part de toutes les universités. Et il n'avait pas de poste de professeur non plus. Oh ! pardon ! Continuez, je vous prie. Je ne vous interromprai plus. »

Quelle ergoteuse que cette fille ! Mais son attitude avait quelque chose de rafraîchissant. J'avais moi-même une sympathie secrète pour Paracelse. Cependant, je voulais en apprendre plus sur Sheldon.

« Il ne se contentait pas de dire que les gens sont différents, poursuivit Ozy. Il montrait *en quoi* ils diffèrent. Il étudia quatre mille étudiants en tout. Pas le meilleur des échantillonnages, bien sûr : tous ses cobayes étaient jeunes et intelligents. Pas assez de variété, chose que moi j'essaie d'obtenir. Finalement, il divisa ses sujets en trois grands groupes : les *endomorphes*, aux corps ronds et mous ; les *mésomorphes*, musclés et osseux, et les *ectomorphes*, maigres et fragiles. Il fit des recherches poussées sur leur tempérament, leur milieu, leur mode de vie et leurs aspirations. Il découvrit que les grassouillets, des viscérotoniques, aimaient le confort sous toutes ses formes ; les types musclés et vigoureux étaient des somatotoniques : pour eux, l'effort constituait le plus grand des plaisirs ; quant aux maigres, des cérébrotoniques, c'étaient des intellectuels et des nerveux. Jusqu'ici, rien de très nouveau. Je suppose que Paracelse aurait pu parvenir aux mêmes conclusions par la simple observation. Mais Sheldon montra à l'aide de mesures et d'une série de tests que chacun de nous possède des éléments des trois types et que c'est ce mélange qui influence — je dis bien influence, et non détermine — le tempérament. Il inventa une échelle allant de 1 à 7 pour établir la quantité de ces éléments dans un individu. Ainsi, un 711 serait un endomorphe extrême : un gros lard presque entièrement dépourvu de muscles et de nerfs — une vraie chiffe. Un 117, en revanche, tout en cerveau et en nerfs, serait dans un état de santé déplorable. Au fait, un gros cerveau ne correspond pas nécessairement à une intelligence vaste et bien utilisée. Le parfait équilibre serait représenté par un 444, mais rares sont les hommes qui l'ont, et si jamais vous en trouviez un spécimen, il est probable qu'il serait secrétaire d'un club d'athlétisme chic où l'on mange très bien.

— Passez-vous votre temps à typer les gens ? demanda Maria.

— Pas du tout. Pour cela, il faudrait les examiner très soigneusement, ce qui ne peut se faire sans mesures. Vous voulez voir ? »

Bien entendu, nous ne demandions pas mieux. Ozy était manifestement aux anges. Quelques instants plus tard, il avait installé un écran et un projecteur et nous montrait des diapos d'hommes et de femmes de tous âges, aux physiques les plus divers, photographiés nus contre une grille dont les lignes horizontales et verticales permettaient de voir avec précision quelles parties de leurs corps présentaient des rondeurs ou, au contraire, en manquaient.

« Si je devais montrer ces photos à un public, je noircirais les visages et les organes génitaux, dit Ozy. Mais nous sommes entre amis, n'est-ce pas ? »

En effet. Je reconnus un gros vigile de l'université et un jardinier du campus. Et cette jeune femme, n'était-ce pas une des secrétaires du recteur ? Je vis passer à toute allure plusieurs étudiants et — vraiment, je n'étais pas tout à fait à ma place dans cet endroit — le professeur Agnes Marley, qui se révélait être beaucoup plus fessue que ne le laissaient deviner ses tailleurs en tweed, et, devant, plate comme une limande. Tous ces malheureux avaient été photographiés dans une lumière dure, extrêmement cruelle. Et, dans le coin droit, au bas de chaque image, figurait en gros chiffres noirs leurs proportions d'éléments établies selon l'échelle de Sheldon. Ozy ralluma.

« Vous voyez comment ça marche ? fit-il. A propos, j'espère

que vous n'avez reconnu aucune de ces personnes. Dans le cas contraire, ça ne serait pas bien grave, mais les gens sont parfois chatouilleux dans ce domaine, vous savez. Tout le monde veut être typé, exactement comme tout le monde veut se faire tirer les cartes. Moi, par exemple, je suis un 271. Pas trop de graisse ; assez, cependant, pour me poser un problème quand je dois mener une vie sédentaire. Je fais 7 pour l'ossature et les muscles. Avec quelques unités de plus aux deux bouts de l'échelle, je serais un hercule. Sous l'aspect cérébrotonique, je ne fais que 1, ce qui ne veut pas dire que je suis idiot, Dieu merci, mais je n'ai jamais été ce qu'on pourrait appeler un type nerveux ou sensible. C'est pour cela que l'affaire Brown ne me perturbe pas trop. Au fait, je suppose que vous avez remarqué la différence des systèmes pileux de ces divers sujets ? Les femmes n'aiment pas qu'on en parle, mais pour un chercheur dans ma spécialité, c'est là un détail très révélateur.

« Typer à vue d'œil ? Non, c'est là une chose que je n'essaierai jamais de faire sérieusement. Mais ce que disent les gens peut vous en apprendre beaucoup sur la typologie. Prenez le Christ, par exemple : la tradition et les tableaux le dépeignent comme un cérébrotonique ectomorphe, et cela soulève un point de théologie qui devrait vous intéresser, Simon. Si Jésus était vraiment le Fils de l'homme, on aurait pu penser qu'il s'incarnerait dans un 444, n'est-ce pas ? Un homme capable de se mettre dans la peau de tous ses prochains. Eh bien, pas du tout : c'était un type maigre et nerveux. Cependant, il devait être très vigoureux : c'était un grand marcheur et un fascinant orateur — ce qui demande beaucoup d'énergie —, et il supporta la flagellation ainsi que les autres mauvais traitements que lui infligèrent les soldats. Il faisait au moins 3 sur l'échelle mésomorphique.

« C'est passionnant, vous ne trouvez pas ? Eh bien, voilà, Simon : vous êtes le propagandiste et l'interprète professionnel d'un prophète qui, littéralement, n'était pas du tout votre type. A vue de nez, je dirais que vous êtes un

425 : rond, mais trapu, et doté d'une grande énergie. Vous écrivez beaucoup, n'est-ce pas ? »

Pensant au *Nouvel Aubrey*, j'acquiesçai d'un signe de tête.

« Évidemment. Cela correspond tout à fait à votre type quand celui-ci est associé à une intelligence supérieure. Suffisamment de muscles pour vos besoins, sensible sans être un paquet de nerfs et pourvu d'un immense intestin. Car c'est cela qui fait tellement ressortir le ventre chez votre type, vous comprenez ? Certains viscérotoniques comme vous ont des boyaux presque deux fois plus longs que ceux d'un vrai cérébrotonique. Ces derniers en ont peu ; en revanche, ils sont très portés sur la bagatelle. Les types musclés le sont beaucoup moins ; quant aux gros, ils aiment autant manger. Ce sont les petits maigres qui sont complètement obsédés. Je pourrais vous raconter des histoires étonnantes à ce sujet. Mais vous, Simon, vous êtes un homme d'intestin. C'est d'ailleurs parfait pour le genre de pasteur que vous êtes : amateur de cérémonies et de rites, et, bien entendu, gros mangeur. Vous pétez beaucoup ? »

Qu'entendait-il par ''beaucoup ?'' Je ne répondis pas.

« Je suppose que oui, reprit Ozy Froats, mais en cachette, à cause du 5 de votre élément cérébrotonique. Regardez les écrivains. Par exemple, Balzac, Dumas, Trollope, Thackeray, Dickens vers la fin de son existence, Henry James (qui, soit dit en passant, a souffert toute sa vie de constipation), Hugo, Goethe — tous avaient un intestin d'au moins douze mètres de long. »

Oubliant complètement la notion de détachement scientifique, Ozy commençait à s'emballer.

« Vous devez vous demander quel rapport tout cela peut bien avoir avec les excréments. Me rappelant Osler, j'ai simplement eu l'intuition que la composition des fèces variait selon le type d'individu, et je me suis dit que ça pouvait être intéressant à étudier. Car ce que les gens oublient, ou ne voient pas, c'est que déféquer est une véritable création. Tout le monde produit cette matière à une fréquence qui va, dans le cadre de la normalité, de trois fois par jour à une fois tous les dix jours, avec, disons, une fois toutes les quarante-huit heures comme moyenne. Aussi serait-il vraiment étonnant si cette création n'avait rien de personnel ou de caractéristique, et il se pourrait fort bien qu'elle varie selon votre état de santé. Vous connaissez ce vieux dicton paysan : "Tout homme trouve que ses excréments sentent bon." Mais pas ceux d'autrui. C'est une création, un produit extrêmement particulier. Alors, mettons-nous au boulot, me suis-je dit.

« Organiser des expériences dans ce domaine représente un travail énorme. Pour commencer, Sheldon identifia soixante-seize types entrant dans le champ du normal. Bien entendu, il existe certaines combinaisons extravagantes qui condamnent ceux qui les ont à de graves problèmes de santé. Réunir un groupe de cobayes est très difficile. Il faut interviewer quantité de personnes, donner un tas d'explications et éliminer les sujets qui pourraient être une source d'ennuis. Je crois que mon équipe et moi avons vu plus de cinq cents personnes. Nous avons réussi à faire tout cela assez discrètement, de manière à exclure des plaisantins et des cinglés comme Brown. Finalement, nous en avons retenues cent vingt-cinq. Elles ont promis de nous remettre toutes leurs selles, dûment recueillies dans les récipients spéciaux que nous leur avons fournis (et qui coûtent une petite fortune, croyez-moi), aussi fraîches que possible et sur une très longue période : pour obtenir un résultat quelque peu valable, nous avons en effet besoin d'analyses répétées un certain nombre de fois. De plus, nous voulions avoir une aussi grande variété de tempéraments que possible, pas seulement des jeunes étudiants très intelligents. Comme je vous l'ai déjà dit, Simon, nous devons payer nos sujets : il s'agit d'une corvée, et ils ont besoin d'une récompense. Nous leur demandons de subir des tests chaque fois que le médecin qui m'assiste en réclame, et, quotidiennement, ils doivent inscrire certaines indications sur une feuille : par exemple, comment ils se sentaient ce jour-là, en se basant sur une échelle graduée de 1 à 7 et qui va de « fantastiquement bien » à « très mal fichu ». Je regrette souvent que nous ne puissions faire nos expériences avec des rats. En tout cas, il n'y a aucun moyen d'étudier le tempérament humain d'une façon économique.

— Vous auriez plu à Paracelse, docteur, dit Maria. Il rejeta l'étude de l'anatomie formelle et prôna un examen du corps vivant considéré dans son entier. Il aurait aimé ce que vous avez dit au sujet des selles : qu'elles sont une création. Avez-vous lu ses traités sur la colique et les vers intestinaux ?

— A dire vrai, je ne le connais que de nom. Je le prenais pour une sorte de cinglé.

— C'est ce que Murray Brown pense de vous.

— Murray Brown a tort. Je ne peux pas le lui dire pendant quelque temps encore — quelques années peut-être —, mais le moment viendra.

— Cela signifie-t-il que vous avez trouvé ce que vous cherchiez ? » demandai-je.

J'avais l'intuition qu'il valait mieux éloigner Maria du sujet de Paracelse.

« Je ne cherche rien, répondit Ozy. La science ne fonctionne pas comme ça. Je regarde pour voir ce qu'il y a là, dans l'objet de mon examen. Si vous commencez avec une idée préconçue de ce que vous allez trouver, vous êtes susceptible de le trouver et de vous tromper complètement, alors que vous êtes peut-être passé à côté de quelque chose de vrai qui était là, sous votre nez. Bien entendu, nous ne restons pas ici à nous tourner les pouces : au moins six bons articles signés Froats, Redfern et Oimatsu ont paru dans des revues. Nous avons eu quelques résultats intéressants. Voulez-vous voir d'autres photos ? C'est Oimatsu qui les a faites. Elles sont magnifiques ! Rien de tel qu'un Japonais pour exécuter un travail aussi délicat. »

Il s'agissait de diapositives qui, à ce que je compris, représentaient de minces tranches d'excréments coupées trans-versalement et examinées au microscope sous un éclairage spécial. Ces coupes étaient d'une extrême beauté : on aurait dit des morceaux d'agate. Je pensai à la calcédoine, qui, selon saint Jean, dans l'Apocalypse, constituait les fondations de la ville sainte. Mais comme Maria n'avait pas réussi à intéresser Ozy à Paracelse, je me dis que je n'aurais guère plus de succès en faisant des références à la Bible. Je me creusai donc les méninges pour trouver quelque chose d'intelligent — espérais-je — à dire.

« Je me demande si ces exemples présentent quelque chose comme une structure cristalline.

— Non, mais c'est là une bonne intuition, une intuition astucieuse. Pas une structure cristalline, bien sûr, et cela pour diverses raisons, mais on pourrait dire qu'ils tendent à avoir une forme caractéristique assez constante. Or, s'ils changent d'une façon évidente, que dois-je en conclure ? Je n'en sais rien, mais si jamais je le découvre... » Ozy se rendit compte qu'il cédait à un enthousiasme peu scientifique. « ...je saurai quelque chose que j'ignore maintenant, termina-t-il.

— Ce qui pourrait mener à... ?

— Je ne veux pas conjecturer là-dessus. Cependant, si les excréments ont une structure aussi identifiable pour chaque individu que ses empreintes digitales, cela serait intéressant. Mais je ne vais pas m'amuser à extrapoler. C'est ce que les gens sont tentés de faire après avoir lu Sheldon. Il y avait un type nommé Huxley, un frère du savant — je crois qu'il était écrivain —, qui avait lu Sheldon et poussé les conclusions de celui-ci à l'absurde. Naturellement, étant écrivain, il adorait les extrêmes comiques des somatotypes, et il s'emballa complètement pour un aspect sur lequel Sheldon insistait beaucoup dans ses deux gros livres : l'humour. Sheldon répète sans cesse qu'il faut traiter des somatotypes avec un inlassable sens de l'humour, et je ne sais foutre pas de quoi il veut parler. Si un fait est un fait, cela s'arrête là, non ? Pas besoin de faire de l'esprit à ce propos. J'ai beaucoup lu, vous savez, de la littérature générale, et je n'ai jamais trouvé une définition sensée de l'humour. Mais Huxley — l'écrivain

— n'en finit pas de nous dire combien ce serait drôle si certains types mal assortis se mariaient, et il trouvait d'un comiqe irrésistible la scène où l'on verrait un avorton ectomorphe et sa femme, une poufiasse endomorphe, en train de regarder l'idéal mésomorphe grec dans un musée. Qu'est-ce que cela a de drôle ? Il s'est lancé dans toutes sortes de conclusions en ce qui concerne l'action du physique sur le psychique, disant que le corps était peut-être en fait cet inconscient dont parlent les psychanalystes — le facteur inconnu, les profondeurs d'où surgissent l'imprévu et l'incontrôlable dans l'esprit humain. Et que d'apprendre à vivre intelligemment avec son corps menait à la santé mentale. Tout ça, c'est facile à dire, mais essayez de le prouver ! C'est là le rôle de gens comme moi. »

Il se faisait tard. Je me levai pour partir car il était évident que nous avions vu tout ce qu'Ozy avait l'intention de nous montrer. Mais, au moment de prendre congé, je me souvins de sa femme. De nos jours, il n'est pas de très bon ton de s'informer des épouses de ses amis — au cas où elles auraient cessé d'être des épouses. Je décidai toutefois d'en prendre le risque.

« Comment va Peggy ?

— C'est gentil à vous de me le demander. Elle sera ravie d'apprendre que vous vous êtes souvenu d'elle. Pauvre Peg.

— Elle n'est pas malade, j'espère ? Bien sûr que je me souviens d'elle : c'était notre meilleure *cheer-leader*.

— Elle était merveilleuse, n'est-ce pas ? Un beau brin de fille. On aurait dit qu'elle avait un corps en caoutchouc. Un dynamisme à tout casser. Seigneur ! vous devriez la voir maintenant.

— Je suis désolé d'apprendre qu'elle ne va pas bien.

— Oh, ce n'est pas qu'elle aille mal. Le problème, c'est son type — son somatotype. C'est une MPP, c'est-à-dire ce que Sheldon appelle une ''mauvaise plaisanterie pycnotique''. Pycnotique, vous comprenez ? Ah, mais c'est vrai que vous êtes helléniste. Dense, caoutchouteux. Mais ses trois éléments sont un peu déséquilibrés : c'est une 442, et... Bon, maintenant elle pèse plus de cent kilos, la pauvre petite, pour à peine un mètre soixante. Non, pas d'enfants. Malgré tout, elle garde le moral. Elle prend un tas de cours du soir : ''Comment soigner son chien'', ''Vitalité et prise de conscience par le yoga'', ''Écrire pour s'amuser et gagner de l'argent'' — ce genre de foutaises. Je passe tellement de temps ici, le soir, vous comprenez ? »

Je comprenais. Le « Drôle de petit plaisantin » avait poussé les choses un peu loin avec Ozy et Peggy, et même si Ozy avait eu un sens de l'humour plus développé, il lui aurait été difficile d'apprécier cette plaisanterie-là.

Alors que nous traversions le campus ensemble, Maria me dit :

« Je me demande si le professeur Froats est un mage.

— Je crois qu'il serait très surpris si vous lui disiez cela.

— En effet, il s'est montré assez méprisant envers Paracelse. Or c'est Paracelse qui a écrit que les saints hommes qui servaient les forces de la nature étaient des mages parce qu'ils pouvaient faire des choses dont personne d'autre n'était capable, et cela parce qu'ils avaient un don particulier. Ozias Froats travaille sûrement sous l'égide d'Hermès Trismégiste. Je l'espère, en tout cas, sinon il n'ira pas loin. Dommage qu'il n'ait pas lu Paracelse. Ce dernier dit que l'âme de chaque homme s'accorde avec le dessin que font ses artères et ses linéaments. Je suis sûre que Sheldon aurait approuvé.

— Sheldon semble avoir eu le sens de l'humour. Il n'aurait pas vu d'inconvénients à ce qu'un alchimiste du XVIᵉ siècle l'ait devancé. Ce n'est pas le cas d'Ozy.

— C'est dommage pour la science, vous ne trouvez pas ?

— Cette remarque-là est typique d'une humaniste, mademoiselle Theotoky, et je vous conseille d'être prudente dans ce domaine. Nous, les humanistes, nous sommes une espèce en danger. Du temps de Paracelse, le dynamisme des universités prenait sa source dans le conflit existant entre humanisme et théologie ; le dynamisme de l'université moderne se nourrit de l'''histoire d'amour'' entre les gouvernements et la science, et parfois les deux sont si liés qu'on en frémit. Si vous voulez un mage, cherchez-le en Clement Hollier. »

Là-dessus, nous nous séparâmes, mais j'ai l'impression que Maria me jeta un regard étonné.

Je poursuivis mon chemin en direction de Ploughwright, pensant aux excréments. Que de choses nous avions découvertes sur notre préhistoire en examinant le fumier fossilisé de bêtes disparues depuis longtemps ! Un vrai miracle, en fait : une récupération du passé à partir de matières négligemment rejetées. Et, au Moyen Âge, quelle importance les gens — qui vivaient près de la nature — n'attachaient-ils pas aux déjections d'animaux ! Ils avaient, pour les distinguer, une variété impressionnante de mots : crotte de lièvre, bouse de vache, épreinte de loutre, émeut de faucon, laissée de loup, fumée de cerf. Il devait sûrement y avoir, pour les matières si chères à Ozy Froats, des termes plus intéressants que « merde ». Par exemple : les « problèmes » du recteur, les « passes arrière » du footballeur, les « ajournements » du doyen, les « volumes dépareillés » du bibliothécaire, les « notes de bas de page » du candidat au doctorat, les « mauvaises notes » d'un étudiant de première année, les « angoisses » du professeur vacataire. Quant aux miennes, ne pouvait-on leur donner le nom approprié de « collecte du jour » ?

Et c'est dans cet état d'esprit frivole que je me mis au lit.

4

Je me disais que Hollier n'allait pas tarder à pousser Parlabane dans ma direction, et, en effet, ce dernier apparut chez moi le soir qui suivit ma visite à Ozias Froats.

J'étais d'assez mauvaise humeur. J'avais pensé toute la journée à l'estimation humiliante qu'Ozy avait faite de mon état physique et, par voie de conséquence, de mon état mental. Un 425, rond, trapu et s'acheminant inexorablement vers l'embonpoint. Je prends régulièrement la décision d'aller tous les jours au club d'athlétisme pour me remettre en forme, et je le ferais si j'étais moins occupé. Mais voilà que, soudain, Ozy avait dit que la graisse faisait partie de mon destin, que c'était un fardeau auquel je ne pouvais échapper, un signe extérieur visible d'un amour intime — apparent seulement en partie — du confort. M'étais-je bercé d'illusions ? Mes étudiants m'appelaient-ils « le gros » ? Toutefois, si le jour de mon baptême la fée Carabosse m'avait apporté l'adiposité, d'autres fées, plus gentilles, m'avaient offert l'intelligence et l'énergie. Mais comme la nature humaine tend à être insatisfaite, c'était la graisse que je n'arrivais pas à digérer.

Pis : il avait suggéré que j'étais du type à péter beaucoup. Bien sûr, tout le monde reconnaît que, lorsqu'on prend de l'âge, ce maniérisme physique anodin risque de s'accentuer. Un prêtre comme moi qui a souvent rendu visite aux vieux en sait quelque chose. Mais Froats avait-il besoin de me sortir ça devant Maria Magdalena Theotoky ?

C'était là un nouveau sujet de tourment. Qu'est-ce que cela pouvait me faire, ce qu'elle pensait ? Mais cela m'importait, tout comme m'importait ce que les gens pensaient d'elle. La révélation de Hollier m'avait contrarié : Clem devrait surveiller ses grosses pattes (non, non, c'était injuste, ça), il n'aurait pas dû profiter de sa position de professeur, quelle qu'ait été la joie qu'il avait ressentie au sujet de son travail. Je pensai à Balzac. Poussé par un désir irrésistible, cet écrivain s'était jeté sur la fille de cuisine, l'avait prise contre un mur, puis lui avait crié : « Vous m'avez coûté un chapitre ! » ; ensuite, il était retourné en courant à sa table de travail. L'idée que Maria chantait des chansons grivoises en public m'avait déplu ; si elle l'avait fait, c'est qu'elle avait dû avoir de bonnes raisons pour cela.

Darcourt, me dis-je, cette fille te rend complètement

idiot. Pourquoi ? Parce qu'elle est belle, décidai-je, et cela absolument. Non seulement elle avait un beau visage, mais elle se mouvait avec grâce, et, qualité rare, elle avait une agréable voix grave. Un homme a bien le droit d'admirer la beauté sans remords ? Ou celui de souhaiter qu'il n'aura pas l'air gros et ridicule, voire d'un péteur sournois, en présence d'une si merveilleuse création de Dieu ? Froats, me rappelai-je, n'avait pas essayé de la typer. Or ça ne pouvait pas avoir été par discrétion : Ozy n'en avait aucune. Était-ce — Seigneur ! cela pouvait-il être possible ? — parce qu'il avait reconnu en elle une MPP, une autre Peggy qui grossirait brusquement avant d'atteindre la trentaine ? Non, impossible : Peggy avait été exubérante et potelée, or aucun de ces termes ne s'appliquait à Maria.

Mes douze mètres de « boyaux littéraires » étaient plutôt grognons quand Parlabane arriva : je leur avais refusé un dessert au dîner. Pour certains, ce genre de sacrifice est peut-être la voie du salut, mais pas pour moi : cela me rend grincheux.

« Sim, mon chou, j'ai honte de t'avoir négligé ainsi ! Tu veux battre le vilain Johnny ? Trois coups sur chaque menotte avec une règle très très dure ? »

Il pensait sans doute que ce genre de discours lui permettrait de reprendre nos relations là où nous les avions laissées, il y avait vingt-cinq ans. A l'époque, il aimait parler sur ce ton affecté parce qu'il savait que cela me faisait rire. Mais moi je n'avais jamais joué ce jeu sérieusement ; je n'avais jamais été l'un de ses « potes », n'avais jamais appartenu à ce groupe d'étudiants qui s'étaient surnommés *Gentleman's Relish*. Ils m'intéressaient — « fascinaient » serait un terme plus juste —, mais je n'avais jamais voulu partager l'intimité qui les liait, quelle qu'ait pu être sa nature. Je ne l'élucidai d'ailleurs jamais, car, même si un grand nombre de ces garçons parlaient beaucoup d'homosexualité, la plupart d'entre eux s'étaient mariés à la fin de leurs études et installés dans ce qui avait l'air d'être la plus grande des respectabilités bourgeoises, relevée parfois par un divorce et un remariage. A présent, l'un d'entre eux était juge, et des avocats obséquieux, ou faussement obséquieux, lui donnaient du *My Lord*. Je suppose que, comme Parlabane lui-même, ils avaient joué sur tous les tableaux : je savais qu'un ou deux d'entre eux avaient eu une liaison tumultueuse avec l'omnivore Elsie Whistlecraft. Cette femme se prenait pour une grande hétaïre dont la tâche était d'initier de jeunes ingénus à l'art de l'amour. Beaucoup de jeunes gens essaient divers aspects du sexe avant de choisir celui qui leur convient le mieux — généralement, c'est le plus ordinaire. Par prudence, discrétion et, probablement, lâcheté, je n'avais jamais été l'un des « potes » de Parlabane. Il fut toutefois un temps où l'entendre me parler comme si je l'étais me faisait plaisir.

C'était bête, mais qui n'a jamais été bête, d'une manière ou d'une autre ? Cependant, un quart de siècle plus tard, cela ne marchait plus. J'étais sans doute devenu austère.

« On m'avait dit que tu étais de retour, John, et je pensais que tu viendrais me voir un jour ou l'autre.

— Je suis impardonnable d'avoir tant tardé. *Mea culpa, mea culpa, mea maxima culpa*, comme on dit dans notre métier... Mais me voilà. J'ai entendu dire grand bien de toi. Il paraît que tu écris d'excellents livres.

— Pas trop mauvais, je l'espère.

— Et tu es devenu pasteur. Bon, autant en parler tout de suite... A mon habit, tu peux voir que j'ai changé d'idées. C'est peut-être à toi que je le dois, du moins en partie. J'ai souvent pensé à toi ces dernières années, tu sais. Des choses que tu avais l'habitude de dire me revenaient à l'esprit. Tu étais plus sage que moi. Et j'ai fini par me tourner vers l'Église.

— Disons que tu as essayé d'être moine. Mais, de toute évidence, cela n'a pas marché.

— Ne sois pas si dur avec moi, Sim. J'en ai bavé, tu sais. Tout ce que j'entreprenais semblait se solder par un échec.

Il n'est donc pas étonnant que je me sois finalement tourné vers le seul endroit où l'on est sûr que tout ira bien.

— Ah oui ? Que fais-tu ici, alors ?

— Si quelqu'un peut le comprendre, c'est toi. Je suis entré à la S.M.S. pour fuir toutes les choses qui avaient fait de ma vie un enfer — la pire étant mon volontarisme. En renonçant à celui-ci, me disais-je, tu trouveras peut-être la paix et, avec elle, le salut. *Si tu portes la Croix de bonne grâce, la Croix te portera toi.*

— Thomas a Kempis. Un guide peu sûr pour un homme comme toi, John.

— Vraiment ? J'aurais pourtant cru qu'il était exactement ton homme.

— Eh bien, tu te trompes. Cela ne m'empêche pas de le respecter. Mais il convient seulement aux gens honnêtes. Or, toi, tu n'en as jamais vraiment fait partie. Non, laisse-moi parler, ce n'est pas une insulte. Simplement, l'honnêteté d'un Thomas a Kempis n'est pas faite pour un homme aussi subtil que tu l'as toujours été. Tout comme Thomas d'Aquin a toujours été trop subtil pour te servir réellement de guide, car tu absorbais sa subtilité sans beaucoup te soucier de ses principes.

— Ah oui ? Tu sembles être un spécialiste de John Parlabane.

— Ce n'est que justice. Dans notre jeunesse, tu t'érigeais en spécialiste de Simon Darcourt. Je suppose que tu as été incapable de porter la Croix de bonne grâce, dans ton monastère ; alors tu t'es fait la belle.

— Grâce à ton argent. Je ne pourrai jamais te remercier assez.

— Partage ta gratitude entre moi et Clem Hollier — à moins qu'il n'y ait eu d'autres noms encore sur ta liste de souscription à cinq cents dollars.

— Tu ne crois tout de même pas qu'une somme aussi misérable allait faire l'affaire ?

— C'est en tout cas ce que suggérait ton éloquente lettre.

— Bon, c'est du passé maintenant. Il fallait que je sorte de là coûte que coûte.

— D'autant plus que c'étaient les autres qui payaient.

— Tu es devenu bien méchant ! Pourtant nous sommes frères dans la foi. N'as-tu aucune charité ?

— J'ai beaucoup réfléchi à la charité, John, et je suis parvenu à la conclusion que cela n'était pas être une poire. Pourquoi devais-tu quitter la Mission sacrée ? Tes supérieurs étaient-ils sur le point de te foutre à la porte ?

— Ça m'aurait bien arrangé ! Non, ce n'était pas pour ça, mais ils ne voulaient pas me laisser accéder à la prêtrise.

— Comme c'est bizarre ! Et pourquoi cela, si ce n'est pas indiscret ?

— Je vois que tu retombes dans l'ironie estudiantine. Bon, je serai franc avec toi. As-tu jamais été dans ce genre d'endroits ?

— J'ai fait deux ou trois retraites dans ma jeunesse.

— Aurais-tu pu envisager d'y passer toute ta vie ? Écoute-moi, Sim, je ne supporterai pas que tu me traites comme un stupide pénitent. Ce n'est pas que je débine l'ordre : les frères de la Mission sacrée m'ont donné ce que je demandais, c'est-à-dire, le pain de l'esprit. Mais je dois mettre un tout petit peu de beurre et de confiture intellectuels sur ce pain, sinon je m'étouffe avec ! Écouter les homélies du père supérieur, c'était comme assister à un cours de première année de philosophie où l'on n'aurait jamais vraiment pris en considération le moindre doute. Dans ma vie, j'ai toujours eu besoin de faire travailler ma cervelle, sinon je deviens fou ! Et j'ai besoin d'un peu d'humour. Or, par là, je n'entends pas les plaisanteries bébêtes que lâchait le provincial pour se faire bien voir des simples frères, ni les blagues cochonnes d'un niveau primaire que certains des postulants se racontaient à voix basse pendant la récréation pour montrer qu'ils avaient été dans le monde. Non, il me faut absolument ce grand humour qui sauve, tout comme à ce foutu Rabelais dont on me rebat les oreilles ces jours-ci. J'ai besoin de quelque chose qui mette un peu de levain dans le pain azyme de l'esprit. S'ils m'avaient laissé devenir prêtre, j'aurais pu leur apporter quelque chose d'utile, mais ils n'en ont pas voulu. Je crois qu'ils m'ont rejeté parce qu'ils me jalousaient.

— A cause de ton savoir et de ton intelligence ?

— Oui.

— Il se peut, en effet, qu'il y ait eu de cela. La rancune et l'envie se rencontrent aussi souvent à l'intérieur qu'à l'extérieur des murs d'un monastère. Et toi, tu as un de ces esprits impudents qui refusent de se camoufler par égard pour des interlocuteurs moins doués. Mais on n'y peut plus rien. La question qui se pose, c'est : que fais-tu maintenant ?

— Un peu d'enseignement.

— Aux cours du soir.

— Ils m'humilient.

— Beaucoup de bons profs y enseignent.

— Mais bon sang de bonsoir, Sim, je ne suis pas simplement un ''bon prof'' ! Je suis le meilleur foutu philosophe que l'université ait jamais produit, et tu le sais.

— Peut-être. Mais tu es aussi quelqu'un de difficile à vivre et à intégrer dans quoi que ce soit. As-tu d'autres projets ?

— Oui, mais ils demandent du temps.

— Et de l'argent aussi, je suppose.

— Est-ce qu'il te serait possible de…

— Que veux-tu faire ?

— Écrire un livre.

— Sur quoi ? Autrefois, tu te spécialisais dans le scepticisme.

— Non, non, ce livre-ci sera tout à fait différent. C'est un roman.

— Tu ne comptes tout de même pas là-dessus pour faire fortune ?

— Au début, cela me rapportera très peu, évidemment.

— Je te conseille de demander une bourse au Canada Council*. Ils aident les romanciers.

— Me recommanderais-tu ?

— Je leur recommande pas mal de gens chaque année, mais je ne suis pas connu pour mon goût littéraire. Comment sais-tu que tu es capable d'écrire un roman ?

— Parce qu'il est déjà là, tout entier, dans ma tête ! Et il est vraiment extraordinaire ! C'est une description brillante de la vie telle qu'elle était autrefois dans cette ville — la vie *underground*, je veux dire —, mais, sous-jacent à cela, il y a une analyse du malaise de notre temps.

— Grand Dieu !

— Que veux-tu dire exactement par là ?

— Qu'environ deux tiers des premiers romans traitent de ce thème. Très peu d'entre eux sont publiés.

— Ne sois pas si dur ! Tu me connais. Tu te souviens des choses que j'écrivais quand nous étions étudiants. Avec mon cerveau...

— C'est justement ce que je crains. Les romans ne s'écrivent pas avec le cerveau.

— Avec quoi, alors ?

— Demande-le à Ozy Froats. Avec des viscères de douze mètres, dirait-il. Regarde-toi : un important élément mésomorphe associé à une substantielle ectomorphie, mais avec une endomorphie quasi nulle. Tu as mené une vie épouvantable : tu as bu, tu t'es drogué et tu as fait les quatre cents coups, mais tu as gardé ta carrure d'athlète. Je parie que tu as un misérable petit intestin de rien du tout. Quand es-tu allé pour la dernière fois au cabinet ?

— Qu'est-ce que c'est que cette histoire ?

— C'est la nouvelle psychologie. Demande à Froats... Bon, et maintenant je vais conclure un marché avec toi, John.

---

\* Organisme chargé de la gestion des subventions gouvernementales en matière culturelle (N.d.T.).

— Juste quelques dollars, pour me dépanner.

— D'accord, mais j'ai parlé d'un marché. Voilà : tu dois cesser de porter cet habit. Cela me dégoûte de te voir te balader comme un homme au service de Dieu, alors qu'en fait tu n'es qu'au service de toi-même — si ce n'est pas à celui du diable. Je te donnerai un costume, mais tu dois le mettre, sinon pas un sou ni la moindre aide de ma part. »

Nous passâmes ma garde-robe en revue. Je pensais lui faire cadeau d'un vêtement qui commençait à être un peu trop serré pour moi, mais à la suite de je ne sais plus quel argument, Parlabane réussit à s'approprier l'un de mes meilleurs costumes : un complet d'un élégant gris clérical, quoique d'une coupe tout à fait laïque. Ainsi que deux très bonnes chemises et deux cravates foncées, quelques chaussettes et mouchoirs, et même une paire de chaussures presque neuves.

« Tu as pas mal grossi, dit-il en s'arrageant complaisamment devant la glace, mais comme je couds assez bien, je peux reprendre tout ça sans problème. »

Enfin, il se disposa à partir. Aussi, par pure faiblesse, lui offris-je un verre.

« Comme tu as changé, me dit-il. Autrefois, tu étais plutôt poire. Nous semblons avoir interverti nos rôles. Toi, le pieux jeune homme, tu sembles être devenu extrêmement dur. Moi, le mécréant, j'ai essayé de devenir prêtre. La vie a-t-elle miné ta foi à ce point ?

— Pas du tout. A mon avis, elle l'a plutôt consolidée.

— Quand tu récites le Credo, crois-tu vraiment à ce que tu dis ?

— Absolument. Mais, ce qui a changé, c'est que maintenant je crois aussi à toutes sortes d'autres choses qui ne figurent pas dans le Credo. Cette prière est une sorte de sténogramme, tu sais. Elle n'indique que le strict nécessaire. C'est insuffisant pour diriger sa vie. Si tu veux mener une vie religieuse, tu dois aguerrir ton esprit. Tu dois laisser toutes les pensées le traverser, puis, parmi elles, faire un choix. Te souviens-tu de ce que disait Goethe : qu'il n'avait jamais entendu parler d'un crime dont il ne se croyait pas capable lui-même ? Si tu t'accroches désespérément au Bien, comment découvriras-tu ce qu'il est vraiment ?

— Je vois… Connais-tu une certaine Theotoky ?

— Oui, c'est une de mes étudiantes.

— Je la vois de temps en temps. C'est la *soror mystica* de Hollier, le savais-tu ? Comme de mon côté je suis le *famulus* du grand homme — bien qu'il essaie par tous les moyens de se débarrasser de moi —, je la vois, en fait, assez souvent. Elle est vraiment bandante.

— Je n'en sais rien.

— Mais Hollier oui, je crois.

— Que veux-tu dire par là ?

— Je pensais que tu avais peut-être entendu des rumeurs…

— Pas la moindre.

— Bon, je m'en vais. Je regrette que tu sois devenu un si mauvais prêtre, Sim.

— Rappelle-toi ce que je t'ai dit au sujet de l'habit.

— Oh ! écoute ! Seulement de temps en temps ! J'aime le mettre pour faire mes cours.

— Fais attention. Je pourrais te créer des ennuis.

— Avec l'évêque ? Il s'en fout royalement.

— Non, pas avec l'évêque. Avec la R.C.M.P*. Tu as un casier, ne l'oublie pas.

— C'est absolument faux !

— Pas officiellement, bien sûr. Juste quelques notes dans un dossier, peut-être. Si je te revois avec ce déguisement, je te dénonce, frère John. »

Parlabane ouvrit la bouche, puis la referma. Il avait tout de même appris quelque chose : à ne pas avoir réponse à tout.

Il vida son verre, et, après un long regard d'envie à la bouteille — je fis semblant de ne pas le remarquer —, il

---

* Royal Canadian Mounted Police, la gendarmerie canadienne (N.d.T.).

partit. Mais, à la porte, il réitéra sa pitoyable demande d'argent. J'en fus pour cinquante dollars. Et il emporta également sa robe de moine, roulée en boule et attachée avec la cordelière.

# LE DEUXIÈME PARADIS IV

« *Pocherate !* »

Du plat de la main, mamousia m'a frappée aussi fort qu'elle a pu sur la joue. Une gifle magistrale, mais j'ai peut-être chancelé un peu plus que le coup ne le justifiait ; j'ai gémi et fait mine d'être sur le point de tomber par terre. Se précipitant sur moi, elle a collé sa figure tout près de la mienne, émettant un sifflement furieux chargé de relents d'ail.

« *Pocherate !* » a-t-elle répété, puis elle m'a craché au visage.

Ce n'était pas la première fois que nous jouions cette scène, ma mère et moi. Aussi, me suis-je bien gardée d'essuyer la salive. C'était là un désagrément qu'il fallait supporter en silence pour que, finalement, les choses s'arrangent comme je voulais.

« Lui raconter ça ! Parler à ton professeur *gadjo* du *bomari* ! Tu me hais ! Tu veux ma mort ! Oh ! je sais combien tu me méprises ! Tu as honte de moi et espères me ruiner ! Tu sabotes le travail qui me permet de gagner ma maigre subsistance ! Mais crois-tu que j'aie vécu si longtemps pour me laisser piétiner par une sale *pocherate* comme toi, pour me laisser voler mes secrets ? Je te tuerai ! Je viendrai te poignarder la nuit dans ton sommeil ! Ne me regarde pas avec cet air effronté ou je te crève les yeux ! (Je ne la regardais pas du tout comme elle le prétendait, mais c'est là sa menace préférée.) Oh, qu'ai-je fait au bon Dieu pour avoir une fille pareille ? Mademoiselle est une grande dame, la putain du *gadjo* — oui, c'est sûrement ça —, car tu es sa putain, n'est-ce pas ? Et tu veux l'emmener ici pour qu'il m'espionne ? Que l'Enfant Jésus te mette en pièces avec un grand crochet de fer ! »

Elle a continué à tempêter un bon moment dans ce style, y prenant un énorme plaisir. Je savais que cela finirait par la remettre de bonne humeur. Alors, elle me dirait des mots tendres, appliquerait une compresse froide à la menthe sur ma figure brûlante et me servirait un petit verre du tord-boyaux à base de prunes fabriqué par Yerko ; elle chanterait pour moi en s'accompagnant du *bosh*, et son affection serait aussi excessive que l'avait été sa colère. Quant à moi, tout ce que j'avais à faire, c'était jouer mon rôle de fille effondrée et repentante, censée vivre à la lumière — ou à l'ombre — de l'amour maternel.

Ma vie ne manque certainement pas de variété. A Spook, je suis Mlle Theotoky, une licenciée estimée et légèrement supérieure aux autres parce qu'elle fait partie du groupe très fermé des assistants de recherche, une fille qui a des amis, une place tranquille et assurée dans la hiérarchie universitaire et des professeurs qui la considèrent comme une candidate possible à leur propre cercle druidique. A la maison, je suis une Kalderash, une Lovari, mais pas entièrement puisque mon père n'appartenait pas à cette race vieille et fière. C'était un *gadjo*, et, de ce fait, quand ma mère est fâchée contre moi, elle me traite de *pocherate*, mot injurieux qui signifie métisse. Pour elle, tous mes défauts découlent de cet état. Elle en est bien la seule responsable, mais il ne serait pas diplomatique de le lui faire remarquer quand elle est en colère.

Je suis à demi tsigane, et, depuis la mort de mon père, ma mère gonfle considérablement cette moitié, la transformant en trois quarts, voire en sept huitièmes. Je sais qu'elle m'aime profondément, mais comme tout amour profond, le sien est parfois pesant, tyrannique. Vivre avec elle signifie vivre selon ses croyances à elle ; or, sous presque tous leurs aspects, celles-ci vont à l'encontre de ce que j'ai appris ailleurs. Du vivant de mon père, la situation était différente car il parvenait à contrôler les « tsiganeries » de son épouse, non pas par des cris ou des menaces — ça, c'est son style à elle —, mais par l'extraordinaire force de son noble caractère.

C'était un très grand homme. Depuis sa mort, quand j'avais seize ans, je l'ai cherché, lui ou quelqu'un qui lui ressemblât, dans tous les hommes que je rencontrais. Je crois que les psychiatres expliquent ce genre de quête comme si c'était un grand secret que leurs patientes n'auraient pas pu découvrir toutes seules. Moi, j'en ai toujours été consciente : je veux mon père, je veux trouver un homme qui l'égale en courage, en sagesse et en capacité d'aimer. Une ou deux fois, j'ai cru le trouver en Clement Hollier. La sagesse, il l'a indéniablement, et je suis sûre qu'il montrerait du courage en cas de nécessité ; la capacité d'aimer, c'est ce que je voudrais éveiller en lui, mais je sais que ce n'est pas en me jetant à sa tête que je l'obtiendrai. Je dois le servir, lui faire voir mon amour dans l'humilité et le sacrifice, le laisser me découvrir. Et, à dire vrai, je croyais que c'était cela qu'il avait fait, ce jour d'avril, sur le canapé. Si je ne suis pas encore déçue, je commence tout de même à être passablement inquiète. Quand se révélera-t-il être le successeur de mon cher Tadeusz, de mon père bien-aimé ?

Puis-je être une jeune fille moderne avec de telles pensées ? Il me faut être moderne : je vis aujourd'hui. Mais, selon Hollier, je vis, comme tout le monde, dans un pêle-mêle d'époques ; certaines de mes idées appartiennent au temps présent, d'autres à un lointain passé, d'autres encore à une période plus proche de la génération de mes parents que de la mienne. Si je pouvais les trier et les contrôler, je saurais peut-être mieux où j'en suis, mais chaque fois que je me veux le plus moderne possible, le passé intervient ; et quand je languis après lui (quand je souhaite que Tadeusz soit encore vivant, qu'il soit ici avec moi pour me guider, m'expliquer les choses et m'aider à trouver ma place dans la vie), le présent fait irrémédiablement obstacle. Quand j'entends des filles parler de leur désir d'être ce qu'elles appellent « libérées » et d'autres se réjouir de ce qu'elles croient être leur « libération », je me sens stupide, car je ne sais vraiment pas où me situer.

Cependant, je sais d'où je viens, ou plutôt où les personnes dont je tiens tout ce que je suis avaient leurs attaches et ont vécu une grande partie de leur destin. Mon père, Tadeusz Bonawentura Niemcewicz, était polonais et eut le malheur de naître à Varsovie en 1910. Je dis le « malheur » parce qu'une grande guerre éclata peu après et que sa famille, qui avait été riche, perdit absolument tout sauf sa très grande fierté. C'était un homme cultivé. Il exerçait la profession d'ingénieur, se spécialisant surtout dans la construction et l'équipement d'usines. Ce fut ce travail qui, dans sa jeunesse, l'amena en Hongrie. Il ne tarda pas à s'y établir, grossissant ainsi l'importante colonie de « Politowski » qui vivait à Budapest. Par égard pour ses amis hongrois, qui trouvaient Niemcewicz difficile à prononcer, il ajouta à son nom celui de sa mère, qui avait une ascendance grecque : Theotoky.

C'était un romantique — du moins, c'est ainsi que j'aime l'imaginer —, et, comme beaucoup de jeunes gens de ce type, il tomba amoureux d'une Bohémienne. Cependant, à la différence de la plupart des autres, il l'épousa. C'était ma mère, Oraga Laoutaro.

Tous les romanichels ne sont pas nomades. Dans la famille de ma mère, on avait été musicien à Budapest depuis des générations : les musiciens tsiganes préfèrent jouer dans des restaurants chics, des clubs d'officiers et des maisons de riches plutôt que d'errer sur les routes. A la vérité, ils se considèrent comme l'élite de leur peuple. Ma mère était une curiosité parce qu'elle jouait du violon en public — en général, les violonistes tsiganes sont des hommes ; les femmes chantent et dansent. Oraga était belle et attirante. Le jeune ingénieur lui fit une cour assidue et finit par la persuader de l'épouser, à la fois selon le rite tsigane et à l'église catholique.

Mon père flaira dans l'air l'approche de la Seconde Guerre mondiale, ou, plus vraisemblablement, dans le travail qu'il faisait pour l'industrie. Il décida de quitter l'Europe et entreprit des démarches pour émigrer. Cependant, ces formalités durèrent si longtemps que ma mère et lui arrivèrent de justesse en Angleterre avant que n'éclate le conflit, en automne 1939. Ils furent rejoints dans ce pays par le frère de ma mère, Yerko, qui avait voyagé en France — pour des raisons que j'expliquerai plus tard. Ma famille resta là-bas jusqu'en 1946. Mon père était dans l'armée, mais il ne se battait pas : il dessinait des équipements et organisait leur fabrication. Yerko travaillait avec lui comme artificier et réalisateur de prototypes. Tadeusz et ma mère eurent un enfant, mais celui-ci mourut en bas âge. Ce ne fut qu'après leur immigration au Canada et leur installation à Toronto que je naquis, en 1958. A ce moment, ma mère avait près de quarante ans (elle prétend être née en 1920, mais je crois qu'elle n'en est pas sûre, et, de toute façon, elle n'a aucun document pour le prouver). Mon père et Yerko avaient alors leur propre entreprise : ils fabriquaient des équipements pour les hôpitaux. Leur affaire prospérait. Mon père avait des dons d'administrateur, et Yerko, excellent forgeron, pouvait confectionner et améliorer les prototypes de tout ce que mon père dessinait. Nous semblions donc avoir le vent en poupe lorsque Tadeusz mourut, en 1975, non pas d'une façon tragique, épuisé par son travail, mais lentement, d'un rhume mal soigné qui dégénéra et ne put être guéri. A sa mort, notre famille, qui devait ressembler à beaucoup d'autres familles européennes immigrées au Canada, un peu étranges, peut-être, mais ayant plus ou moins adopté le style de vie américain courant, s'engagea irrémédiablement sur une tout autre voie.

Mon père était un homme de principes, et, bien qu'il

aimât beaucoup ma mère et l'idée qu'elle était tsigane, il tenait à ce que sa famille vécût selon les règles de l'aristocratie polonaise. Ma mère s'habillait comme une femme riche ; quelques bons magasins réprimaient son goût pour les couleurs criardes et les falbalas. Elle parlait rarement le romani, sa langue maternelle, sauf avec moi et avec Yerko ; avec mon père elle parlait surtout le hongrois. Il lui apprit le polonais, langue que je savais aussi bien que le hongrois. Parfois elle était jalouse de nous entendre converser, mon père et moi, dans une langue qu'elle avait du mal à suivre. Elle n'apprit jamais l'anglais parfaitement, mais comme il y avait bien assez de gens avec lesquels elle pouvait parler hongrois à Toronto, cette lacune ne la gênait guère. Avec les anglophones, elle employait un anglais petit nègre auquel elle réussissait à donner une certaine élégance et que ses interlocuteurs adoraient. Quand je repense aux années qui précèdent la mort de mon père, je me rends compte que mamousia menait une vie assez limitée et plutôt effacée. Un homme qu'elle aimait l'avait investie, tout comme Hollier le faisait maintenant avec moi.

« Mamousia », c'est ainsi que mes parents voulaient que je l'appelle, c'est-à-dire par le nom familier avec lequel un enfant polonais bien élevé s'adresse à sa mère. Les camarades d'école qui m'entendaient le dire croyaient entendre « mamoucha » (les Canadiens n'ont aucune oreille). En fait, prononcé correctement, ce mot a un son doux et caressant. Les jours d'anniversaire et à Noël, je l'appelais aussi « édesanya », qui est du hongrois distingué ; d'habitude, j'appelais papa par son équivalent hongrois : « édesapa ». Pour l'ennuyer, ma mère me poussait parfois à l'appeler « mamika », ce qui est vulgaire. Alors mon père fronçait le sourcil et faisait claquer sa langue. Il ne se mettait jamais en colère ; toutefois, ce petit bruit réprobateur était pour moi la plus sévère des réprimandes.

Je crois avoir reçu une éducation assez stricte. Édesapa détestait les manières décontractées des Canadiens : pour lui, elles étaient irrespectueuses. Il fut choqué en découvrant qu'à la très bonne école catholique où il m'avait mise on nous apprenait le softball et la crosse, et que les religieuses retroussaient leurs jupes pour jouer avec nous. Des nonnes à patins — spectacle tout à fait charmant — le perturbaient profondément. Bien entendu, je parle ici des religieuses à l'ancienne mode, qui portaient des robes longues ; dans les années soixante, quand l'habillement religieux connut une révolution, mon père crut que le ciel lui tombait sur la tête. Je sais à présent qu'un vieux romantique ressemble beaucoup à un vieux conservateur, mais j'essayai de partager son indignation. Sans grand succès. Il y eut un jour terrible, celui où il apprit que, comme les autres filles du couvent, j'appelais la mère supérieure la Vieille Soupe*.

Pauvre édesapa ! Il était si charmant, si courtois, si chevaleresque ! Cependant, même moi je dois admettre qu'il était terriblement collet monté pour certaines choses. C'étaient sa noblesse d'esprit et ses idéaux qui me séduisaient et me séduisent encore.

J'ignore comment il a pu devenir aussi riche. Beaucoup de gens pensent que les affaires ne peuvent aller de pair avec une conception élevée du monde ; moi je n'en suis pas si sûre. Ce qui est certain, c'est qu'édesapa fit beaucoup d'argent ; à sa mort, nous fûmes surpris d'apprendre le montant de sa fortune. Yerko était incapable de diriger l'entreprise tout seul, mais il eut l'intelligence de la vendre à bon prix à une société rivale. Pour finir, il y eut un joli fidéicommis pour subvenir aux besoins de mamousia, un autre pour moi, et Yerko se retrouva assez riche. Bien entendu, tout le monde a sa propre idée sur ce que cela veut dire, être riche. Les véritables riches ne savent sans doute même pas combien ils possèdent. En tout cas, Yerko était bien plus riche que n'aurait pu le rêver un musicien tsigane,

---

* *The Old Supe.* En anglais, *supe* et *soop* (soupe) sont homonymes (N.d.T.).

et il pleura abondamment, m'assurant que sa fortune me
reviendrait à sa disparition et qu'il sentait très souvent sur
lui la main de la camarde. Il n'avait que cinquante-huit ans
et une santé de fer ; la vie qu'il menait aurait tué un homme
ordinaire depuis des années. Il parlait cependant de la mort
comme si celle-ci allait le frapper d'un moment à l'autre.

Ce qui créait un grand problème, c'était que j'allais
toucher tout l'argent de mon fidéicommis à mon vingt-
cinquième anniversaire et recevoir tout le capital de celui de
ma mère à la mort de celle-ci. Mamousia avait l'impression
— et toutes les explications que j'ai pu lui donner ou que
lui ont fournies les administrateurs perplexes ne l'ont pas
fait changer d'avis — que j'avais ramassé tout le paquet,
que son Tadeusz adoré lui avait joué un mauvais tour et
qu'elle était au bord de la misère. Où était son argent ?
Pourquoi ne pouvait-elle jamais en disposer ? Elle recevait
un gros chèque chaque mois, mais qui lui garantissait que
cela durerait ? Au fond d'elle-même, elle savait très bien de
quoi il retournait, mais elle prenait grand plaisir à faire une
scène à la tsigane pour voir les administrateurs blêmir et
avaler leur salive.

En fait, elle était en train de connaître ce regain grisant
d'énergie qu'ont certaines femmes à la mort de leur mari.
Elle pleura Tadeusz dans le plus pur style tsigane, déclara
qu'elle le suivrait bientôt dans la tombe et arbora un air
tragique pendant plusieurs semaines. Mais, petit à petit, sous
ce drame, en partie personnel, en partie rituel, se faisait jour
l'idée qu'elle était libre, qu'elle avait payé la dette de
respectabilité *gadjo* due à son mariage. Pour mamousia,
liberté signifiait retour aux mœurs tsiganes. Elle prit le deuil
— c'était démodé, mais cela apaisait son chagrin. En fait,
elle ne le quitta jamais : les robes chics disparurent de son
armoire, remplacées par des vêtements qui avaient quelque
chose d'indéniablement *ciganyak*. Elle portait plusieurs jupes
longues l'une sur l'autre, et, à ma consternation, pas de
culotte au-dessous.

« Les culottes sont dégoûtantes, répondit-elle à mes protestations. Après quelques jours, elles sont déjà souillées. Seules
des personnes sales mettent ce genre de chose. »

Elle retourna aux conceptions bohémiennes de la propreté,
qui n'ont rien de moderne. Son seul sous-vêtement était une
combinaison qu'elle lessivait consciencieusement tous les
quelques mois. Au lieu de se laver, elle s'enduisait le corps
d'huile d'olive et mettait une huile plus épaisse et parfumée
sur ses cheveux. Je ne dirais pas qu'elle était sale, mais l'idéal
nord-américain de la fraîcheur n'avait aucune part dans son
style. Des chaînes et une multitude de bagues en or, cachées
depuis l'époque où elle jouait du violon dans les restaurants,
firent leur réapparition et tintaient d'une façon musicale à
chacun de ses mouvements. Elle disait souvent que l'or
véritable est facile à distinguer : il produit un son unique au
monde. On ne la voyait jamais sans un fichu noir sur la
tête : elle le nouait sous son menton quand elle sortait parmi
les *gadje*, mais l'attachait sur la nuque à la maison. C'était
une belle femme, d'un aspect frappant, mais elle ne
correspondait pas à l'idée que la plupart des gens se font
d'une mère.

Mamousia vivait dans un monde de secrets. Comme
tous les membres de son peuple, elle était profondément
convaincue que les Tsiganes sont les véritables initiés, que
tous les autres sont des *gadje*, ce qui signifie en réalité des
dupes, des jobards et des imbéciles dont le destin est d'être
trompés par les plus malins. Parfois, elle était obligée
d'accepter un *gadjo* au moins comme son égal et d'admettre
que lui aussi pouvait être rusé. Mais ce sens fondamental
qu'elle avait d'une supérioté dans l'astuce ne la quittait
jamais bien longtemps.

C'était cette idée qui provoquait les pires querelles entre
nous. Mamousia adorait voler dans les magasins, sport auquel
elle excellait. La plus grande partie de ce que nous mangions
avait été fauché.

« Mais ils sont tellement bêtes ! répondait-elle quand je

protestais. Ces supermarchés ont de longs couloirs où s'entassent toutes les marchandises que quelqu'un peut désirer et des cochonneries auxquelles seul un *gadjo* peut s'intéresser. Si les commerçants ne veulent pas qu'on les vole, pourquoi ne font-ils pas surveiller leurs magasins ?

— Parce qu'ils font confiance à l'honnêteté de leurs clients, répliquais-je, ce qui faisait rire mamousia de son rire de Tsigane, dur, terrible. En fait, cela leur coûterait plus cher d'engager des surveillants que d'accepter un certain nombre de vols, continuais-je alors avec un peu plus de franchise.

— Eh bien, s'ils s'attendent à être volés, pourquoi faire tant d'histoires ? demandait ma mère invariablement.

— Pense à ta honte si jamais on t'attrapait ! Toi, la veuve de Tadeusz Theotoky ! Imagine le scandale si tu passais en jugement ! »

(Je pensais aussi à ma propre honte si l'on apprenait que ma mère était une chapardeuse.)

« Je n'ai nullement l'intention de me faire attraper », répondait-elle.

Et elle tenait parole. Elle n'allait jamais trop souvent au même supermarché, et, avant d'entrer, elle se courbait, devenait toute tremblante et effarée. Elle montait et descendait les allées à petits pas, faisant tout un numéro avec une vieille paire de lunettes : elle les chaussait, essayait de les garder sur son nez et faisait semblant de lire attentivement l'étiquette d'une boîte qu'elle tenait dans sa main droite : pendant ce temps, sa main gauche prenait des marchandises placées sur une étagère inférieure et les enfouissait dans les poches du vieil imperméable noir qu'elle portait toujours pour ces expéditions de piraterie. Quand elle arrivait enfin à la caisse, elle n'avait qu'un ou deux articles bon marché à payer ; en ouvrant son porte-monnaie, elle veillait à ce que la caissière pût en voir le maigre contenu ; parfois, elle fouillait dedans et alignait une à une dix-huit pièces d'un cent pour régler sa note. La pauvre femme ! Ah ! la misère des personnes âgées et seules qui n'ont que leur retraite pour vivre ! (Redoutable vieille renarde qui dépouille les stupides *gadje* !)

Je mangeais à la maison aussi rarement que cela m'était décemment possible, non seulement parce que je désapprouvais les méthodes d'approvisionnement de mamousia, mais aussi parce que le produit du vol à l'étalage ne donne pas un menu savoureux ou équilibré. Selon les critères modernes, les Tsiganes sont de terribles cuisinières, et le genre de ménage que ma mère tenait du vivant de Tadeusz n'existait plus. Le dîner que nous avons fait après notre grande dispute au sujet de la visite de Hollier se composait de porc et de haricots abondamment saupoudrés de paprika, et du café spécial que mamousia prépare en ajoutant quelques grains fraîchement moulus au vieux marc qui se trouve au fond d'une casserole, et en faisant longuement bouillir le tout.

Comme je l'avais prévu, le calme a suivi le tempête. Ma mère a mis des compresses sur ma figure meurtrie, nous nous somme étreintes et j'ai un peu pleuré. Pour les Tsiganes, un baiser est une chose beaucoup trop importante pour être échangé après une simple dispute familiale. Le baiser, c'est pour les affaires sérieuses. Aussi ne nous étions-nous pas embrassées.

« Pourquoi lui as-tu parlé du *bomari* ? a demandé mamousia.

— Parce que c'est important pour son travail.

— C'est important pour *mon* travail, mais cela cessera de l'être si tout le monde connaît mon secret.

— Je suis sûre qu'il ne le trahira pas.

— Ce serait bien le premier *gadjo* à ne pas le faire.

— Oh ! mamousia ! Et papa, alors ?

— Ton père était lié à moi par un grand serment : le mariage. Pour rien au monde il n'aurait trahi l'un de mes secrets — et vice versa. Nous étions mariés.

— Je suis certaine que le professeur Hollier prêterait serment si tu le lui demandais.

— Lequel ? De ne pas souffler mot au sujet du bomari ? »
J'ai vu que je m'étais rendue ridicule.

« Évidemment, il voudra écrire quelque chose là-dessus,
ai-je admis en me demandant si notre terrible dispute allait
recommencer.

— Écrire quoi ?

— Des articles dans des revues savantes, peut-être même
un livre.

— Un livre sur le *bomari* ?

— Non, non, pas uniquement sur le *bomari*, mais sur
toutes sortes d'autres choses de ce genre que de sages
personnes comme toi ont conservées pour le monde
moderne. »

Là, je pratiquais la flatterie tsigane. Mamousia est en effet
persuadée d'être la sagesse en personne. Elle en a la preuve :
à sa naissance, les âges additionnés de ses parents dépassaient
cent ans. C'est un signe incontestable.

« Ça doit être un drôle de professeur pour vouloir enseigner
le méthode du *bomari* à tous ces imbéciles qui fréquentent
l'université. Ils ne sauraient comment l'employer, même si
on la leur expliquait.

— Mais mamousia, il ne veut pas l'enseigner, il veut *écrire*
à ce sujet. Ces textes s'adresseront à quelques érudits
s'intéressant comme lui à la survivance d'une vieille sagesse
et de vieilles croyances dans notre monde moderne qui en
manque si terriblement. Il veut honorer des personnes comme
toi qui ont souffert et se sont tues pour garder les antiques
secrets.

— Mentionnera-t-il mon nom ?

— Jamais, si tu lui demandes de ne pas le faire. Il dira
qu'il a appris telle et telle chose d'une femme très sage qu'il
a eu la chance de rencontrer en des circonstances qu'il a juré
de ne pas révéler.

— Cela se passerait donc ainsi ?

— Oui. Tu sais mieux que personne que même si des
*gadje* entendaient parler du *bomari*, il ne pourraient jamais

l'appliquer correctement parce qu'ils n'ont ni ton expérience
ni ta sagesse ancestrale.

— Eh bien, ma petite *pocherate*, puisque tu as commencé
cette affaire, je suppose que je dois la terminer. Je le fais
pour toi, parce que tu es la fille de Tadeusz. Uniquement
pour cela. Amène-moi ton sage professeur. »

2

Lui amener mon sage professeur ! Oui, mais ce n'était là
qu'un début ! Ensuite, il fallait arranger leur rencontre de
telle manière que celle-ci ne se retournât pas contre moi.
Comme j'avais été bête de me metttre cette affaire sur les
bras ! Bête comme une *gadji* ! Me sortirais-je de ce pétrin
avec les honneurs de la guerre, sans même parler de
l'admiration, de la reconnaissance et de l'amour que j'espérais
obtenir de Hollier pour ce que j'avais fait ? Si seulement je
n'avais pas voulu ajouter un élément à ses recherches sur la
thérapie par l'ordure ! Maintenant, j'étais dans la pénible
situation de l'apprenti sorcier : j'avais déclenché un processus
que je ne pouvais plus arrêter et, à la fin, je serais peut-être
punie par mon maître.

J'ai eu beaucoup de temps pour réfléchir à mes ennuis :
j'ai en effet passé toute la soirée avec mamousia. Couchée
sur le canapé, je changeais ma compresse toutes les demi-
heures environ, pendant que ma mère jouait du violon et,
par moments, chantait.

Maligne comme elle l'était, elle savait à quel point cela
m'irritait. J'adore la musique, de préférence celle qui est très
intellectuelle et raffinée. C'est une des rares preuves qu'il
existe un peu d'ordre dans ma vie confuse. Mais celle de
mamousia appartenait à la pure tradition tsigane magyare :
ce n'étaient que lamentations, soupirs et miaulements ; puis,
soudain, on passait à une gaieté frénétique ; sur les cordes,
les doigts exécutaient des glissandos pareils à des cris primitifs

arrachés par quelque extase. Cela me paraissait toujours très artificiel. La gamme tsigane — tierce mineure, quarte augmentée, sixte mineure et septième majeure — me tapait sur les nerfs ; la gamme diatonique n'avait-elle pas suffi à exprimer la noble extase de Bach ? Je devais me révolter contre cette musique : son caractère primitif et sentimental allait à l'encontre de tout ce que l'université représentait pour moi ; pourtant, je savais qu'elle était un aspect de mon héritage — un héritage indéracinable, même si je le refusais. Oh, j'étais très consciente de ce qui clochait chez moi : je voulais être une intellectuelle pour échapper à tout ce que symbolisaient mamousia et des générations de Kalderash, et je savais aussi que je n'y parviendrais qu'en me faisant la plus grande des violences. Parfois, même, je me demandais si ma passion pour Hollier ne correspondait pas uniquement à un désir de fuir mon univers pour me réfugier dans le sien. Est-ce de l'amour, cela ?

Puis mamousia est passée à une musique qui lui était tout à fait personnelle. Jeune fille, jamais elle ne l'aurait jouée à un mess d'officiers ou dans un restaurant chic. Elle l'appelait *le Chant de l'ours*. C'était la musique que les montreurs d'ours tsiganes jouaient ou chantaient à leurs animaux, mais elle est sans doute encore plus ancienne que cela. Il y a très longtemps, les romanichels considéraient l'ours non seulement comme un bien précieux et une source de revenus, mais aussi comme un compagnon, voire un objet de vénération. Est-ce tellement incroyable ? Pensez à la façon dont les gens parlent généralement à leurs chiens ou à leurs chats de nos jours : avec une sentimentalité qu'ils jugent appropriée pour une bête peu dangereuse. Mais comment parleraient-ils à un ours pouvant les tuer ? Comment lui demanderaient-ils son amitié ? Comment l'inviteraient-ils à exprimer sa sagesse, si différente de la sagesse humaine, mais, malgré tout, intelligible ? C'était cela que *le Chant de l'ours* semblait être : une musique lente coupée de longues pauses interrogatives et faisant appel à cette voix du violon, grave, gutturale, qu'on entend si rarement dans le genre de musique que j'aime et que je comprends. *Croak-croak* : dis-moi, frère Martin, comment vas-tu ? Que vois-tu ? Qu'entends-tu ? Puis *groin-groin* : c'est frère Martin (car tous les ours tsiganes s'appellent ainsi) qui exprime quelque profonde vérité. Mamousia jouerait-elle jamais cette musique pour Hollier ? Et celle-ci aurait-elle un quelconque sens pour lui (je n'avais pas la moindre idée de la sensibilité qu'il pouvait avoir dans ce domaine) ?

Amène-moi ton sage professeur. Et que penserait-il de la maison où j'habitais ?

C'était une grande et belle maison construite dans ce style lourd qu'affectionnent les banquiers et que l'on trouve beaucoup dans les rues les plus tranquilles et bordées des plus beaux arbres du quartier Rosedale, à Toronto. L'immeuble, situé au 120, Walnut Street, n'en était pas l'exemple le plus remarquable ni le plus simple. Il était construit en grosses briques avec des portes et des fenêtres blanches et d'impressionnantes pierres d'angle ; le jardin s'ornait de quelques beaux arbres taillés par des professionnels et d'une pelouse, manifestement plantée par un spécialiste, dans laquelle on ne distinguait pas la moindre mauvaise herbe. Cette maison convenait parfaitement à un ingénieur polonais qui avait fait fortune au Nouveau Monde et qui, dans ce monde, voulait occuper la place que réclamaient son argent, sa compétence et son évidente respectabilité. Comme Tadeusz en avait été fier, et comme il avait ri quand mamousia avait déclaré qu'elle était trop grande pour un couple avec un seul enfant, même avec une gouvernante qui disposait de son propre appartement, au troisième étage ! C'était une demeure cossue, bien meublée et parfaitement entretenue par des entreprises de nettoyage et de jardinage. Et c'est ce qu'elle semblait toujours être aux yeux des passants.

A l'intérieur, toutefois, il y avait eu des changements catastrophiques. A la mort de Tadeusz, mamousia, dans tous ses états, avait parlé de vendre la maison et de chercher

quelque taudis plus en rapport avec sa nouvelle situation de
veuve désargentée. Mais son frère Yerko lui dit de ne pas
être bête : elle était assise sur une fortune. Ce fut lui qui se
rappela qu'à l'époque où Tadeusz l'avait achetée la maison
était classée comme immeuble de rapport, et taxée comme
telle par la mairie ; cette catégorisation avait été consentie,
en raison de quelque nécessité temporaire, pendant la guerre,
et n'avait jamais été annulée depuis, même après que Tadeusz
eut exigé d'occuper la totalité de l'habitation. La chose à faire,
dit Yerko, c'était de retransformer celle-ci en appartements et
en chambres afin de les louer. Les *gadje* aimaient les jolis
logements.

J'ignore quel avait été son agencement original, mais
quand mamousia et Yerko en eurent fini avec lui, l'immeuble
de Walnut Street était certainement devenu le plus étrange
clapier de la ville — qui avait pourtant la réputation d'en
receler de forts bizarres. Par souci d'économie, Yerko exécuta
une grande partie des travaux lui-même. Il était très bricoleur,
et, avec l'aide d'un ouvrier, il découpa la belle et noble
demeure de Tadeusz en dix logements. Mamousia s'était
réservé le meilleur. Il comportait une salle de séjour, une
cuisine, une chambre à coucher et une véranda. Au rez-de-
chaussée, il y avait en outre deux studios de célibataires,
aussi obscurs et peu commodes qu'une niche à chien ; l'un
d'eux ne compta pas moins de sept coins après que furent
installées la cuisine-placard et la salle de bains miniature. Ils
étaient occupés par deux jeunes hommes : M. Kolbenheyer
et M. Vitrac. Kolbenheyer était squelettique et ne parlait
qu'en murmurant ; Vitrac m'inspirait une constante inquiétude : il avait en effet l'air de quelqu'un qui songeait au
suicide, et son appartement aurait constitué le décor idéal
pour une fin misérable.

Au premier étage, où se trouvaient autrefois la chambre à
coucher de mes parents et la mienne, il y avait maintenant
un deux pièces avec bains et cuisine ; la salle de séjour
partageait son unique fenêtre avec la cuisine, grâce à une

astuce architecturale de Yerko qui coupait cette ouverture en deux. C'était là qu'habitait la reine de nos locataires, Mme Faiko. Au même étage, il y avait encore trois chambres meublées avec une cuisine et une salle de bains communes. C'étaient celles de Mlle Gretsen, de Mme Nowaczynski et de Mme Schreyvogl, des dames âgées qui possédaient à elles trois quatre caniches et deux chats. Se servant à peine de la douche (à cause de la crainte de se faire ébouillanter), elles étaient convenues d'en remplir le bac de papier journal et de le transformer en cabinet pour animaux. Elles étaient censées le nettoyer de temps en temps, mais comme elles étaient faibles et perdaient la mémoire, c'était généralement moi qui accomplissait cette corvée. Après tout, Mlle Gretsen avait plus de quatre-vingt-sept ans et, pour autant qu'on le savait, n'était pas sortie depuis trois ans. C'était Mme Nowaczynski qui avait l'amabilité de lui faire ses courses.

Au dernier étage, il y avait deux appartements d'une pièce pourvus d'une salle de bains commune. Ils étaient loués à M. Kostich, qui, paraît-il, avait quelque chose à voir avec une teinturerie, et à M. Horne, qui était infirmier.

Mon oncle Yerko occupait un très grand appartement de cinq pièces au sous-sol. C'était là qu'il avait sa distillerie et que mamousia faisait une partie de son travail le plus important et le plus secret.

Tous ces appartements et toutes ces chambres avaient été peints et tapissés par Yerko. Mon oncle avait eu l'astuce de trouver un lot de peinture et de papier peint dont personne ne voulait. C'était un papier bleu imprimé de grosses roses d'un bleu plus sombre — un fond vraiment affreux pour les rangées de photographies de famille qui ornaient les chambres des vieilles dames. La peinture, elle, était rose. Non pas rose pâle ou une nuance de rose : *rose*. Pour se donner du courage pendant son travail, Yerko avait eu souvent recours à son eau-de-vie de prune. En conséquence, tout les papiers étaient collés légèrement de travers et il y avait de grandes éclaboussures de peinture sur le plancher. Quand ces deux

Tsiganes commencèrent enfin à prendre des locataires, avec une préférence pour ceux qui ne montraient pas trop de ruse *gadjo*, on aurait dit que la maison était ivre, corrompue, violée. De surcroît, elle puait. C'était une puanteur toute spécifique qui envahissait jusqu'au moindre recoin : une thrénodie en clé de chat mineur, avec une basse contrainte de vieux chien et des modulations de vieilles gens, de vies déclinantes et d'espoirs déçus.

Pourquoi ce taudis surpeuplé ne fut-il jamais condamné par les inspecteurs municipaux qui visitent ce genre d'endroits ? Parce que Yerko avait de l'entregent. Comme chacun sait, on ne peut corrompre un inspecteur. Mais ces fonctionnaires sont mal payés, ou pensent l'être ; leurs femmes et eux désirent toutes sortes d'objets tels que lave-vaisselle, tondeuse à gazon et climatiseur. Or, ayant gardé les relations qu'il s'était faites dans l'industrie à l'époque où il travaillait avec Tadeusz, Yerko était capable de les leur procurer à des prix de gros. Très obligeamment, il veillait non seulement à ce que les marchandises leur fussent livrées directement de l'usine, mais, parfois, il s'arrangeait aussi pour que la facture, même à ces conditions avantageuses, ne leur fût jamais envoyée. Et comme chacun sait, on apprécie beaucoup ce genre de petites gentillesses dans le monde des *gadje*.

Et moi, que faisais-je là-dedans ? Yerko et mamousia tombèrent d'accord pour dire que ce serait stupide de réserver une chambre entière pour une fille qui était toute la journée à l'université, que je pouvais très bien dormir sur le canapé du séjour. J'étais une jeune femme pourvue de substantiels revenus indépendants. Rien ne m'empêchait de prendre un appartement où je n'aurais de comptes à rendre à personne, loin de la puanteur de chiens séniles et de vieillards malpropres et hors de portée des cris épouvantables que poussait M. Vitrac quand il faisait des cauchemars. Rien, sinon l'amour et la fidélité. Car même s'il était souvent pénible de vivre avec mamousia, et malgré l'ennui que me causait la compagnie de Yerko, qui était rarement à jeun, j'aimais ces deux êtres. Qu'adviendrait-il d'eux si je les abandonnais ? me disais-je.

### 3

La date de la visite de mon sage professeur a vite été fixée : elle aurait lieu le troisième jour suivant mon invitation. Ma mère vous demande de « venir prendre le thé », ai-je dit, poussée par je ne sais quelle folie. Cette formule a-t-elle évoqué pour Hollier quelque vieille dame parfumée qui, dans une maison de Rosedale, versait du délicat thé de Chine dans de précieuses tasses en porcelaine ? En cette circonstance, comme dans tous mes rapports privés avec Hollier, j'avais, semblait-il, complètement perdu la tête. J'étais capable de lui parler assez intelligemment de sujets universitaires, mais dès qu'on abordait un domaine qui pouvait suggérer des relations personnelles, je devenais idiote.

Pour Hollier comme pour moi, la transformation de Parlabane a été une grosse surprise. Disparu l'habit et, avec lui, le comportement de moine de théâtre. Dans son complet gris, il avait presque l'air élégant. Le vêtement semblait avoir été confectionné pour un homme plus grand et plus gros : il était un peu étroit aux épaules, mais beaucoup trop ample à la taille. Pour empêcher le pantalon de traîner sur les talons, Parlabane le montait aussi haut que possible. Cependant, sa cravate sobre, sa chemise propre et sa pochette étaient dignes de tout universitaire un peu soigné.

Le plus agréable, toutefois, c'est qu'il avait cessé de se plaindre du salaire qu'il touchait aux cours publics. Je lui ai demandé s'il avait trouvé un moyen d'augmenter ses revenus.

« Je suis en train d'étudier une ou deux possibilités, m'a-t-il répondu. J'ai découvert, dans l'université même, un filon qui me dépannera peut-être, en attendant l'à-valoir sur mon roman. »

Un roman ? Tiens ?

« C'est une œuvre assez importante, a-t-il poursuivi, et elle a besoin d'être retouchée. Quand j'aurai travaillé un peu plus dessus, je demanderai à Clem d'y jeter un coup d'œil et de me conseiller pour sa publication. »

C'était bien la première fois que j'entendais parler de Hollier en tant qu'autorité en matière de romans. Ma surprise a dû se lire sur ma figure.

« Clem est le mieux placé pour comprendre mon livre. Celui-ci n'est pas seulement un bouquin genre best-seller. C'est un vrai *roman philosophique\**, et je voudrais que des personnes compétentes me donnent leur opinion avant que je ne me remette le manuscrit à l'éditeur.

— Ah ? Vous en avez déjà un ?

— Non. C'est précisément une des choses pour lesquelles j'ai besoin de conseils. A quel éditeur devrais-je m'adresser ? Je ne voudrais pas que le livre arrive sur le mauvais bureau et reçoive la mauvaise sorte de publicité. »

C'était un nouveau Parlabane que j'avais devant moi, un Parlabane innocent et plein d'espoir. On dit que, de temps en temps, les femmes voient les hommes qu'elles connaissent comme des petits garçons. Je pense que c'est injuste. Pourtant, quand Parlabane a parlé de son roman, la tête levée vers moi, j'ai soudain aperçu dans son visage taché l'enfant qu'il avait dû être.

4

Depuis notre première rencontre à la réception de McVarish, Arthur Cornish m'a invitée trois fois à dîner, et j'ai accepté deux fois. Il me change agréablement des hommes que je vois à l'université et qui sont soit mariés, soit du genre célibataire endurci, soit de jeunes professeurs qui cherchent une auditrice pour parler d'eux-mêmes et de leurs carrières.

* En français dans le texte (N.d.T.).

La première fois, Arthur a parlé de cuisine, de politique et de voyages. Il ne semblait pas avoir de révélations urgentes à faire sur lui-même. Ni penser qu'en me payant un repas je devenais son obligée de quelque façon. Il s'est montré presque impersonnel, mais gentil. Il a apprécié que j'assume au moins la moitié de la conversation. J'ai donc parlé de cuisine, de politique et de voyages — même si je ne connais pas grand-chose à ces sujets. En tout cas, Arthur a le don de créer des soirées détendues, et ça, c'est nouveau pour moi.

« Si on redînait ensemble bientôt ? a-t-il dit quand il m'a déposée devant le 120, Walnut Street, après cette première sortie. Je déteste manger seul.

— Mais vous devez connaître un tas de gens ! » ai-je répondu.

De toute évidence, Arthur est riche. Il conduit une voiture de dimension modeste, mais chère. Je croyais que les jeunes gens fortunés connaissent forcément beaucoup de filles.

« Oui, mais aucune fille aussi belle que vous », a-t-il déclaré. Pas d'une manière qui annonçait d'autres compliments ou un de ces pelotages que certains hommes considèrent comme le prix à payer pour un repas.

Je ne prétendrai pas qu'il m'est désagréable de m'entendre dire que je suis belle. C'est vrai que je le suis. Pourtant, bien que je préfère cela plutôt qu'être laide, je ne prête pas grande attention à mon physique. Tôt ou tard, presque tous les hommes que je connais font quelque commentaire à ce sujet. J'ai donc pensé que ce jeune homme sympathique et plutôt réservé me trouvait décorative et que cela lui procurait une certaine satisfaction d'être vu dans un restaurant en ma compagnie — un marché équitable. J'avoue qu'il me plaît d'autant plus qu'il est riche ; à lui, je lui plais d'autant plus que je suis belle. Parfait.

Quand j'ai refusé sa deuxième invitation parce que je devais assister à un cours spécial, j'ai cru que nos relations s'arrêteraient là. Mais il m'a invitée une troisième fois : à dîner, puis à un concert. Cela m'a un peu étonnée car il n'avait absolument pas parlé de musique lors de notre première sortie ensemble.

Nous sommes allés dans un bon restaurant, mais ni chic ni prétentieux, et il était clair, d'après la table qu'on nous a donnée, qu'Arthur y venait souvent. Le repas, délicieux, était d'un tout autre ordre que la nourriture qu'on servait au Rude Plenty.

Je m'étais spécialement bien habillée et pomponnée pour la circonstance et m'attendais à une autre conversation sur la cuisine, la politique et les voyages. Mais, à ma surprise, Arthur me parla de musique. Il le fit presque à la manière d'un mécène, ce qui me rappela qu'il était le neveu de Francis Cornish. Il a d'ailleurs mentionné ce dernier.

« Mon oncle a légué sa collection de partitions manuscrites à l'université. Je regrette qu'il ne me l'ait pas laissée à moi. J'aimerais me lancer dans le même genre d'activité. Évidemment, il est facile d'acheter des partitions autographes à des compositeurs modernes, et c'est ce que je fais, à une modeste échelle. Mais j'aurais voulu avoir ses documents anciens. Les manuscrits en eux-mêmes sont très beaux, ce qu'on ne peut pas dire des œuvres modernes. Beaucoup de vieux compositeurs avaient une écriture musicale exquise. C'était d'ailleurs nécessaire, sinon le copiste avait des problèmes. Mais les musiciens en tiraient aussi une certaine fierté.

— Aimeriez-vous le manuscrit plus que la musique, par hasard ?

— Non, mais une belle partition originale possède une qualité tout à fait unique : une sorte de beauté paisible. Les gens achètent bien des manuscrits d'écrivains et en tirent une grande satisfaction, indépendamment de l'intérêt bibliographique que peuvent présenter ces documents. Pourquoi n'achèteraient-ils pas de la musique ? Un manuscrit de Mendelssohn est typiquement mendelssohnien : précis, esthétique, un tout petit peu conventionnel, et sensible sans pour autant manquer de force. Il vous parle de l'homme. Et ceux de Berlioz ! Pleins de tempérament, mais magnifiquement lisibles et parsemés d'indications de sa main. C'est l'écriture d'un romantique, mais aussi d'un homme qui avait une profonde culture classique. Les partitions de Bach : on voit que le compositeur économisait son précieux papier réglé. Beethoven, c'est gribouillis et compagnie. Mon oncle avait quelques jolies compositions de Liszt que nous entendrons ce soir. Egressy jouera les trois dernières *Rapsodies hongroises*.

— Je déteste ce genre de musique.

— Ah oui ? Je suis navré.

— Je fermerai les oreilles.

— Qu'est-ce qui vous déplaît dans cette œuvre ?

— Tout. Son esprit, son émotion débridée, son ornementation excessive.

— Exactement tout ce que j'aime.

— Parce que vous, ça vous change. Moi, je vis avec.

— Theotoky. C'est un nom grec, n'est-ce pas ?

— C'est celui de mon père. Du côté de ma mère, je suis tsigane. Or il est tout à fait impossible d'être tsigane dans le monde moderne, et en particulier dans celui de l'université.

— Cet élément de votre personnalité vous dérange-t-il ?

— Il faudrait que je croie en l'hérédité plus que je ne le fais pour admettre qu'il soit vraiment présent. Je suis une Canadienne qui débute dans la carrière universitaire. Je ne veux rien avoir à faire avec le monde tsigane. »

Allons, bon, qu'est-ce qui pouvait bien m'avoir poussée à dire ça ? J'ai été surprise de m'entendre. J'avais l'air tellement agressive, je ressemblais tellement à ces jeunes prétentieuses que je détestais à l'université ! Assez là-dessus. Je n'avais pas eu l'intention de révéler à Arthur Cornish que j'avais du sang tsigane dans les veines. Il aurait pu croire que je voulais me rendre intéressante à peu de frais. Changeons de sujet.

« Avez-vous jamais dit à votre oncle que vous vous intéressiez à ses partitions autographes ? ai-je demandé.

— Il le savait parfaitement.

— N'est-ce pas curieux qu'il ne vous en ait pas laissé une seule ?

— Pas du tout. Dire à un collectionneur que vous aimez ses pièces est une erreur fatale : il est très capable de vous soupçonner de les convoiter. Il se met à penser que vous les attendez. Ah ! il va voir ! se dit-il, et il les lègue à quelqu'un d'autre.

— Les collectionneurs doivent être des gens bizarres.

— Très bizarres.

— Et vous, l'êtes-vous ? Je suppose toutefois que travailler avec des chiffres vous aide à rester équilibré.

— Je travaille avec des chiffres, moi ?

— N'est-ce pas cela, travailler avec de l'argent ?

— Oh ! pas du tout ! L'argent est une chose qu'on fait circuler, comme de l'électricité.

— Comme de l'électricité ?

— Oui, comme le font les réseaux et les transformateurs. La distribution de l'électricité est une ingénierie très importante. Vous décidez où transmettre l'énergie et comment la faire parvenir en ce point, selon le résultat que vous voulez obtenir. L'argent est une sorte d'énergie.

— La plupart des gens pensent qu'ils n'en ont pas assez.

— Ça, c'est différent. L'argent personnel, pour lequel on fait tant d'histoires, dépend beaucoup d'où se trouve placée la masse des capitaux : quelles obligations et quelles entreprises obtiennent le soutien le plus important, et à quel moment. Ceux qui ne sont pas dans le milieu financier parlent de *faire* de l'argent. S'ils en sont capables, c'est parce que des gens comme moi prennent des décisions au sujet des capitaux de base. L'argent que les gens veulent pour leur usage personnel fait partie d'un vaste ensemble, tout comme l'électricité qu'ils consomment dans leur maison à l'aide d'un commutateur ne constitue qu'une minuscule fraction de celle qui passe par le réseau général. Cela agrémente un peu leur vie, mais ne représente pas grand-chose par rapport à la grande structure totale. Ce qu'on peut faire avec de l'argent pour satisfaire ses désirs personnels est extrêmement limité.

C'est la gestion de l'énergie monétaire impersonnelle qui est fascinante.

— Moi, ça ne me fascine pas du tout.

— Même pas le pouvoir qu'elle donne ?

— Ce n'est pas mon monde.

— Pourtant, le pouvoir n'a-t-il pas aussi sa place dans l'université.

— Oh ! pas du tout ! Cela montre que vous ne comprenez rien à ce monde-là. Les facultés ne sont pas simplement des ruches surpeuplées où l'on étiquette les étudiants ceci ou cela pour qu'ils puissent obtenir de meilleurs boulots que leurs parents. C'est le domaine de la recherche, d'une quête désintéressée du savoir et, parfois, de la vérité.

— Désintéressée ?

— Parfois. »

Bien entendu, je pensais à Hollier. Je voulais suivre la même voie que lui.

« Je ne peux pas en juger, a dit Arthur. Je ne suis jamais allé à l'université.

— Pas possible !

— Je suis un homme sans grande instruction, mais je sais faire illusion. Pas le plus petit B.A.* — et ne parlons même pas d'un M.A.** ! Pourtant, j'ai rarement été demasqué. Vous ne me trahirez pas, n'est-ce pas ?

— Mais comment avez-vous … ?

— Où j'ai acquis mon aisance trompeuse dans les conversations savantes ? A l'université de la vie dure.

— Parlez-moi de cette université-là.

— Il n'y a pas si longtemps encore, on avait, dans les milieux bancaires, un véritable préjugé contre les gens qui sortaient de l'université, surtout quand on pensait qu'ils feraient leur chemin jusqu'au sommet. Que pouvait me donner une université qui fût d'une quelconque utilité sur

* Bachelor of Arts (N.d.T.).
** Master of Arts (N.d.T.).

le plan pratique ? Un diplôme d'économiste ? L'économie, vous pouvez l'apprendre mieux et plus vite en lisant quelques livres. Une formation de gestionnaire d'entreprise ? Je suis un gestionnaire-*né*. Un vernis culturel ? Mes tuteurs pensaient que je pouvais l'acquérir en voyageant et en rencontrant quelques membres de la famille Rothschild ou des gens semblables. C'est donc ce que j'ai fait.

— Vos tuteurs ?

— Oui, j'avais un grand-père. Un farouche capitaliste. Vous l'auriez détesté. Pour lui, les professeurs étaient des types qui portaient des pantalons troués et ne remarquaient pas que la nourriture qu'ils mangeaient était infecte parce qu'ils lisaient du grec pendant les repas. C'est l'homme auquel l'oncle Frank a échappé. Mon père, qui était vraiment un très bon banquier, et non pas un sauvage comme mon grand-père, s'est marié très tard et, après m'avoir engendré, a péri dans un accident de voiture, en même temps que ma jeune et jolie maman. J'ai donc été élevé par mon grand-père et par des tuteurs — des hommes qui faisaient partie de son milieu bancaire. J'étais orphelin. Qui plus est, un orphelin riche — le désespoir des psychiatres. Je n'avais pas de parents pour me brimer dans la grande tradition de la haute bourgeoisie canadienne, me mettre en garde contre moi-même et m'exhorter à devenir comme eux. Dans la mesure où une éducation civilisée le permet, j'étais libre. Dans cet état de liberté, j'ai découvert que je n'avais aucune envie particulière de me rebeller, que j'avais plutôt le goût de l'orthodoxie. Ça, c'est peut-être un trait bizarre, si vous êtes à la recherche d'une bizarrerie en moi. J'ai eu une enfance merveilleusement heureuse pendant laquelle j'ai bu ''le lait de la confiance et de l'équité''. Puis je me suis mis à voyager, et c'est au cours de mes voyages que j'ai développé ma grande idée.

— Qui est ?

— Pourquoi devrais-je vous le dire ?

— Pour la meilleure des raisons : je meurs d'envie de la

connaître. Je ne peux pas croire que vous soyiez seulement banquier.

— Maria, ce que vous dites là est bête et condescendant. Vous ne connaissez rien à ma profession et vous la méprisez parce qu'elle semble n'avoir aucun rapport avec la vie universitaire. Mais comment une université peut-elle rester ouverte, à votre avis ? Grâce à de l'argent. Les professeurs et tout le personnel syndiqué, les équipements qu'exigent les scientifiques et les médecins, tout cela coûte une fortune. Et où *l'Alma Mater* se le procure-t-elle ? Auprès de ses anciens élèves, je l'admets. Il faut que l'université soit vraiment une mère généreuse pour arriver à faire sortir autant de fric des poches de ses enfants, alors qu'ils l'ont quittée depuis longtemps. Mais qui gère cet argent ? Qui le transforme en source d'énergie ? Des gens comme moi, souvenez-vous-en.

— D'accord, d'accord. Je m'excuse, je me jette à vos pieds. Je voulais simplement dire ceci : vous avez quelque chose d'intéressant, or la finance ne m'intéresse pas. C'est peut-être votre grande idée, alors. Je vous en prie, Arthur, expliquez-moi ce que c'est.

— Bien, je vais vous l'expliquer, quoique vous ne le méritiez pas.

— Je me tairai respectueusement.

— Cette idée, je l'ai eue quand j'étais encore à l'école. Mes voyages à l'étranger l'ont encore renforcée car, au cours de mes pérégrinations, j'ai rencontré plusieurs personnes qui l'avaient mise en œuvre avec succès. Je serai mécène.

— Comme votre oncle ?

— Non, absolument pas comme lui. C'était un mécène, d'une certaine façon, mais surtout un collectionneur. Il achetait des œuvres d'art, puis ne pouvait souffrir l'idée de s'en séparer. Le résultat, c'est le bazar dans lequel j'essaie de mettre un peu d'ordre maintenant, avec l'aide de Hollier, de McVarish et de Darcourt. Ça, ce n'est pas ce que j'appelle du mécénat. D'accord, mon oncle a aidé financièrement quelques artistes vivants et découvert des talents. Il les a encouragés et leur a donné ce qu'ils désiraient le plus : sympathie et compréhension. Mais ce n'était pas un vrai grand mécène. Toutes ses actions visaient en premier lieu à se faire plaisir.

— Qu'est-ce qu'un vrai grand mécène ?

— Un très bon *animateur*\*, quelqu'un qui insuffle de la vie aux choses. Vous pourriez peut-être l'appeler un ''encourageur'', mais aussi un père, un directeur qui maintient les artistes sur la bonne voie et leur fournit l'énergie — qui n'est pas seulement de l'argent, croyez-moi — nécessaire à leur action. C'est la sorte de personne — une sorte très rare — qui œuvre dans le domaine de l'opéra, du ballet ou du théâtre. Il est le centre autour duquel gravitent différents groupes d'artistes, et il doit se montrer résolument autocrate. Cela réclame du tact et de la fermeté, mais, avant tout, un goût exceptionnel. Un goût qui fait autorité, que les artistes reconnaissent et désirent satisfaire. »

J'ai sans doute eu l'air surprise et incrédule.

« Vous êtes déconcertée parce que je prétends avoir un goût exceptionnel. C'est curieux, mais on dirait qu'il y a certaines choses dont on n'a pas le droit de se vanter. Si je vous disais que j'ai un don exceptionnel pour les affaires, vous trouveriez cela normal. Pourquoi ne puis-je dire que j'ai un goût exceptionnel ?

— C'est simplement inhabituel, je suppose.

— En effet, surtout dans le sens où j'emploie ces mots. Mais il y a eu des personnes comme celles que je viens de vous décrire. »

J'ai fouillé ma mémoire à la recherche d'un exemple.

« Quelqu'un comme Diaghilev ?

— Oui, mais pas de la façon que vous devez imaginer. Aujourd'hui, tout le monde parle de Diaghilev comme d'un sentimental et d'un fantaisiste. En fait, il était dur comme l'acier et avait commencé par être avocat. Mais Christie, à

---

\* En français dans le texte (N.d.T.).

Glyndebourne, n'avait rien d'un fantaisiste. Peut-être même a-t-il réalisé plus de choses que Diaghilev.

— Tout cela me paraît un peu — c'est difficile de trouver un mot qui ne soit pas vexant —, un peu grandiloquent.

— Nous verrons bien. Ou, du moins, moi je verrai. En tout cas, je ne veux pas thésauriser des œuvres d'art comme mon oncle. Je veux montrer au monde ce que j'ai fait et ce que je suis.

— Eh bien, bonne chance, Arthur.

— Merci. Je dispose de l'élément moteur, mais sans un peu de chance, celui-ci n'a aucune valeur. Bon, je crois qu'il est temps d'y aller. Avez-vous envie de voir Egressy après le concert ? Je le connais assez bien. »

## 5

La première partie du concert ne m'a guère plu. Elle comprenait l'Ouverture festive de Dohnanyi et une œuvre de Kodaly — le chef d'orchestre donnait une soirée hongroise. Quand Egressy est entré en scène pour jouer le *Deuxième Concerto pour piano* de Liszt, il m'a inspiré de l'hostilité. J'ai fermé mes oreilles, comme je l'avais annoncé ; mais quand vous aimez la musique, c'est une chose très difficile à faire complètement, tout comme vous ne pouvez par arrêter cette affreuse musique douce qu'on diffuse dans les bâtiments publics. Vous essayez de vous en abstraire. Mais quand, dans la deuxième partie du programme, Egressy a interprété les trois dernières *Rapsodies hongroises*, il m'a été impossible de ne pas écouter. Cela aurait exigé un effort, une négation de l'esprit dont j'étais incapable. Pendant la quinzième, dans laquelle la *Marche Rakoczy* apparaît sous des formes si variées, je me suis effondrée, sur le plan émotionnel, mais aussi, dans une certaine mesure, sur le plan physique : j'ai pleuré si fort que mon mouchoir trempé n'étanchait plus mes larmes.

Bien entendu, Arthur s'en est rendu compte, comme s'en sont rendu compte tous les auditeurs qui se trouvaient autour de moi. Pourtant, je ne faisais aucun bruit. Ce qui est remarquable, c'est qu'Arthur n'a pas réagi : il ne m'a pas offert son mouchoir avec sollicitude, ne m'a pas tapoté le bras en murmurant : « Allons, allons. » Je savais toutefois qu'il respectait mon émotion, comprenait qu'elle était d'ordre strictement personnel, au-delà de tout ce qu'il aurait pu faire pour l'apaiser, inéluctable. Quand ensuite il m'a ramenée à la maison — il ne m'a pas reparlé d'aller voir Egressy dans sa loge —, aucun de nous n'a fait allusion à cet incident.

Pourquoi avais-je pleuré ? D'abord, parce que je m'étais conduite comme une idiote pendant le dîner : j'avais parlé de mon sang tsigane comme si c'était un handicap social, et non une gloire et une malédiction. Comme c'était bourgeois, mesquin, *gadjo*, de réagir ainsi ! Qu'est-ce qui m'avait pris de parler à un étranger d'un sujet que je n'avais jamais abordé avec qui que ce fût ? Enfant, j'avais cru naïvement qu'être à moitié rom, c'était chouette. Mes camarades de classe ne tardèrent pas à me détromper : les Tsiganes étaient sales ; c'étaient des voleurs et des escrocs. Plusieurs parents interdirent à leurs enfants de jouer avec moi : j'étais une enfant étrange.

En fait, je l'étais un peu, étrange : j'avais des pensées qui n'étaient guère celles d'un enfant. Je me demandais quel effet cela faisait d'être l'une de ces mères canadiennes souriantes, à la peau blanche et, souvent, aux yeux clairs, dont l'amabilité extérieure cachait fréquemment beaucoup de dureté et une grande étroitesse d'esprit. Elles se perpétuaient dans leur progéniture, ces enfants pâles qui me trouvaient étrange parce que j'avais les joues rouges, des yeux et des cheveux noirs. Même les hivers canadiens ne parvenaient pas à me donner la couleur de peau prédominante, celle d'un biscuit à l'arrow-root.

Entre se demander comment c'était d'être dans leur peau et essayer d'y entrer, il n'y avait qu'un pas. Je le franchis.

J'imitais leur façon de se tenir et de marcher, leur voix dures et aiguës, mais surtout leurs expressions faciales. Ce n'était pas les singer, comme certaines filles, au couvent, singeaient les religieuses et la Vieille Soupe, c'était les endosser comme un vêtement pour voir l'effet qu'il produisait et en tant que moyen de les comprendre. A quatorze ans, j'appelais ce mimétisme la « théorie Theotoky des personnalités interchangeables ». Je prenais un énorme plaisir à ce jeu. En fait, celui-ci m'apprit une quantité étonnante de choses.

Étrange ? Peut-être. Mais je ne donnerais pas cher d'un enfant qui ne le serait pas. D'ailleurs, tout enfant ne l'est-il pas aux yeux d'un adulte qui a appris à le connaître ? Et s'il ne l'est pas, à quoi sert-il ? A devenir un autre légume humanoïde ? Mais j'étais plus étrange que mes camarades. Elles, elles étaient fières de leur ascendance écossaise, française, irlandaise ou autre. Le sang tsigane, en revanche, n'était pas une chose dont on pouvait se prévaloir, à moins de l'avoir soi-même et de savoir ce qu'était la fierté rom. C'est-à-dire, non pas la fierté pleine d'assurance, vantarde, des Celtes, des Allemands et des Anglo-Saxons, mais plutôt une fierté semblable à celle des Juifs : le sentiment d'être différent, spécial.

Les Juifs, si cruellement maltraités par les nationaux-socialistes en Allemagne, si tourmentés et torturés, affamés et mis à mort de toutes les façons possibles, de la plus raffinée à la plus brutale, ont la maigre consolation de savoir que le monde civilisé compatit à leurs malheurs. D'ailleurs, ils ont eux-mêmes déclaré qu'ils ne laisseraient jamais le monde oublier leurs souffrances. Cependant, bien qu'ils soient fiers de leur passé, ils forment un peuple moderne qui maîtrise tous les rouages modernes, de sorte qu'ils savent se faire entendre. Les Tsiganes n'ont pas ce talent, mais eux aussi furent victimes de la folie nazie.

Leur histoire, à cette époque, présente un étrange aspect raisonnable, et c'est ce qui trompa une si grande partie des gens quand ils entendirent parler de ce que faisaient les nazis. D'abord, le Führer lui-même déclara s'intéresser aux romanichels : c'étaient de fascinants vestiges de la race indo-germanique ; préserver leur mode de vie dans toute sa pureté constituait donc un but scientifique désirable. On devait les réunir, les recenser et enregistrer leurs noms. Des savants devaient les étudier, et le fait que, vivants, les Tsiganes aient été placés sous la protection du département des monuments historiques est d'une terrible ironie. On les rassembla donc comme du bétail, puis les mêmes savants qui les avaient encensés découvrirent qu'ils formaient un groupe ethnique impur, qu'ils représentaient une menace pour la pureté de la race des seigneurs. La solution qui s'imposait, c'était de les stériliser pour mettre fin à leur héritage taré et à la criminalité invétérée qu'elle engendrait. Mais à mesure que l'Allemagne étendait son pouvoir sur une grande partie de l'Europe, on trouva plus simple de les exterminer.

Experts à s'enfuir et à s'évader, les Tsiganes se réfugièrent dans la campagne, qui s'était toujours montrée si hospitalière pour eux. Mais c'est alors que commença la pire des horreurs : des soldats les chassèrent dans la forêt comme du gibier et tirèrent à vue sur eux. Ceux qui ne purent s'échapper tombèrent aux mains des *Einsatzgruppen*, les exterminateurs, et furent gazés. Les Tsiganes sont peu nombreux, aussi les statistiques concernant leur destruction ne sont pas impressionnantes, si ce sont les chiffres qui vous impressionnent : un peu moins d'un demi-million moururent ainsi ; mais lorsque disparaît un être humain, tout un monde d'espoirs, de souvenirs et de sentiments disparaît avec lui. Être dépouillé de la dignité d'une mort naturelle est une terrible privation.

C'était à ces âmes que je pensais, canadienne comme je le suis de naissance, mais à demi tsigane par le sang, tandis que j'écoutais les trois dernières *Rapsodies hongroises* de Liszt. Tous ces morceaux, dans des tons mineurs, parlaient du défi mélancolique d'un peuple médiéval vivant dans un monde moderne. Un monde dans lequel leur criminalité invétérée s'exprime par le vol de cordes à linge et l'art de tromper les *gadje* désireux de se faire prédire l'avenir par un peuple qui semble avoir préservé la vieille sagesse qu'eux-mêmes ont perdue dans leur univers complexe d'ingéniosité *gadjo* où tromperies et fourberies sont institutionalisées.

Un demi-million de Tsiganes sont morts sur ordre de ce monde *gadjo*. Qui les pleure ? Moi, de temps en temps.

Oui, je les pleure.

## 6

« Alors, ma vilaine fille vous a parlé du *bomari* ?

— Très peu, en fait. Rien qui aurait pu m'indiquer ce que c'était vraiment, mais assez pour éveiller ma curiosité.

— Que voulez-vous savoir ? Et en quoi cela vous concerne-t-il ?

— Eh bien, madame, je ferais bien de vous l'expliquer aussi brièvement que possible. Je suis historien. Je n'étudie pas les guerres, les gouvernements, l'art ou la science du passé — du moins, la science telle que nous la concevons aujourd'hui. J'examine les croyances. Ce que j'essaie de cerner, ce n'est pas simplement le fait qu'à une certaine époque les gens croyaient ceci ou cela, mais les raisons et la logique qui sous-tendaient leurs convictions. Que celles-ci aient été fausses, ou nous paraissent telles aujourd'hui, importe peu : ce qui m'intéresse, c'est leur existence. Car, voyez-vous, je ne pense pas que les gens soient bêtes et croient à n'importe quoi. Ils croient peut-être à quelque chose qui n'est pas vrai, mais cela répond à *un besoin* : cela comble un trou dans le tissu de ce qu'ils voudraient savoir ou pensent qu'ils devraient savoir. Souvent, nous rejetons de telles croyances sans les avoir réellement comprises. De nos jours, si une armée approche à pied, la nouvelle nous en parvient par radio ou peut-être par téléphone militaire ; or, il y a très longtemps, chaque armée avait des hommes capables d'entendre approcher l'ennemi en collant leur oreille contre le sol. Cette méthode ne conviendrait plus maintenant car, à notre époque, les troupes avancent plus vite et nous les attaquons avant même de les voir ; elle a toutefois fonctionné pendant des millénaires. Je vous donne là un exemple simple pour ne pas vous ennuyer. Or le genre de sensibilité qui permettait à un homme d'entendre piétiner une armée à plusieurs kilomètres de distance sans aucune sorte d'aide artificielle a presque disparu de la surface de la terre. Des centaines de millions de personnes ne connaissent plus le sentiment de participer de la nature et de pouvoir s'appuyer sur des choses naturelles ; en fait, elles n'ont même pas conscience d'avoir perdu quelque chose. Si je fouille le passé, ce n'est pas parce que je pense que les vieilles méthodes sont meilleures que les nouvelles. Simplement, j'estime qu'il serait sage d'examiner quelques-unes de ces anciennes traditions avant qu'elles ne se perdent complètement, elles et les idées qui les sous-tendent. Or, le peu de choses que Maria m'a dites au sujet de votre *bomari* me fait penser qu'il pourrait être très important pour mes recherches. Est-ce que je m'explique clairement ? »

A ma surprise, mamousia a acquiescé d'un signe de tête.

« Tout à fait, a-t-elle dit.

— Pourrai-je vous décider à m'en parler ?

— Il faut que je sois prudente : les secrets sont des choses sérieuses.

— Je vous comprends parfaitement. Mais je vous assure que je ne suis pas venu ici pour vous espionner. Vous et moi comprenons l'importance des secrets, madame.

— Apporte du thé, Maria », m'a ordonné mamousia.

Alors j'ai su que la partie était pratiquement gagnée. Hollier se montrait sous son meilleur jour. Son honnêteté et son sérieux avaient quelque chose de convaincant, même pour une femme aussi méfiante que ma mère. Et sa faculté à elle de comprendre dépassait de loin ce que j'attendais.

Les enfants sous-estiment souvent l'intelligence de leurs parents.

Pendant que je préparais le thé fort et bouillant que voulait mamousia et qui convenait mieux à cette rencontre qu'une simple boisson de réunion mondaine, je pouvais les entendre, elle et lui, qui parlaient sur le ton de la confidence. Je n'essaierai pas, en transcrivant leur conversation, de rendre l'anglais de mamousia : ce serait difficile à lire, et une perte de temps. De plus, cela aurait l'air de diminuer sa dignité, alors qu'en réalité celle-ci n'en souffrait pas du tout. Quand je suis revenue dans la pièce, mamousia était en train de faire prêter serment à Hollier.

« Il ne faudra jamais, jamais trahir ce secret pour de l'argent, comprenez-vous ?

— Absolument. Je ne travaille pas pour gagner de l'argent, bien qu'il m'en faille pour vivre.

— Non, vous travaillez pour comprendre le monde. Le monde entier et pas seulement votre petit univers quotidien. Or ça, ça implique des secrets, n'est-ce pas ?

— Vous avez tout à fait raison.

— Les secrets sont le suc de la vie. Chaque chose qui a de l'importance est un secret même si vous la connaissez, car vous ne la connaissez jamais entièrement. Si vous pouvez tout savoir au sujet de n'importe quoi, ce savoir n'a plus de valeur.

— Très bien dit, madame.

— Alors, jurez. Jurez sur la tombe de votre mère.

— Elle n'a pas de tombe. Elle vit à un kilomètre d'ici.

— Alors, jurez sur le ventre de votre mère. Sur le ventre qui vous a porté et les seins qui vous ont nourri. »

Hollier réagit admirablement à cette demande si peu canadienne.

« Je jure solennellement sur le ventre qui m'a porté et les seins qui m'ont nourri que je ne révélerai jamais ce que vous me direz, pour de l'argent ou pour toute autre raison futile, même si c'est contraire à mes intérêts.

— Maria, je crois avoir entendu Mlle Gretser tomber : un bruit sourd au-dessus de nous. Monte voir si tout va bien. »

Zut ! Mais comme la réussite de l'entrevue dépendait en grande partie de mon obéissance, je suis donc partie. J'ai trouvé Mlle Gretser en aussi bon état qu'on pouvait l'espérer : couchée sur son lit avec Azor, son caniche, elle mangeait des dattes fourrées, sa friandise préférée. A mon retour, en bas, je me suis rendu compte qu'il s'était passé quelque chose qui avait solennisé le serment, mais je n'ai jamais su sur quoi Hollier avait juré, mis à part les organes de sa mère ci-dessus mentionnés. Mamousia s'est installée sur le canapé, prête à parler.

« Comme l'indique la plaque sur la porte, je m'appelle Laoutaro. Mon mari, Niemcewicz-Theotoky étant mort — qu'il repose en paix —, j'ai repris mon nom de jeune fille. Pourquoi ? Parce qu'il vous dit ce que je suis, à savoir luthier. Une fabricante, réparatrice, mère et esclave de tous les violons et de tous les instruments à archet. Les Tsiganes, dont je descends, considéraient ce travail comme leur grand art ; or tout art implique des secrets. Chez nous, ce sont surtout les hommes qui le pratiquent, mais, sentant que j'avais un talent particulier dans ce domaine, mon père me l'enseigna. Mon frère Yerko, lui, voulait devenir forgeron et travailler des métaux semi-précieux, comme le cuivre, dans le meilleur style tsigane. Il était si doué pour cela que c'eût été un péché de l'en empêcher. De plus, nous les luthiers, nous avions besoin de lui. Vous en comprendrez la raison tout à l'heure. J'ai donc appris le métier de mon père, qui l'avait appris de mon grand-père, et ainsi de suite. Nous étions les meilleurs. La preuve — crachez-moi dans la bouche si je mens —, c'est que Ysaye, le grand Eugène Ysaye ne permettait à personne, sauf à mon grand-père, de toucher à ses violons. J'ai appris tous les aspects de ce métier.

— C'est un très grand art, en effet.

— Fabriquer des violons ? C'est plus que cela : c'est les maintenir en vie. Qui voudrait d'un violon neuf ? Bien sûr, on fabrique des demis et des quarts pour les enfants, mais le grand artiste, lui, veut un vieux violon. Or les vieux violons sont comme les personnes âgées : ils deviennent grincheux, il faut les cajoler, les envoyer dans une station thermale, leur prodiguer des soins de beauté, et cetera.

— Vous faites surtout des réparations, alors ?

— Des réparations ? Oui, bien sûr, je fais les réparations habituelles, mais mon travail va au-delà. Je fais reposer le violon pour lui redonner sa jeunesse. Savez-vous ce que c'est qu'un ''roulement'' ?

— Dans quel sens employez-vous ce mot ?

— Si vous étiez violoniste, vous auriez très peur du roulement. C'est le bourdonnement, ou le hurlement, que fait entendre une corde quand vous passez l'archet sur une autre. Ce bruit peut être causé par toutes sortes de petites choses — il suffit d'un peu de colle détachée —, et il est extrêmement difficile à éliminer. Bien entendu, si vous utilisez des colles plastiques ou des substances semblables, vous obtenez de bons résultats, mais on devrait pouvoir réparer un beau violon avec la même sorte de colle que celle employée par son fabricant ; or il est presque impossible de découvrir la composition de ce produit, celle-ci ayant toujours été un secret de fabrication jalousement gardé. Il y a toutefois une autre façon de traiter un roulement : c'est de mettre l'instrument, une fois réparé, au *bomari*. Je ne vous parle pas de crincrins, vous comprenez, mais de violons fabriqués par de grands facteurs. Un Goffriller, par exemple, un Bergonzi, n'importe quel instrument signé Marknenkirchen ou Mirecourt, ou un bon Banks. De ceux-là, il faut s'approcher à genoux si l'on veut les ramener à leur état d'origine.

— Et c'est ce qu'on fait avec le *bomari* ?

— Oui, si vous pouvez en trouver un.

— Il s'agit d'un traitement par la chaleur, n'est-ce pas ? D'une sorte de cuisson ?

— Comment diable saviez-vous cela ?

— Deviner ce genre de choses fait partie de mon métier.

— Vous devez être un grand magicien.

— Dans le monde où vous et moi travaillons, madame, il serait stupide de ma part de nier ce que vous venez de dire. Faire de la magie, c'est produire des effets pour lesquels il ne semble pas y avoir de causes. Mais nous savons aussi tous deux qu'il y en a toujours. Je vais donc vous expliquer ma magie : je suppose — et votre réaction me donne à penser que j'ai raison — que *bomari* est une altération, ou une forme romani, de ce qu'on appelle généralement un bain-marie. Vous en trouvez un dans n'importe quelle cuisine bien équipée. C'est un simple bain d'eau destiné à garder au chaud des aliments qui coaguleraient ou se gâteraient en refroidissant. Pourquoi l'appelle-t-on bain-marie ? Parce qu'on dit qu'il fut inventé par la deuxième en importance des grandes Marie : Miriam, la sœur de Moïse, une célèbre sorcière. Il paraît qu'elle mourut d'un baiser de Dieu. Nous ne sommes pas obligés de croire tout cela, mais on ne devrait jamais rejeter les traditions avant de les avoir soigneusement examinées. Il semble beaucoup plus probable que le bain-marie fut inventé par Marie la Prophétesse, à laquelle on attribue des livres ; Cornelius Agrippa nous dit qu'elle était un personnage historique, bien qu'elle ait vécu plusieurs siècles avant lui. C'était la plus grande des femmes alchimistes — et il y en a eu beaucoup, je vous assure. Une Juive. Elle découvrit l'acide hydrochlorique et aussi le *balneus mariae*, ou bain-marie, l'un des instruments alchimiques qui subsiste aujourd'hui et qui, même s'il a été relégué à la cuisine, n'en garde pas moins un certain prestige. Donc, de bain-marie à *bomari* ... Ai-je raison ?

— Pas entièrement, monsieur le magicien. Venez avec moi, et vous verrez. »

Nous sommes descendus à la cave, là où vit Yerko et où se trouve l'atelier secret de ma mère. Le travail de mamousia n'est guère bruyant, plus plus que ne l'est celui de Yerko, quoiqu'on puisse parfois entendre à l'étage au-dessus le tintement musical de son marteau de chaudronnier. La forge de Yerko est petite. Les Tsiganes n'utilisent pas les grosses enclumes et les énormes soufflets du forgeron : par tradition, ils doivent porter leur forge sur leur dos, et il n'est pas dans la nature tsigane de coltiner plus de poids que nécessaire. Dans l'atelier, nous avons vu la forge, l'établi de mamousia et Yerko en personne. Vêtu d'un tablier de cuir, il fabriquait quelque chose de très petit : un fermoir de broche ou tout autre objet de ce genre qu'on s'attend à trouver chez un joaillier.

Tout comme mamousia, mon oncle Yerko avait radicalement changé de vie à la mort de Tadeusz. Quand il travaillait comme assistant de mon père et dessinateur en chef de l'usine, son aspect extérieur ressemblait vaguement à celui d'un homme d'affaires, quoiqu'il n'ait jamais eu l'air à l'aise dans des vêtements classiques. Mais, à la mort de mon père, il était retourné à son mode de vie tsigane et avait renoncé à sa pitoyable tentative de devenir un homme du Nouveau Monde. Pourtant, quel mal ne s'était-il pas donné pour cela en arrivant au Canada ! Il avait même voulu changer de nom de manière à pouvoir se fondre, comme il le croyait, dans la masse de ses nouveaux concitoyens. Il s'appelait Miya Laoutaro, patronyme qu'il voulait traduire littéralement par Martin Luther. Je crois qu'il n'a jamais compris pourquoi mon père le lui interdit en disant que c'était exagéré. Yerko était un surnom affectueux que lui avait donné sa famille. Je n'ai jamais entendu personne l'appeler Miya. Le décès de Tadeusz l'affligea autant que mamousia. Il restait assis pendant des heures, prostré, pleurant, et murmurant de temps en temps : « Mon bon père est mort. »

Et, en effet, Tadeusz avait été un père pour lui. Il l'avait conseillé, avait veillé à ce que ses considérables revenus fussent bien investis et l'avait fait monter, aussi haut que le permettait sa compétence, dans le monde des affaires — ce qui n'alla pas plus loin que sa situation de dessinateur et de maquettiste dans l'entreprise, Yerko étant incapable de diriger quoi que ce fût, d'expliquer à quelqu'un des choses que lui faisait très facilement, et ayant tendance à s'absenter toute une semaine pour s'enivrer.

En règle générale, les Tsiganes ne sont pas de grands buveurs, mais quand ils se mettent à boire, ils tombent dans l'excès. Même si Yerko n'était pas un ivrogne complètement dissolu, personne, à part Tadeusz, ne pouvait compter sur lui. Pour défendre son frère, mamousia assurait à mon père que la boisson était préférable à un appétit sexuel insatiable. Toujours était-il que Tadeusz devait tenir la bride haute à Yerko qui, soûl, ressemblait à l'ours Martin : il devenait lourd, lunatique, et devait être traité avec beaucoup de douceur. Dans son atelier, il avait un alambic. Se refusant à payer des taxes gouvernementales sur l'achat de faibles alcools, il distillait sa propre eau-de-vie de prune, tord-boyaux qui aurait assommé un bœuf ou n'importe quelle personne autre que mon oncle.

« Yerko, je vais montrer le *bomari* », a dit mamousia.

Mon oncle a eu l'air surpris, mais il n'a fait aucune remarque. Il ne contredisait jamais sa sœur, bien qu'il lui fût arrivé de la frapper et même de lui donner un coup avec son marteau de chaudronnier.

Mamousia a conduit Hollier à une lourde porte de bois. Fabriquée par Yerko, celle-ci devait être inviolable, même par les plus habiles perceurs de coffre-forts, tant elle était bardée de verrous. Yerko a tiré ces derniers et nous sommes entrés dans une pièce où il y avait peut-être eu de l'électricité autrefois, mais où nous avons été obligés d'allumer des bougies car on avait enlevé toute l'installation.

De dimension moyenne, cet endroit avait dû servir de cave autrefois, mais on n'y voyait plus aucun casier à présent. Ce qui vous frappait immédiatement en entrant, c'était l'odeur qui y régnait. Une odeur très forte, lourde, chaude, quoique non désagréable. Pour la décrire, je dirai qu'elle évoquait la laine mouillée et l'écurie sous une forme concentrée. Tout autour de la pièce, il y avait, appuyées contre les murs, de grandes formes arrondies, d'une massive élégance. Elles ressemblaient à une série de silencieuses silhouettes humaines. Au milieu, dressées sur des étagères, on voyait des versions plus petites de ces coffres rebondis et luisants. Ils brillaient parce qu'ils étaient en cuivre. Chaque centimètre carré de leur surface portait l'empreinte du petit marteau de Yerko ; ils scintillaient, reflétant la lumière presque comme un bijou, mais d'une façon plus douce. Et ce n'était pas ce cuivre mince et bon marché dont on fait les brocs et les ornements vendus dans le commerce, mais celui de la meilleure qualité, qui coûte très cher de nos jours. On se serait cru dans la caverne d'Ali Baba.

Mamousia a commencé à faire un numéro.

« Je vous présente mes nobles dames et seigneurs », a-t-elle dit en faisant une profonde révérence aux formes.

Elle attendait que Hollier regarde bien autour de lui, curieux d'en apprendre davantage.

« Vous voudriez savoir comment cela fonctionne, n'est-ce pas ? a-t-elle demandé. Mais je ne peux pas déranger ces vieux gentilshommes pendant leur sommeil réparateur. Heureusement, j'ai ici une dame qu'on n'a scellée que la semaine dernière. Si nous l'ouvrons maintenant et la refermons ensuite, cela ne lui fera pas grand mal puisqu'elle aura au moins six mois pour se reposer. »

Sur sa demande, Yerko a pris un couteau et a rapidement cassé l'épaisse couche de cire qui scellait l'extrémité d'un des petits étuis, puis il a soulevé le couvercle, ce qui lui demanda un effort, celui-ci étant très ajusté. Un concentré de l'odeur ambiante s'en échappa aussitôt. A l'intérieur de la gaine métallique, sur une couche de ce qui avait l'air d'être de la terre brun foncé, était couchée une forme emmitouflée dans une étoffe de laine.

« De la vraie laine soigneusement filée, a spécifié mamousia. Ainsi je suis sûre qu'elle ne contient pas un seul brin de camelote. »

Elle s'est mise à démailloter l'objet. C'était un violon.

« La noble dame s'est dévêtue pour dormir. »

Et, en effet, comme l'instrument n'avait ni chevalet, ni cordes, ni chevilles, on aurait vraiment dit une femme en *déshabillé\**.

« Regardez, a repris mamousia, le sommeil commence à la gagner : le vernis s'est déjà un peu terni, mais elle respire, elle s'enfonce dans sa transe. Dans six mois, sa rusée servante, c'est-à-dire moi, la réveillera. Alors je la rhabillerai et elle retournera dans le monde avec une voix qui aura retrouvé sa beauté. »

Hollier a tendu la main pour toucher la poussière brune qui couvrait le tissu de laine.

« C'est humide, a-t-il dit.

— Bien sûr, et c'est vivant aussi. Vous ne savez pas ce que c'est ? »

Hollier a reniflé ses doigts, puis secoué la tête.

« Du crottin de cheval, l'a informé mamousia. Le meilleur. Il est complètement décomposé et tamisé, et il provient de chevaux en excellente santé. Celui-ci, je l'ai acheté à une écurie de courses, et vous ne pouvez pas vous imaginer le prix qu'ils m'en ont demandé. Mais la merde de vieilles rosses ne m'intéresse pas. La toute première qualité exige ce qu'il y a de meilleur. Cette dormeuse est un Bergonzi, a-t-elle dit en tapotant légèrement le violon. Les ignorants s'extasient sur les Strad et les Guarneri, et c'est vrai que ce sont des instruments magnifiques. Moi, j'aime les Bergonzi. Mais les meilleurs, ce sont les Leman de Saint-Pétersbourg. C'en est un, là-bas. Il en est à son quatrième mois — ou, du moins, il le sera à la nouvelle lune. Les instruments doivent être mis au lit suivant les phases de la lune. »

Mamousia a lorgné Hollier pour voir sa réaction.

« Et d'où sortent ces nobles dames et ces nobles messieurs ? a demandé ce dernier en promenant son regard sur la quarantaine d'étuis de tailles variées qui se trouvaient dans la pièce.

---

\* En français dans le texte (N.d.T.).

— De chez mes amis les grands artistes. Je ne peux pas vous dire leurs noms. Mais ils me connaissent et, quand ils viennent ici — et tous passent par cette ville chaque année —, ils m'apportent un instrument à archet qui a besoin de repos ou a attrapé quelque maladie de la voix. Grâce à mon habileté et à mon amour, j'ai le pouvoir de tout arranger. Car, voyez-vous, ce traitement exige un savoir qui va au-delà de tout ce que le plus compétent des artisans peut apprendre. Et, pour faire un diagnostic exact, vous devez être violoniste vous-même. Ce que je suis. Une très bonne violoniste.

— Je n'en doute pas. J'espère que j'aurai un jour le grand honneur de vous entendre. Ce serait comme écouter la voix des siècles.

— C'est tout à fait ça, a acquiescé mamousia, qui buvait du petit lait. J'ai joué sur quelques-uns des plus beaux instruments du monde : ici, en effet, il n'y a pas seulement des violons, mais aussi des violes de gambe ; ces grands types, là-bas, ce sont des violoncelles, et les plus gros de tous, des contrebasses — ces derniers détestent voyager. Je sais leur faire dire leurs secrets comme un médecin. Le virtuose sait les faire chanter, bien sûr, mais Oraga Laoutaro leur fait murmurer ce qui ne va pas, puis chanter de bonheur quand tout est arrangé. Cette pièce ne devrait pas rester ouverte. Yerko, couvre cet instrument jusqu'à ce que je puisse venir le remettre au lit. »

Nous sommes remontés, et, après un grand échange de compliments entre Hollier et mamousia, j'ai reconduit le premier chez lui, dans ma petite voiture.

Quel succès ! Cela avait bien valu quelques coups et beaucoup de malédictions de la part de ma mère car cette visite m'avait de nouveau rapprochée de Hollier. Je pouvais sentir son enthousiasme. Celui-ci, cependant, ne se rapportait pas directement à moi.

« Maria, je sais que ce que je vais vous dire ne vous offensera pas : votre mère est une extraordinaire découverte, un fossile vivant. Elle pourrait sortir de n'importe quelle époque, du XIXᵉ siècle en Hongrie aussi bien que du XIIᵉ ou du XIIIᵉ, n'importe où en Europe ! Quelle merveilleuse façon elle a de se vanter. J'ai eu grand plaisir à l'écouter : elle me rappelait le grand Paracelse, ce roi des vantards. Et vous vous souvenez de ce qu'il a dit ? N'espérez pas trouver la sagesse dans les seules universités : consultez des vieilles femmes, des Bohémiennes, des magiciens, des voyageurs, des paysans et des gens hors norme, et apprenez auprès d'eux car ils en savent plus sur ces choses que toutes les facultés réunies.

— Et que dites-vous du professeur Froats ? Dans le tas de fumier, il cherche un hypothétique joyau dont il a même du mal à deviner la nature.

— Si mon vieil ami Ozy trouve quoi que ce soit, je lui emprunterai n'importe quelle partie de sa découverte qui puisse étayer mes recherches sur la thérapie par l'ordure. Ce que fait votre mère est de la thérapie par l'ordure sous sa forme la plus achevée — bien qu'appeler ''ordure'' cette magnifique substance dans laquelle elle enfouit les violons, ce soit être victime du plus stupide des préjugés modernes. J'ai tendance à considérer Ozy comme un alchimiste d'aujourd'hui. Il cherche la toute-puissante pierre philosophale exactement à l'endroit recommandé : dans ce qu'il y a de plus ordinaire, de plus négligé, de plus méprisé. Je vous en prie, amenez-moi de nouveau chez votre mère un de ces jours. Elle m'enchante. Elle possède au plus haut degré la sorte d'esprit qu'il ne faut pas appeler simple, mais qui n'est pas limité par des lieux communs. Appelons-le l'esprit sauvage. »

Une autre rencontre ne posera aucun problème. C'est ce que j'ai découvert à mon retour à la maison.

« Il est très beau, ton homme, a dit ma mère. Tout à fait mon type : de beaux yeux, un grand nez, de grandes mains. Cela s'accompagne d'un gros machin. A-t-il un gros machin ? »

Ça, c'était uniquement pour me taquiner. Elle voulait me

dérouter, me faire rougir. A mon grand ennui, elle y est parvenue.

« Fais attention, ma fille. C'est un charmeur. Comme il s'exprime bien ! Tu es amoureuse de lui, n'est-ce pas ?

— Je l'admire beaucoup. C'est un grand érudit. »

Mamousia s'est esclaffée.

« C'est un grand érudit ! a-t-elle minaudé d'une ridicule voix de fausset en tenant sa jupe et en marchant autour de la pièce sur la pointe des pieds — une imitation de ma personne, je suppose, ou bien de ce que lui suggérait mon travail à l'université. C'est le même genre d'homme que ton père. Surveille-le bien, sinon je te le chipe ! Je pourrais tomber amoureuse d'un type pareil. »

Si jamais tu essaies, tu le regretteras, ai-je pensé. Mais je ne suis pas à demi tsigane pour rien : je l'ai étouffée avec des phrases mielleuses.

« Il te trouve merveilleuse. Il n'a pas cessé de chanter tes louanges pendant tout le chemin du retour. Il dit que tu es une vraie *phouri dai*. »

C'est ainsi qu'on appelle les grandes femmes chez les Tsiganes. Il ne s'agit pas des prétendues « reines », qui, souvent, ne sont montrées que pour impressionner les *gadje*, mais des vieilles conseillères sans la sagesse desquelles aucun chef Kalderash ne songerait à prendre une décision importante. J'avais raison : mes paroles l'ont mise aux anges.

« C'est vraiment quelqu'un de très bien, a-t-elle dit. Et, à mon âge, je préfère être une *phouri dai* plutôt que de servir d'oreiller à un homme. Écoute-moi : je vais m'assurer qu'il tombe amoureux de toi. Alors nous l'aurons toutes les deux. »

Seigneur ! Où allons-nous ?

# LE NOUVEL AUBREY IV

Le tri des biens de Cornish et l'organisation de leur transfert aux institutions auxquelles ils étaient destinés nous occupa presque jusqu'à la fin du mois de novembre. Notre tâche, qui au début avait semblé tellement impossible, n'exigea en définitive que beaucoup de travail. Hollier et moi avions trimé consciencieusement, renonçant au temps dont nous avions besoin pour d'autres occupations. Urquhart McVarish s'était moins fatigué que nous : grâce à quelque don magique, il réussit à faire faire une grande partie du tri et de l'inventaire par la secrétaire d'Arthur Cornish, qui, à son tour, fournit deux hommes costauds capables de soulever, porter et déplacer des fardeaux.

Hollier et moi n'avions qu'à nous en prendre à nous-mêmes. McVarish était responsable des tableaux et des objets d'art ; ceux-ci étant souvent lourds et encombrants, on pouvait difficilement lui demander de faire le travail lui-même. Hollier, lui, s'occupait des livres, et il est le genre de personne qui ne peut souffrir que quelqu'un d'autre touche à un volume avant qu'il ne l'ait examiné attentivement ; or, à ce stade, il pouvait aussi bien le ranger à sa place définitive. Sauf qu'il y a rarement une place définitive pour des livres : les gens dont c'est le métier de les trier semblent toujours être en train de jongler, poussant les volumes d'un côté à l'autre et les entassant vertigineusement sur le plancher quand toutes les tables sont encombrées. Mon travail consistait à classer et à cataloguer les manuscrits et les cartons à dessins, et c'était là une tâche que je ne pouvais confier à personne d'autre. En fait, je ne voulais pas d'aide.

Aussi bien Hollier que moi n'avions aucune envie que quelqu'un se mêlât de nos affaires, et cela pour une raison que nous n'admîmes jamais complètement. Le testament comprenait une partie dans laquelle Cornish spécifiait quels objets devaient aller à la National Gallery, à la Provincial Gallery, à la bibliothèque de l'université et à celle du collège de Saint John and the Holy Ghost. Il avait établi cette liste deux ou trois ans avant sa mort. Cependant, dans l'intervalle, il avait continué à acheter avec son avidité et son insouciance coutumières. En fait, de grands paquets continuèrent à arriver alors qu'il était déjà enterré. Aussi y avait-il pas mal d'objets qui n'étaient pas mentionnés dans le testament et dont beaucoup étaient de première qualité. Or les dernières volontés de Cornish comportaient une clause selon laquelle chacun des exécuteurs testamentaires avait le droit de choisir pour lui-même quelque chose qui ne fût pas déjà attribué nommément, en remerciement de son travail et en tant que cadeau d'un vieil ami. Tout le reste serait dûment légué, par l'entremise d'Arthur Cornish. De toute évidence, nous devions choisir parmi ces acquisitions récentes. Je suppose qu'on pourrait qualifier notre conduite de tortueuse, mais nous ne voulions pas que les représentants des musées et des universités vinssent jeter un regard possessif sur tout ce qui était disponible : nous n'avions aucune envie de discuter, ou peut-être même de nous disputer avec eux au sujet de ce que nous avions l'intention de prendre. Nous avions incontestablement droit à notre récompense, mais la convoitise intellectuelle des institutions est si grande, et parfois si rancunière, que nous préférions ne pas l'éveiller inutilement.

En attendant notre réunion finale, nous tenions donc les bibliothécaires, les archivistes et les conservateurs à distance. Ensuite, ils pourraient tout vider.

Le jour J tomba un vendredi, en novembre. J'arrivai le

premier sur les lieux, suivi de près par McVarish. Me trouvant seul avec lui, je profitai de l'occasion pour m'acquitter de ma désagréable tâche.

« Tous les objets de mon département ont été inventoriés, dis-je, exception faite d'une pièce que Cornish mentionne dans une note incompréhensible : un manuscrit qui est resté introuvable. »

Urky prit un air interrogateur, mais réservé.

« Regardez, dis-je en sortant le carnet de Cornish d'une boîte dans laquelle je l'avais rangé pour les archivistes de l'université. Ici il parle de ce qu'il appelle un ''Ms Rab.'' qu'il a prêté à ''McV.'' en avril dernier. Qu'est-ce que cela pouvait bien être ?

— Pas la moindre idée.

— Mais, de toute évidence, McV., c'est vous. Lui avez-vous emprunté quelque chose ?

— Je n'emprunte jamais parce que je déteste prêter.

— Comment expliquez-vous cette note ?

— Je ne l'explique pas.

— Cela me met vraiment dans une situation difficile.

— Écoutez, Darcourt, ne vous montrez pas trop tatillon, ce serait absurde. Comment voulez-vous compter tous ces livres, ces manuscrits, ces objets : il doit y en avoir des milliers ! Aucune personne sensée ne peut nous demander de vérifier chaque bout de papier, chaque lettre. De mon côté, j'ai rassemblé beaucoup de choses sous la rubrique ''Divers''. Je suppose que Hollier et vous avez fait de même. Avec un homme aussi thésauriseur, mais complètement brouillon, que l'était Cornish, il n'est pas étonnant que certaines pièces se soient perdues. Ne vous tracassez pas pour cela.

— C'est plus fort que moi. S'il y a quelque part un manuscrit qui devrait être ici, mon devoir est de le récupérer et de veiller à ce qu'il soit transmis à la bibliothèque.

— Désolé. Je ne peux pas vous aider.

— Mais qui peut être ce McV. à part vous ?

— Darcourt, votre insistance me blesse. Insinuez-vous que j'ai piqué quelque chose ?

— Non, pas du tout ! Mais comprenez ma situation. Je suis bien obligé de vérifier la raison de cette note.

— Et c'est sur la base de quelques mots noyés au milieu d'un tas d'autres griffonnages — numéros de téléphone, adresses et rappels de Dieu sait quels événements du passé — que vous me harcelez ? Avez-vous retrouvé le reste des objets mentionnés dans ce fouillis de carnets ?

— Bien sûr que non. Mais cette note-ci est différente : elle dit que Cornish vous a prêté quelque chose. Je ne fais que vous poser la question.

— Je vous donne ma parole d'honneur que j'ignore tout de cette affaire. »

Quand quelqu'un vous donne sa parole d'honneur, vous êtes censé l'accepter, ou alors il faut être prêt à faire un esclandre. A certains moments, on devrait être téméraire, mais moi j'hésitai. Dans ce genre de confrontations, c'est le plus obstiné qui a le dessus. Je ne sais si c'est parce que mon déjeuner avait été trop lourd, parce que je hais les disputes ou parce que le type sheldonien d'Urky l'emportait légèrement sur le mien dans des affaires de ce genre, toujours est-il que je laissai passer l'occasion. J'étais mécontent, mais le code supposé régir les rapports entre érudits m'interdisait d'en dire plus. Tout cela me mit évidemment mal à l'aise et me conforta dans ma conviction qu'Urky avait gardé le manuscrit dont m'avait parlé Hollier. Mais si je ne pouvais pas lui faire rendre gorge avec le genre de questions que je lui avais posées, devais-je maintenant le dénoncer et exiger … quoi ? Qu'on fouillât sa maison ? Impossible ! En appeler à Arthur Cornish ? Mais Arthur comprendrait-il qu'un manuscrit égaré était une affaire sérieuse, et, si oui, serait-il prêt à y donner suite ? Hollier me soutiendrait-il ? Et si je provoquais tout ce scandale et que le manuscrit parvenait finalement à la bibliothèque, Hollier et sa Maria pourraient-ils jamais mettre la main dessus ? Si McVarish le rendait, ne pourrait-il pas prendre les précieuses lettres rangées dans le rabat du porte-documents et nier qu'il les eût jamais vues ? Tout l'écheveau d'arguments qui surgissent dans l'esprit d'un homme qui vient d'avoir le dessous dans une discussion traversèrent mon cerveau en quelques secondes. Mieux valait regarder la vérité en face : j'avais reculé, un point c'est tout. Urky avait gagné et je m'en étais probablement fait un ennemi.

L'arrivée de l'avoué, de l'expert de Sotheby et de la secrétaire que Cornish avait affectée à ce travail mit fin à cette désagréable situation. Hollier et Arthur Cornish apparurent peu après et nous pûmes régler les dernières formalités. Le représentant de Sotheby's jura que l'estimation préparée par sa société était conforme aux évaluations modernes de ce genre d'objets ; Hollier, McVarish et moi-même jurâmes que nous avions exécuté nos tâches au mieux de nos capacités. En fait, tout cela n'était que de la frime : le seul moyen de découvrir la valeur actuelle des collections de Cornish, c'était de les vendre, et notre compétence en tant qu'exécuteurs testamentaires reposait sur l'opinion que Cornish avait eue de nous plutôt que sur une quelconque expérience professionnelle. Mais comme on avait besoin de documents pour homologuer le testament, nous fîmes ce qu'il y avait à faire. L'avoué et l'expert de Sotherby's partirent. Arriva alors le moment tant attendu.

« Eh bien, que choisirez-vous, messieurs ? demanda Arthur Cornish en regardant McVarish, qui était notre aîné.

— Je prendrai ceci », dit Urky.

Il se dirigea vers une table placée dans un coin, au fond de la pièce, et posa sa main sur une statuette en bronze qui se dressait au milieu d'un groupe de pièces similaires. Urky avait choisi la meilleure. Et pourquoi pas ? Elle représentait Vénus. L'expert de Sotheby's avait dit que c'était un Canova — un bon Canova.

Je fus reconnaissant à Urky d'avoir ainsi donné le ton. L'objet choisi avait incontestablement de la valeur ; cependant, parmi les autres trésors de la collection, ce n'était manifestement pas celui qui était le plus précieux. Urky s'était montré avisé, mais non cupide.

« Professeur Hollier ? » demanda Arthur.

Je savais combien Hollier souffrait d'avoir à révéler ses préférences. La situation ressemblait trop à celle où un enfant est emmené dans une confiserie le jour de son anniversaire et prié de choisir ce qu'il veut, sous l'œil indulgent des adultes. Cependant, il finit par parler.

« Ces livres, si personne n'y voit d'objection. »

Il avait choisi les quatre volumes de l'*Historia Animalium* de Konrad Gesner, un magnifique exemple de l'art de fabriquer un livre au XVIᵉ siècle.

« Bravo, Hollier ! approuva Urky. Le Pline allemand — exactement votre homme.

— Professeur Darcourt ? » interrogea Arthur.

Je crois que je fus aussi embarrassé que Hollier, mais c'eût été absurde de faire des manières. Quand est-ce qu'une telle occasion se représenterait ? Jamais. Aussi, après avoir feint de ne pas savoir exactement où chercher, je posai sur la table une chemise en papier brun qui contenait deux élégants dessins — des caricatures — aux couleurs pâles. On ne pouvait se tromper sur leur auteur.

« Des Beerbohm ! s'écria Urky en se précipitant en avant. Vous êtes un petit malin, Simon ! Si j'avais su qu'il y en avait, j'aurais peut-être changé d'avis. »

Bien que faite sur un ton badin, cette remarque me donna envie de l'étrangler.

Une fois nos choix arrêtés, nous portâmes nos cadeaux sur une table située au milieu de la pièce, où tout le monde les contempla. La secrétaire nous demanda des descriptions de ces objets de manière à pouvoir les communiquer aux avoués. C'était une femme sympathique et j'aurais bien voulu qu'elle reçût une récompense, elle aussi. Arthur Cornish posa à Hollier des questions sur Gesner.

« En fait, c'était un Suisse, et non un Allemand, précisa

Clem avec un entrain inaccoutumé. Un homme d'une immense érudition. Mais c'était surtout un grand botaniste. Dans ces quatre volumes, il a réuni tout ce que l'on savait sur les animaux connus en 1550. Cet ouvrage est une mine de faits et d'hypothèses, mais il se veut scientifique, à la différence de ces bestiaires du Moyen Âge qui ne rapportaient que des légendes ou des contes de bonnes femmes.

— Je croyais que les contes de bonnes femmes étaient justement votre spécialité, commenta Urky.

— Ma spécialité, c'est le développement du savoir scientifique, répondit Hollier sans aménité.

— Voyons ces Beerbohm, dit Urky. Oh ! quelle merveille ! *Typologie universitaire.* Regardez Magdalen ! Quel dandy ! Et Balliol, avec son énorme front ruisselant d'orgueil intellectuel, et Brasenose, avec d'énormes épaules et une tête d'enfant ! Et Merton — tiens ! c'est un adorable petit portrait de Max en personne ! Que représente l'autre dessin ? *Le Vieux Moi et le Jeune Moi : Cosmo Gordon Lang.* Qu'est-ce qu'ils disent ? Jeune Moi : *Je n'arrive pas à décider si je dois faire carrière au théâtre ou dans l'Église. Les deux offrent de telles perspectives d'avenir...* Vieux Moi : *Tu as fait le bon choix : l'Église m'a donné un rôle dans une vraie abdication.* Oh ! Simon, espèce de vieux renard ! Ces dessins ont vraiment de la valeur, vous savez ! »

Évidemment qu'ils en avaient, mais ce n'était pas cela qui m'importait : ils étaient tellement représentatifs de l'esprit de Max ! Comme ils auraient plu à Ellerman !

« Je ne les vendrai jamais, déclarai-je plus sèchement qu'il n'était peut-être sage. Et je les léguerai.

— Pas à Spook, j'espère », dit Urky.

Quel insupportable indiscret que cet homme !
Arthur remarqua mon irritation. D'un geste appréciateur, il passa sa main sur le dos nu du bronze.

« Vraiment très beau, dit-il.

— Savez-vous ce qui m'a finalement décidé à choisir cette statuette ? demanda Urky. Regardez cette femme. Ne vous rappelle-t-elle pas quelqu'un ? Quelqu'un que nous connais-sons tous les quatre ? ... Regardez-la attentivement. C'est le portrait craché de Maria Magdalena Theotoky.

— Oui, je vois une certaine ressemblance, admit Arthur.

— Bien qu'il nous — ou plutôt me — soit impossible de répondre de tout le corps, ajouta Urky. Mais il est vrai que, de nos jours, il est facile de deviner ce qui se cache sous les vêtements. Qui en était le modèle ? Probablement une dame de la cour de Napoléon. Canova doit l'avoir connue intimement. Regardez le détail du modelage. »

La Vénus de bronze mesurait une soixantaine de centimè-tres. Un pied posé sur le genou de son autre jambe, elle laçait soigneusement sa sandale. Elle avait quelque chose de particulier : sa vulve. En règle générale, les sculpteurs représentent cette partie de l'anatomie féminine comme une protubérance lisse ; ici, elle était dessinée d'une manière assez réaliste. Ce détail n'avait rien de pornographique : il possédait la grâce et l'amour des formes féminines que Canova savait si bien exprimer dans son œuvre.

Il m'est difficile d'être juste envers Urky. Il goûtait certainement la beauté de la figurine, mais la lueur humide que j'apercevais dans son œil indiquait qu'il l'appréciait également sur un plan érotique... Et pourquoi pas, Darcourt, espèce d'affreux puritain ? A quoi correspond ta réaction ? A quelque notion stupide datant du XIXᵉ siècle qui veut bannir la sensualité de l'art, ou à une autre, du XXᵉ siècle, selon laquelle le corps humain doit être simplement un assemblage de plans et de volumes ? Non, ce n'était pas ça : je n'aimais pas l'attitude d'Urky envers la Vénus parce qu'il l'avait comparée à une fille que je connaissais, et que Hollier connaissait encore mieux que moi, pour nous embarrasser. Ce que j'aurais accepté sans broncher d'un autre homme, je ne le supportais pas venant d'Urky.

« Vous êtes d'accord avec moi, n'est-ce pas, Hollier ? Cette statue ressemble à Maria ?

— Je suis tout à fait d'accord avec vous, déclara Arthur, à la surprise générale.

— Elle est vraiment sensationnelle, vous ne trouvez pas ? dit Urky à Arthur, mais en regardant Hollier. Par simple curiosité, j'aimerais savoir où vous la placeriez sur l'échelle de Rushton. »

Nous nous regardâmes d'un air déconcerté.

« Allons, vous connaissez sûrement ce classement ! Il a été inventé par W.A.H. Rushton, le célèbre mathématicien de Cambridge. Voilà : Hélène de Troie est prise comme un absolu de la beauté féminine. Selon le poète, son visage a fait sortir mille bateaux en mer. Par visage, il faut bien sûr entendre toute la femme. Par conséquent, appelons un visage qui fait sortir mille bateaux en mer un *hélène*. Mais qu'est-ce qu'un visage qui n'en fait sortir qu'un seul ? Un *millihélène*, évidemment. Il doit y avoir un classement situé entre ces deux pôles pour tous les autres visages ayant la moindre prétention à la beauté. Prenez Garbo, par exemple : elle doit valoir 750 *millihélènes*, car si sa figure est exquise, elle est maigre et affligée de grands pieds. Maria, en revanche, me paraît parfaite sous tous les aspects que j'ai eu le plaisir d'examiner, et, manifestement, les vêtements qu'elle porte ne sont pas destinés à dissimuler des défauts. Alors, à combien l'évaluons-nous ? Je propose 850 *millihélènes* pour Maria. Qui dit mieux ? Arthur ?

— Maria est une amie, et je n'évalue pas mes amis selon un calcul mathématique.

— Oh ! Arthur, ce que vous pouvez être vieux jeu ! Il ne faut jamais mentionner le nom d'une dame au mess, c'est ça, votre principe ?

— Qualifiez-moi de ce que vous voudrez. J'estime simplement qu'il y a une différence entre une statue et quelqu'un que je connais personnellement.

— *Vive la différence**! » dit Urky.

* En français dans le texte (N.d.T.).

Hollier respirait avec bruit et je me demandai ce qu'Urky savait. Car s'il savait quelque chose, le monde entier le saurait bientôt, et cela sous la forme que lui aurait imposée son esprit déplaisant. Toutefois, je ne voyais pas comment il aurait pu apprendre quoi que ce fût sur les relations entre Hollier et Maria. Ni ce que cela pouvait me faire. Mais, de toute évidence, cela m'ennuyait. Je jugeai qu'il était temps de changer de sujet de conversation. La secrétaire d'Arthur avait l'air malheureuse : elle sentait dans l'air une incompréhensible tension.

« Je voudrais faire une proposition, dis-je. Le testament de notre vieil ami Francis Cornish dit que ses exécuteurs ont droit à une des pièces de ses collections à titre de souvenir. Nous avons présumé qu'il pensait à nous trois. Mais son neveu n'est-il pas exécuteur lui aussi ? Arthur, le premier jour où nous nous sommes réunis ici, vous vous êtes intéressé à un tableau : une petite esquisse de Varley.

— Il est destiné à la Provincial Gallery, dit aussitôt Urky. Désolé, mais il est réservé.

— Oui, je sais, dis-je. Mais on m'a dit que vous étiez un amateur de musique, Arthur. Un collectionneur de partitions autographes, en fait. Il y a ici deux ou trois choses non retenues qui pourraient vous plaire. »

Arthur était flatté comme le sont souvent les riches quand quelqu'un se souvient qu'eux aussi sont humains et que tout n'est pas forcément à leur portée. Je sortis l'enveloppe que j'avais préparée. Les yeux d'Arthur se mirent à briller quand il vit le manuscrit autographe — quatre pages élégantes et délicates — d'une chanson de Ravel et six ou huit mesures griffonnées par Schœnberg dans son écriture si puissante et si caractéristique.

« Je serais ravi d'avoir ces documents, dit Arthur. Merci d'avoir pensé à moi. Je m'étais dit que je pourrais peut-être choisir quelque chose, mais après mon expérience avec le Varley, je n'ai pas voulu insister. »

Oui, mais nous le connaissions, à présent, et l'aimions

davantage que lorsqu'il jetait des regards de convoitise sur le Varley. Arthur gagnait à être connu.

« Si notre affaire est réglée, dis-je, j'aimerais partir. Nous vous attendons à Ploughwright à six heures. En tant que vice-recteur, je dois m'occuper de certaines choses. »

Je pris mes Beerbohm, Hollier coinça deux gros volumes de Gesner sous chacun de ses bras et McVarish, dont la récompense était lourde, demanda à la secrétaire de lui appeler un taxi. Aux frais de la succession Cornish, sans aucun doute.

C'est avec regret que je quittai le vaste ensemble des appartements de Cornish, où j'avais si souvent maudit le travail que m'avait imposé le défunt. Vider la grotte d'Aladin avait été une aventure.

## 2

Être vice-recteur représente assez peu de travail, et j'avais volontiers accepté cette charge parce qu'elle m'assurait un bon appartement dans le collège. Réservé aux étudiants diplômés, Ploughwright était une oasis de paix sur un campus grouillant d'activité. Les soirs de réception, je devais veiller au bon ordre du service et à la qualité du vin et de la nourriture, dans la mesure des moyens du collège. Car elles nous coûtaient cher, ces soirées. Elles perpétuaient toutefois une vieille tradition que les universités modernes semblent parfois avoir oubliée : celle de l'hospitalité entre érudits. Il ne s'agissait pas d'un repas où des gens viennent marchander et conclure des affaires, d'un sordide et indigeste déjeuner de travail ni d'un ennuyeux symposium avec un sujet de conversation unique, mais d'un dîner donné tous les quinze jours par les membres du collège pour la seule raison que c'était l'une des victoires de la civilisation sur la barbarie, du sentiment humain sur la scolastique poussiéreuse, l'affirmation que la vie de l'érudit était une bonne vie. Ozy Froats

m'avait classé parmi les hommes qui aiment les cérémonies,
et il avait raison. Nos soirées étaient des cérémonies et
j'apportais tout mon soin à ce qu'elles le fussent vraiment,
au meilleur sens du terme : je voulais que les gens y
participent parce qu'elles étaient irrésistibles plutôt que
simplement inévitables.

En ce vendredi de novembre, nous avions plusieurs invités :
Mme Skeldergate, députée à l'assemblée provinciale et
présidente d'une commission qui étudiait le financement des
universités, et je m'étais arrangé pour que les autres fussent
Hollier et Arthur Cornish — ce qui entraînait l'invitation de
McVarish — afin de fêter modestement la fin de notre travail
chez Cornish. Arthur nous aurait peut-être invités pour cela,
mais j'avais décidé de le devancer : je déteste l'idée que la
personne la plus riche d'un groupe soit toujours obligée de
payer l'addition.

En plus des sus-nommés, assistaient à cette soirée quatorze
membres de Ploughwright, sans compter le recteur et moi-
même. En dépit de la divergence de nos spécialisations
universitaires, nous formions un groupe cohérent. Il y avait
Gyllenberg, un éminent professeur de la faculté de médecine,
Durdle et Deloney, responsables de deux domaines différents
du département de langue et de littérature anglaise, Elsa
Czermak, l'économiste, Hitzig et Boys, des départements de
physiologie et de physique, Stromwell, le médiéviste, Ludlow,
le juriste, Penelope Raven, de littérature comparée, Aronson,
l'informaticien, Roberta Burns, la zoologiste, Erzenberger et
Lamotte, respectivement professeur d'allemand et de français,
et Mukadassi, un invité du Centre d'études de l'Asie orientale.
Avec McVarish, du département d'histoire, Hollier et son
domaine médiéval mal défini, mais objet de nombreux
commentaires, Arthur Cornish, le financier, le recteur, qui
était philosophe (ses détracteurs disaient qu'il aurait été plus
heureux dans une université du XIXᵉ siècle, quand existait
encore la section de philosophie morale), et moi-même, un

humaniste, nous présentions un assez large éventail d'intérêts, et j'espérais que la conversation serait animée.

Je n'étais pas le seul. Alors que nous descendions du réfectoire pour continuer notre dîner dans le salon des professeurs titulaires, Urky McVarish me prit par le bras et me murmura de sa voix la plus caressante — un vrai velours quand il le voulait :

« C'est charmant, Simon, tout à fait charmant. Savez-vous ce que ce dîner me rappelle ? Bien entendu, vous connaissez mon enthousiasme pour Rabelais — que je dois à mon célèbre ancêtre. Eh bien, il me remet à l'esprit ce merveilleux chapitre sur la fête villageoise au cours de laquelle naquit Gargantua et où les paysans boivent en bavardant et en plaisantant. Vous rappelez-vous comment sir Thomas a traduit le titre de ce chapitre : *How they chirped over their cups**. C'était extrêmement agréable au réfectoire — les jeunes assistants sont si charmants —, mais j'attends avec impatience d'être dans le salon, où les érudits jacasseront devant leurs coupes avec plus d'exubérance encore. »

D'un pas pressé, il me quitta pour aller aux toilettes. En ce point de notre soir de réception, nous faisons toujours une pause pour permettre aux convives de se retirer, se soulager, rincer leurs dentiers s'il en est besoin et se préparer pour la suite. Je sais : je suis exagérément sensible à tout ce que dit McVarish, mais j'aurais préféré qu'il ne comparât pas notre plaisante réunion à une fête rabelaisienne. Certes, dans quelques instants, nous allions nous attabler devant des noix, des fruits et du vin, mais c'était principalement pour converser. Quel besoin avait Urky d'en parler comme d'une de ces beuveries paysannes chères à son auteur préféré ? Urky, toutefois, n'était pas bête. Chargé, en tant que vice-recteur, de veiller à ce que les carafes soient pleines, qu'Elsa Czermak ait son cigare et Lamotte, atteint de la goutte, son eau

---

* « Où l'on jacasse devant des coupes pleines. » (N.d.T.).

minérale, j'aurais le privilège de pouvoir circuler autour de la table et d'entendre les érudits jacasser devant leurs coupes.

« Oh ! que c'est joli ! s'écria Mme Skeldergate en entrant dans le salon. Quel luxe !

— Pas vraiment, dit le recteur, qui était assez chatouilleux sur ce chapitre. Et je peux vous assurer que pas un sou des subsides gouvernementaux n'est employé à cela. Vous êtes notre invitée et non pas celle de ces pauvres citoyens écrasés d'impôts.

— Mais toute cette argenterie ..., insista la députée. Cela surprend dans un collège. »

Le recteur ne put laisser passer cette remarque. Vu la fonction de Mme Skeldergate, je le comprends parfaitement.

« Des dons, expliqua-t-il. Et, croyez-moi, si l'on vendait aux enchères tout ce qui se trouve sur cette table, cela ne rapporterait même pas assez d'argent pour couvrir les frais hebdomadaires d'un labo comme celui de... » — ne connaissant pas grand-chose aux laboratoires, il hésita — « ... comme celui du professeur Oats, par exemple. »

Femme politique, Mme Skeldergate était diplomate.

« Nous attendons tous de grandes choses du professeur Froats : des faits nouveaux sur le cancer, peut-être ? »

Elle se tourna vers Archy Deloney, qui se tenait à sa gauche :

« Qui est ce bel homme au visage marqué près du haut bout de la table ?

— Clement Hollier. Il fouille dans les cendres de la pensée du passé. C'est vrai qu'il est beau, n'est-ce pas ? Quand le doyen, parlant de lui, l'a qualifié d'''ornement de notre université'', nous ne savions pas s'il se référait à son physique ou à son travail. Mais marqué par la vie. « Une noble épave d'une perfection désolée », comme dirait Byron.

— Et cet homme qui place les gens ? Je sais qu'on nous a présentés, mais je n'ai aucune mémoire des noms.

— C'est notre vice-recteur, Simon Darcourt. Pauvre vieux Simon ! Il se bat vaillamment contre ce que Byron appelait son "hydropisie huileuse" — en d'autres termes, la graisse. Un type très sympa. Pasteur, comme vous pouvez le voir. »

Cela lui était-il égal, à Deloney, que j'entende son commentaire ? Ou avait-il fait exprès de parler si fort ? Hydropisie huileuse, en effet ! Ce que ces ectomorphes osseux peuvent être méchants ! Mais il y a de grandes chances pour que moi je sois encore gaillard quand Archy Deloney sera perclu de rhumatismes. Vivent mes douze mètres de viscères et tout ce qui va avec !

L'air pâle, le professeur Lamotte se tamponnait le front avec un mouchoir, et je compris que Roberta Burns avait marché sur son pied enflé par la goutte. Elle était navrée.

« Aucune importance, lui assura Lamotte avec sa courtoisie habituelle.

— Mais si, mais si, insista Roberta Burns, une Écossaise ergoteuse, mais un cœur d'or. Tout a de l'importance. L'univers a environ quinze milliards d'années et je suis sûre que pendant tout ce temps il ne s'est jamais produit le moindre événement qui n'ait pas eu de l'importance, n'ait pas contribué, d'une certaine manière, à la structure du tout. Cela vous soulagerait-il de me frapper assez fort, juste une fois ? De me donner une bonne gifle, par exemple ? »

Mais Lamotte reprenait des couleurs, et il tapota en riant l'oreille de son interlocutrice.

Le recteur, qui avait entendu ce petit discours, lança :

« Je suis d'accord avec vous, Roberta : tout a de l'importance. C'est ce qui donne de la vitalité à tout le domaine de la spéculation éthique. »

Le recteur ne sait pas parler de futilités, aussi les membres plus jeunes aiment-ils à le taquiner.

« Mais, monsieur, vous devez tout de même admettre l'existence de choses parfaitement sans valeur ni signification ! intervint Deloney. Comme la grande dispute qui fait rage actuellement au Centre d'études celtiques. En avez-vous entendu parler ? »

Le recteur répondit par la négative.

« Comme vous le savez, c'est une vraie bande de poivrots. Ils boivent de l'alcool, et non pas le jus de la treille, comme nous, qui sommes des gens civilisés. A l'une de leurs réunions, la semaine dernière, Darragh Twomey, soûl comme une bourrique, a hardiment soutenu que *Mabinogion* était en réalité une épopée irlandaise, que les Gallois la leur avaient piquée et complètement gâtée. Le professeur John Jenkin Jones a relevé le défi et ils en sont venus aux mains.

— Pas possible ! s'exclama le recteur en feignant d'être atterré.

— Ce n'est pas tout à fait vrai, Archy, déclara le professeur Penelope Raven. (Elle tournait autour de la table, cherchant la carte qui indiquait sa place.) Il n'y a pas eu de bagarre. Je le sais : j'étais là.

— Penny, vous dites cela pour les défendre, répliqua Deloney. Il y a eu échange de coups. Je le tiens d'une source sûre.

— Pas de coups !

— Ils se sont bousculés, alors.

— Un peu, peut-être.

— Et Twomey est tombé.

— Il a glissé. C'est vous qui en faites une épopée.

— Il se peut, mais la violence, à l'université, est tellement dérisoire qu'on se prend à souhaiter quelque chose de plus sérieux, pour un motif vraiment valable. Si l'on n'exagérait pas, on se sentirait tout petit. »

Ce n'est pas ainsi qu'est censée se dérouler une soirée de réception. Une fois assis, nous parlons poliment à nos voisins de droite et de gauche, mais des gens comme Deloney et Penny Raven ont tendance à crier et à intervenir dans la conversation des autres. Le recteur prit un air malheureux — sa façon à lui de marquer sa réprobation. Penny, alors, se tourna sagement vers Aronson et Deloney, vers Erzenberger.

« Est-il vrai que lorsqu'on ouvre l'abdomen d'un Irlandais on découvre quatre fois sur cinq qu'il a un estomac d'acier ? » murmura Penny.

Gyllenborg, un Suédois, réfléchit un moment, puis répondit :

« C'est une chose que je n'ai encore jamais constatée. »

« Qu'avez-vous fait aujourd'hui ? demanda Hitzig à Ludlow.

— J'ai lu les journaux et j'en ai vraiment marre. Tous les jours, une bande de paniquards nous annoncent dans leurs articles que le ciel va nous tomber sur la tête.

— Ne me dites pas que vous faites partie de ces personnes qui s'étonnent de ce que les grandes nouvelles soient toujours mauvaises. L'humanité adore le mal. Cela a toujours été et sera toujours ainsi.

— Oui, mais l'ennui c'est que le mal soit tellement répétitif. Personne n'a l'air de trouver de variations sur les vieux thèmes. Comme le déploraient nos amis assis un peu plus loin, un manque d'originalité banalise le crime. C'est pour cela que les romans policiers sont si populaires : les meurtres y sont toujours ingénieux. Dans la réalité, ils ne le sont pas : c'est sans cesse la même histoire. Si je voulais assassiner quelqu'un, j'inventerais une arme vraiment originale. J'ouvrirais le congélateur de ma femme et en sortirais une miche de pain gelée. En avez-vous jamais regardé une de près ? On dirait une grosse pierre. Vous assommez votre victime — votre femme, par exemple — avec ce pain, puis vous le décongelez et le mangez. La police cherchera vainement l'arme du crime. Une nouveauté, vous voyez.

— La police vous trouverait, dit Hitzig, qui connaissait bien Nietzsche et était enclin au pessimisme. Je crois que cette méthode a déjà servi.

— C'est probable, mais au moins j'aurais ajouté un détail nouveau à la monotone histoire d'Othello. J'entrerais dans les annales du crime sous le nom de l'"assassin à la miche de pain". Je reconnais que nous vivons dans un monde de violence, mais, ce que je lui reproche, c'est de manquer d'imagination. »

« J'ai l'impression que cela fait quelque temps que la violence n'a plus joué de rôle dans la vie des étudiants, dit Mme Skeldergate au recteur.

— Grâce à Dieu ! répondit celui-ci. Je crois toutefois qu'on a exagéré celle qu'il y a eu. Les médias en ont parlé comme d'un fait sans précédent. Pourtant, les universités européennes sont constamment en effervescence et les étudiants font inlassablement de la politique. Combien de fois dans l'histoire ne rencontre-t-on cette phrase : "Les étudiants manifestèrent dans les rues" ? Bien entendu, nous traitons les nôtres d'une façon beaucoup plus humaine qu'on ne le fait en Europe. J'ai des collègues, à la Sorbonne, qui se vantent de ne jamais avoir parlé à un étudiant en dehors de la salle de cours. Ils ne veulent pas les connaître personnellement. Comme vous le savez, cela est très différent de la tradition anglaise et américaine.

— Vous pensez donc que tout ce tumulte n'a pas apporté de vrais changements ?

— Mais si ! Il en a certainement apporté ! Chez nous, les rapports entre étudiant et professeur ont toujours été ceux du disciple et du maître. C'est en partie le désir de les transformer en une relation consommateur-vendeur qui a provoqué l'agitation. Cette idée s'est aussi emparée du public, et, par voie de conséquence, les gouvernements — excusez ma franchise — se sont mis à parler le même langage : "Dans les cinq ans à venir, nous aurons besoin de sept cents ingénieurs. Tâchez de nous les procurer, professeur, voulez-vous ?" Ou bien : "Vous ne trouvez pas que la philosophie est une matière superflue en cette période d'austérité, professeur ? Essayez de réduire votre personnel dans cette branche." La notion d'études à consommer tout de suite est plus populaire que jamais ; personne ne veut voir les choses à long terme ni prendre en considération le niveau intellectuel de la nation. »

Consternée, Mme Skeldergate comprit qu'elle avait ouvert un robinet qu'elle ne pouvait plus fermer. Le recteur était bien lancé, mais, auditrice expérimentée, la députée continua d'écouter sans montrer le moindre signe d'ennui.


Le professeur Lamotte était encore en train de se remettre de l'attaque lancée contre son pied malade quand, à sa surprise, McVarish se pencha soudain devant lui et demanda au professeur Burns :

« Roberta, vous ai-je jamais montré mon os pénien ? »

Le professeur Burns, qui était zoologiste, ne sourcilla même pas.

« Vraiment, vous en avez un ? fit-elle. Je sais qu'ils étaient assez communs autrefois, mais cela fait des siècles que je n'en ai plus vu. »

McVarish détacha un objet de sa chaîne de montre et le lui tendit.

« XVIIIe siècle, dit-il. Très beau spécimen.

— Oh ! mais c'est une petite merveille ! Regardez ça, Lamotte. C'est l'os pénien d'un raton laveur. Très répandus autrefois comme cure-dents. Et les tailleurs s'en servaient pour défaire les bâtis. Très intéressant, Urky. Mais je parie que vous n'avez pas de blague à tabac faite avec un scrotum de kangourou. Mon frère m'en a envoyé une d'Australie. »

Le professeur Lamotte regarda l'os pénien d'un air dégoûté.

« Vous ne trouvez pas ça assez répugnant ? demanda-t-il.

— Je ne me cure pas les dents avec, répondit Urky. Je ne fais que le montrer aux dames dans les réunions mondaines.

— Vous m'étonnez.

— Allons, allons, René ! Vous, un Français !... Un peu d'indécence délasse les esprits subtils. *La nostalgie de la*

*boue** et tout ça. D'indécence et même de saleté. Cela libère
l'intellect surmené. Comme chez Rabelais, vous savez.

— Je sais que vous admirez beaucoup cet auteur, dit
Lamotte.

— C'est de famille. Mon ancêtre, sir Thomas Urquhart,
fut le premier et, jusqu'à ce jour, le meilleur traducteur de
Rabelais en anglais.

— Oui, il a beaucoup amélioré l'original », dit Lamotte.

Urky, toutefois, était insensible à toute ironie autre que la
sienne. Il se mit à parler de sir Thomas Urquhart au professeur
Burns, agrémentant ses propos de quelques citations obscènes.


Pendant que je tournais autour de la table, m'acquittant
de ma tâche de vice-recteur, je constatai avec plaisir qu'Arthur
Cornish avait l'air de bien s'entendre avec le professeur
Aronson, une célébrité dans le département d'informatique
de notre université. Ils parlaient du fortran, ce langage des
formules et de la transposition auquel Arthur, plongé dans
le monde de la finance, s'intéressait d'un point de vue
professionnel.


« Croyez-vous que, tout à l'heure, nous devrions demander
à Mme Skeldergate ce qui se dit à l'une des assemblées
régionales au sujet de ce pauvre Ozias Froats ? dit Penelope
Raven à Gyllenborg. Parce que cet homme est totalement
incompris. Non pas que je sache grand-chose sur ce qu'il
fait, mais personne ne peut être aussi bête que le prétendent
certains de ces idiots.

— A votre place, je m'abstiendrais, conseilla Gyllenborg.
Rappelez-vous notre règle : ne jamais parler affaires ni
demander des services un soir de réception. Et, pour ma
part, j'ajouterai : ne jamais essayer d'expliquer une question

* En français dans le texte (N.d.T.).

scientifique à des gens qui veulent se tromper. Froats s'en sortira. Les personnes compétentes lui font confiance. A l'assemblée, souvent, la démocratie s'emballe et tourne à vide : tout le monde y va de son petit discours qui ne repose sur aucune information sérieuse. Ne jamais rien expliquer, telle est ma règle de vie.

— Mais j'aime expliquer ! protesta Penny. Les gens ont des idées tellement farfelues sur les universités et les professeurs. Avez-vous lu la notice nécrologique qu'on a publiée sur ce pauvre Ellerman ? Vous ne croiriez jamais qu'elle parle de l'homme que nous avons connu. Les faits sont plus ou moins exacts, mais ils ne rendent pas compte de ce qu'Ellerman a vraiment été ; or il était remarquable. Si on avait voulu le démolir, ç'aurait été facile. Ce roman-fleuve loufoque qu'il écrivait. C'était censé être un grand secret, mais il en parlait "confidentiellement" à tout le monde. Il y était question d'une sorte de femme idéale qu'il avait inventée pour son propre plaisir et à laquelle il faisait l'amour dans une prose quasi élisabéthaine. Si jamais quelqu'un mettait la main dessus...

— Impossible, déclara le professeur Stromwell, assis de l'autre côté de la table. Il n'existe plus.

— Ah oui ? fit Penny. Que lui est-il arrivé ?

— Je l'ai brûlé. Ellerman voulait qu'il fût détruit.

— Ce manuscrit n'aurait-il pas dû aller aux archives ?

— A mon avis, beaucoup trop d'écrits vont aux archives et acquièrent de ce fait une importance absurde. Jugez un homme d'après ce qu'il publie et non pas d'après ce qu'il cache dans un tiroir.

— Ce roman était-il vraiment aussi cochon qu'Ellerman le laissait entendre ?

— Je ne sais pas. Il m'a demandé de ne pas le lire et j'ai respecté sa volonté.

— Et voilà, une autre grande œuvre de perdue ! Ellerman était peut-être un remarquable artiste dans le domaine de la pornographie...

— Certainement pas, intervint Hitzig. Il était beaucoup trop attaché à l'idéal universitaire. S'il avait été essentiellement un artiste, il n'aurait peut-être pas été aussi heureux ici. La caractéristique d'un artiste, c'est le mécontentement. Les universités produisent de bons critiques, mais pas d'artistes. Bien que nous soyons des gens formidables, nous les universitaires, nous sommes enclins à oublier les limites du savoir : celui-ci est incapable de créer.

— Allons, vous exagérez ! s'écria Penny. Je pourrais vous nommer un tas d'artistes qui ont vécu dans des universités.

— Oui, mais pour chacun d'eux, je pourrais vous en nommer vingt qui ont vécu ailleurs, maintint Hitzig. Ce que les universités fabriquent le plus souvent, et le mieux, ce sont des scientifiques. La science est découverte et révélation ; elle n'est pas créatrice.

— Ah, je vois. L'investigation respectueuse de la nature.

— Découvrir des vides dans la connaissance de la réalité concrète et les combler pour le plus grand bien de l'humanité, proposa Gyllenborg.

— Qu'appelleriez-vous les lettres, alors ? demanda Penny. La civilisation, je suppose.

— La civilisation repose sur deux choses, déclara Hitzig : la découverte de la fermentation alcoolique et la faculté d'inhiber volontairement la défécation. Sans elles, où en serait notre petite fête si civilisée de ce soir, hein ?

— La fermentation relève incontestablement de la science, admit Gyllenborg. Mais l'inhibition volontaire doit être un phénomène psychologique. Or, si quelqu'un vient me dire que la psychologie est une science, je hurle.

— Non, non, rassurez-vous, dit Stromwell, vous êtes dans mon domaine, à présent. L'inhibition de la défécation est essentiellement une question théologique, et certainement l'une des conséquences de la chute de l'homme. Et, comme tout le monde le reconnaît aujourd'hui, elle correspond à la naissance de la conscience individuelle, à la séparation de l'individu de la tribu, ou de la masse. Les animaux n'ont pas cette faculté, comme peut vous l'assurer n'importe quel régisseur qui doit faire passer un cheval sur scène sans que la bête ne laisse de traces. Les animaux se connaissent, mais d'une façon très vague, encore plus vague que nous ne nous connaissons, nous, les maîtres du monde. Quand l'homme mangea le fruit de l'arbre de la connaissance du bien et du mal, il prit conscience qu'il était autre chose qu'une partie de son environnement et il laissa tomber sa dernière crotte insouciante quand, ''quittant l'Éden d'un pas lent, il entama sa longue errance solitaire''. Ensuite, il fut obligé, littéralement, de regarder où il mettait les pieds.

— Son errance solitaire ! ironisa Penny Raven. Cela ressemble bien à ce vieux grincheux de Milton. Et Eve, alors, elle comptait pour du beurre ?

— Chaque enfant refait la même expérience, celle de découvrir son unicité, dit Hitzig sans prêter attention à cette sortie féministe.

— Chaque enfant répète toute l'histoire de la vie, déclara Gyllenborg. Avant de connaître l'inhibition, il commence par être poisson.

— Chaque enfant répète la chute de l'homme, ajouta Stromwell. Il est expulsé du paradis, le ventre de sa mère, pour entrer dans le monde des épreuves. Dites-moi, monsieur le vice-recteur, ces gens en bout de table ont-ils complètement oublié que les carafes sont censées circuler ? »

M'arrachant à un exposé d'Arthur Cornish sur l'usure — pratique qu'il désapprouvait bien qu'elle le fascinât —, je fis encore une fois le tour de la table pour voir si tout le monde avait ce qu'il fallait et débloquer les carafes. Celles-ci s'étaient arrêtées devant le professeur Mukadassi, qui ne buvait pas et semblait absorbé par ce que lui disait Hollier. Je constatai avec plaisir que Clem s'amusait, car il est rien moins qu'un homme de club.

« J'appelle ''fossiles culturels'', disait-il, des éléments d'une croyance ou d'un comportement humains qui sont tellement intégrés dans la vie quotidienne d'un lieu que personne ne les met en question. Par exemple, dans mon enfance, je me souviens être allé à l'église avec des membres de la branche anglaise de ma famille et avoir remarqué qu'un grand nombre de campagnardes faisaient en entrant une petite génuflexion devant un mur nu. Quand je demandai pourquoi, personne ne put me répondre. Mais mon cousin se renseigna auprès du pasteur et celui-ci lui dit qu'avant la Réforme il y avait eu là une statue de la Vierge ; et bien que les hommes de Cromwell l'eussent détruite, ils ne purent détruire l'habitude locale, comme le prouvait le comportement de ces femmes. Il y a quelques années, je fis un bref séjour dans l'île de Pitcairn : j'eus l'impression de remonter le temps et de revenir au début du XIX<sup>e</sup> siècle. En effet, les derniers immigrants à s'installer là furent des soldats de Wellington, et leurs descendants continuaient à parler comme Sam Weller. Quand mon père était petit, tout enfant canadien bien élevé ne prononçait pas le *h* de *herb*. Parfois on l'entend encore dit ainsi de nos jours ; les Anglais modernes pensent que c'est par ignorance ; en fait, il s'agit d'histoire culturelle. Ce sont là des détails, mais parmi les races restées relativement pures, comme les nomades de l'Est ou ceux de nos authentiques romanichels qui ont survécu, persistent toutes sortes d'idées qui valent la peine d'être étudiées. Nous sommes enclins à penser que le savoir humain est en progrès constant ; parce que nous en savons de plus en plus, nous croyons que nos parents et nos grands-parents ne sont plus dans le coup. Mais on pourrait avancer la théorie contraire, dire que nous reconnaissons simplement des choses différentes à des périodes différentes et de manières différentes. Ce qui jette un jour nouveau sur la mythologie : les mythes ne sont pas morts, ils ne sont que compris et appliqués différemment. La superstition n'est peut-être que mythe, un mythe vaguement perçu et inconsciemment respecté. Si vous croyez qu'elle n'existe plus, vous n'avez qu'à aller dans nos salles d'examen et compter les fétiches et gris-gris que les étudiants ont emportés pour passer l'épreuve.

— Vous ne prenez pas ça au sérieux, tout de même ? demanda Boys.

— Bien sûr que si !

— Vous êtes en train de parler d'un des grands hiatus dans la compréhension entre l'Orient et l'Occident, dit Mukadassi. En Inde, nous savons que des hommes, en tout point aussi valables que nous, croyaient des choses que les membres évolués de la société considèrent comme des sottises. Toutefois, je suis d'accord avec vous, professeur : notre tâche consiste non pas à les mépriser, mais à découvrir ce qu'ils voulaient dire et quels buts ils pensaient poursuivre. L'orgueil scientifique nous pousse à rejeter le passé, attitude terriblement stupide. Mais nous, les Orientaux, nous faisons à la nature une place beaucoup plus grande dans notre vie quotidienne que vous. C'est peut-être parce que en raison du climat nous pouvons vivre davantage dehors. Mais si vous me permettez de vous dire une chose — pour rien au monde je ne voudrais vous froisser, professeur —, c'est que votre christianisme n'intègre guère la nature. Celle-ci, néanmoins, fera valoir ses droits, même cette nature humaine que votre religion déplore si souvent. J'espère que vous n'êtes pas offensé ? »

Hollier ne l'était pas. Mukadassi exagérait l'influence que le christianisme avait sur lui.

« L'un de mes fossiles culturels préférés, reprit Hollier, ce sont les gnomes de jardin, en plâtre. Les avez-vous jamais regardés attentivement ? Mignons comme tout ; absolument cuculs, en fait. Mais les gens les aiment-ils seulement parce qu'ils sont mignons ? Je ne le crois pas. Les gnomes mettent dans la croyance un peu de ce sucre que les religions occidentales n'offrent plus et que l'humanitarisme délayé, si souvent pris pour une religion, offre encore moins. Ils nous parlent d'une nostalgie — non reconnue mais d'autant plus forte qu'elle est invisible — du dieu du jardin, de l'esprit de la terre, du kobold, du *kabir*, du gardien du foyer. Aussi horribles qu'ils soient, ils ont une vérité que vous ne trouvez pas dans la vasque pour oiseaux ou le cadran solaire. »


Le professeur Durdle répondait à Elsa Czermak qui venait de se plaindre d'un week-end passé à un séminaire d'économie dans une université sœur.

« Au moins vous parlez de votre sujet, dit-il. Vous n'avez pas à écouter toutes sortes d'inepties.

— Vous croyez ? Cela montre combien peu vous connaissez ce genre de réunions.

— Peut-on parler pour ne rien dire quand il s'agit d'économie ? Je n'aurais pas cru cela possible. Je suis toutefois certain que vous n'avez pas à supporter le genre de bêtises que j'ai dû écouter cet après-midi. Un ''grand homme'' de Bloomsbury est actuellement en visite chez nous, vous savez. Et le message qu'il transmet au monde au sujet de cette période très importante, dont il est un minuscule fragment, est à peu près de cet ordre : ''A la grande époque de Bloomsbury, nous étions tous complètement *fous*. Les domestiques étaient *fous*. Il pouvait vous arriver de vous mettre à table et de trouver une assiette de *nourriture* sur votre chaise. Les bonnes étaient simplement *folles*... Nous avions une porte rouge. La plupart de celles des autres maisons étaient vertes, bleues ou marron, mais la nôtre était *rouge*. Complètement FOU !'' C'est vraiment extraordinaire, l'indulgence dont les universités font preuve envers toute personne qui a connu des grands hommes. Je suppose que c'est une forme de romantisme. N'importe quel Anglais errant qui se souvient de Virginia Woolf, de Wyndham Lewis ou de E.M. Forster peut se faire verser des honoraires et s'empiffrer dans n'importe quelle université de notre continent. C'est très médiéval : nous hébergeons des jongleurs et des avaleurs de sabre itinérants. Quant aux parasites américains, ils ne valent guère mieux, quoi qu'ils soient généralement des poètes et des ''minnesänger'' voulant montrer qu'ils sont proches des

jeunes. C'est cette attitude de lèche-cul envers les jeunes qui
me tue : est-ce que ce sont les jeunes qui les paient ? Vous
auriez dû entendre l'imbécile prétentieux de cet après-
midi : ''Je n'oublierai jamais cette nuit où Virginia s'est
*complètement* déshabillée, s'est enroulée dans un drap de
bain et a imité Arnold Benett en train de dicter un texte au
hammam. C'était à hurler de rire ! Fou ! FOU !''

— Nous avons nos conteurs timbrés, nous aussi. N'avez-
vous jamais entendu Deloney parler du directeur de Saint
Brendan qui avait un perroquet savant ? L'oiseau savait dire
des choses en latin telles que *Liber librum aperit* et d'autres
maximes classiques de ce genre, mais comme il venait d'un
milieu moins raffiné, il était capable de crier ''Donne-moi
un verre, vieux con !'' quand le directeur était en train de
passer un savon à un élève indiscipliné. Je reconnais que
Deloney l'imite très bien, mais si jamais il faisait une tournée
de conférences, c'est peut-être avec ce numéro qu'il risquerait
de se tailler son plus gros succès. Les économistes sont
exactement pareils. Ils vous racontent de longues histoires sur
Keynes qui n'avait jamais assez d'argent sur lui pour payer
ses taxis, et des anecdotes similaires. Les universités sont des
mines de ce genre de futilités. Mais vous, vous avez besoin
d'une année sabbatique, Jim : vous êtes en train de vous
aigrir.

— C'est possible. En fait, je mets un numéro au point,
moi aussi. Il concerne la dernière visite in situ du Canada
Council à laquelle j'aie été mêlé. Vous savez comment cela
fonctionne ? Cela ressemble à une inspection épiscopale au
Moyen Âge. Vous passez des mois à préparer tous les
justificatifs pour une demande de fonds susceptible de vous
permettre de mener à bien un travail spécial, puis, quand
tout est en ordre, le Canada Council envoie une commission
de six à sept personnes pour rencontrer votre commission,
qui comprend le même nombre de membres. Vous les invitez
à manger et à boire, vous riez de leurs plaisanteries et leur
répétez tout ce que vous leur avez déjà dit ; vous les traitez

en amis, voire en égaux. Ensuite, ils retournent à Ottawa et
vous écrivent qu'après tout votre projet n'est pas assez solide
pour mériter leur appui. Ce sont les laquais surpayés et
surpensionnés du philistinisme bourgeois !

— *Mit der Dummheit kämpfen Götter selbst vergebens*,
dit Erzenberger.

— Traduction, s'il vous plaît, demanda Elsa.

— Contre la bêtise, même les dieux sont impuissants, dit
Erzenberger, et ne pouvant réprimer une nuance de pitié
dans sa voix il ajouta : Schiller. »

Ne tenant aucun compte de cette marque de dédain, Elsa
se retourna vers Durdle.

« Quand vous mendiez, vous devez vous attendre à ce que,
de temps en temps, on vous claque la porte au nez ou qu'on
lâche les chiens sur vous. Les érudits sont des mendiants. Ils
l'ont toujours été et le resteront à jamais — du moins je
l'espère. Que Dieu nous préserve de les voir disposer un jour
de beaucoup d'argent !

— Bon Dieu, Elsa, ne soyez pas si lugubre ! C'est à cause
de ces foutus cigares que vous fumez : ils engendrent la
résignation. Tout universitaire qui se respecte veut être un
roi philosophe, mais ça, ça exige beaucoup d'argent. Je
regrette de ne pas avoir d'autres petits revenus : je quitterais
tout pour écrire.

— Je n'en crois rien, Jim. L'université vous tient pour
toujours. Elle infecte votre sang comme la syphilis. »

Personne ne s'enivre un soir de réception. Le vin opère sa
vieille magie : il rend les buveurs plus naturels, révèle l'étoffe
dont ils sont faits. Ludlow, le professeur de droit, se montrait
juriste jusqu'au bout des ongles, et Mme Skeldergate, qui
s'intéressait à la société, essayait d'éveiller son indignation
ou sa pitié, bref, de provoquer chez lui n'importe quelle
réaction autre que l'attitude froidement critique avec laquelle

il observait la misère matérielle et morale qu'elle savait exister dans notre ville.

« C'est aux enfants qu'il faut penser en premier lieu, bien sûr, car tant d'adultes sont irrémédiablement perdus. Les enfants et les jeunes. Une des choses les plus dures que j'ai dû apprendre quand je me suis lancée dans le genre de travail que je fais maintenant, c'est que beaucoup de femmes se fichent pas mal de leurs enfants. Et ceux-ci vivent dans un monde auquel ils ne comprennent rien. Une petite fille m'a dit l'autre jour qu'un vieux monsieur était venu chez eux et qu'il s'était battu avec sa mère à elle sur le lit. De toute évidence, elle n'avait pas reconnu l'acte sexuel. Que sera-t-elle quand elle le fera — ce qui ne saurait tarder ? Une enfant prostituée, l'une des choses les plus tristes au monde. J'ai essayé d'aider une autre enfant qui ne peut pas parler. Ses organes de la parole ne présentent aucune anomalie, simplement la négligence l'a rendue muette. Elle ne connaît même pas les mots les plus courants. Elle a les fesses couvertes de brûlures triangulaires : l'amant de sa mère la marque avec le fer à repasser pour la guérir de sa stupidité. Un autre enfant, un garçon, n'ose pas parler : il vit dans une terreur silencieuse et ses grimaces torturées, suppliantes, incitent sa mère à le frapper.

— Vous venez de décrire un monde dostoïevskien affreux, dit Ludlow, et le plus terrible, c'est de savoir qu'il existe à moins de trois kilomètres de l'endroit où nous sommes assis dans un cadre confortable, voire luxueux. Mais qu'avez-vous l'intention de faire à ce sujet ?

— Je l'ignore, mais il faut faire quelque chose. Nous ne pouvons pas accepter ça. N'avez-vous rien à proposer, vous autres ? Autrefois, on pensait que l'instruction était la solution.

— La vie universitaire montre clairement que l'instruction ne résout rien à moins d'être accompagnée, chez l'individu, de quelques qualités fondamentales, comme le bon sens, le cœur, et le fait de voir que tous les hommes sont frères.

— Et celui de reconnaître l'origine divine de toute chose, intervint le recteur.

— Permettez-moi de réserver mon opinion là-dessus, monsieur, dit Ludlow. Discuter de Dieu n'est pas l'affaire de juristes comme moi, mais de philosophes comme vous et d'ecclésiastiques comme Darcourt. Mme Skeldergate et moi devons affronter les réalités de la société, elle dans son travail social, moi, dans les tribunaux. Notre point de départ, c'est ce que la société nous offre. Par ailleurs, bien que je ne sous-estime nullement les problèmes que vous attribuez à la misère et à l'ignorance, madame Skeldergate, j'ai pu constater en plaidant des affaires tumultueuses qu'à peu près les mêmes délits sont commis dans des couches sociales qui ne sont ni pauvres ni ignorantes. La barbarie, la cruauté et l'égoïsme criminel ne sont pas l'apanage des pauvres. Vous pouvez trouver ce genre de choses ici même, à l'université.

— Allons, Ludlow, protesta le recteur, vous ne dites cela que pour faire de l'effet.

— Pas du tout, monsieur. Toute personne qui vit depuis longtemps dans une université sait combien de vols, par exemple, s'y commettent. Or tout le monde se garde bien d'en parler, ce qui est sans doute sage, car si la chose devenait publique, elle provoquerait un beau scandale. Mais enfin, que pouvez-vous attendre d'autre ? Une université comme celle-ci est une communauté de cinquante mille personnes. Si vous habitiez dans une ville ayant cette population-là, ne trouveriez-vous pas normal qu'elle compte aussi des voleurs ? Qu'est-ce qu'on vole chez nous ? De tout, depuis des babioles jusqu'à de coûteux équipements, depuis des couverts jusqu'à des calices dérobés dans une chapelle et emportés en Amérique du Sud — comme je l'ai appris par hasard. Il serait stupide de prétendre que les étudiants n'y sont pour rien, et peut-être même découvririons-nous que des professeurs se sont laissé tenter. Cela s'explique : toutes les institutions éveillent la convoitise dans le cœur humain, et faucher quelque chose à l'*Alma Mater*, c'est une sorte de revanche prise par quelque partie censurée de l'esprit humain sur la supériorité et les prétentions de notre généreuse mère. Ce n'est pas pour rien que nos ancêtres considéraient les étudiants comme les clercs de saint Nicolas, aussi savants que voleurs. Monsieur le recteur, avez-vous oublié qu'il y a à peine trois ans un professeur invité a essayé de partir avec les rideaux de sa chambre ? Quoique très instruit, cet homme était en proie au désir universel de voler.

— Écoutez, Ludlow, vous ne me demandez tout de même pas d'admettre l'existence d'un tel désir ?

— Monsieur le recteur, permettez-moi de vous poser une question : n'avez-vous jamais rien volé de votre vie ? Non, je retire. Vu votre position, vous êtes, par définition, honnête. Le recteur d'un collège ne vole pas, même si l'homme qui se trouve sous la robe de sa fonction le ferait peut-être. Je n'interrogerai pas l'homme. Mais vous, madame Skeldergate, avez-vous jamais volé ?

— J'aimerais vous répondre que non, répondit la députée en souriant, mais en fait, j'ai commis un petit larcin : j'ai pris un livre dans la bibliothèque d'une université. J'ai essayé de le restituer — j'ai même fait beaucoup plus que cela. Mais je ne peux le nier.

— L'homme est un incorrigible voleur, affirma Ludlow, dans les olivaies de l'Académie comme partout ailleurs. Il faut se faire une raison : les étudiants, les domestiques et les professeurs continueront à faucher des livres et d'autres biens, et des personnes de confiance à vous escroquer. Un monde sans corruption serait vraiment étrange — et sacrément désavantageux pour un avocat !

— Vous parlez comme si vous croyiez au diable, dit le recteur.

— Tout comme Dieu, le diable n'entre pas dans la sphère légale. Je peux cependant vous dire ceci, monsieur le recteur : je n'ai jamais vu Dieu, mais, par deux fois, j'ai entr'aperçu le diable au tribunal ; une fois, il était au banc des prévenus, une fois, à celui des magistrats.

McVarish et Roberta Burns discutaient avec passion par-dessus le corps de Lamotte, qui ne semblait guère apprécier leur conversation.

« Quand vous parlez d'amour avec une zoologiste, il ne faut pas le faire comme si, par là, vous entendiez le sexe, dit Roberta Burns. Nous voyons comment celui-ci fonctionne parmi les êtres inférieurs — s'ils le sont —, et vous pouvez compter sur les doigts des deux mains les espèces qui semblent montrer la moindre tendresse à leurs partenaires. Chez les autres, il s'agit simplement d'une pulsion.

— Et chez l'être humain ? demanda Lamotte. Êtes-vous d'accord avec le terrible Strindberg, selon qui l'amour est une farce inventée par la nature pour piéger les hommes et les femmes afin qu'ils propagent l'espèce ?

— Non, je ne suis pas d'accord. L'amour n'a rien d'une farce. L'humanité s'est abondamment propagée avant que la notion d'amour fasse son apparition, sinon nous ne serions pas ici. Je pense qu'on ne doit pas nécessairement associer l'amour avec le sexe. Vous n'avez qu'à regarder les étudiants : certains sont malades d'amour, d'autres se consument de désir, d'autres, les deux.

— Récemment, j'ai eu un étudiant dont l'ambition était de devenir un Casanova, dit Urky. Pour ce faire, il prenait je ne sais quelle saleté achetée à un charlatan, une sorte de soupe à base de couilles de taureau. Cette mixture était parfaitement anodine mais, comme il y croyait, elle lui fit peut-être de l'effet — surtout ne rapportez pas à Gyllenborg que j'ai dit une chose pareille. A la même époque, j'avais un autre étudiant qui se pâmait d'amour pour une ballerine qu'il n'avait pas la moindre chance de pouvoir jamais approcher. Cela ne l'empêchait pas de se ruiner en envois d'orchidées chaque fois qu'elle dansait. Bien entendu, ces deux garçons étaient aussi idiots l'un que l'autre. Mais sérieusement, Roberta, voulez-vous vraiment séparer l'amour de ce bon vieux zizi-panpan ? N'est-ce pas aller un peu loin ?

— Le bon vieux zizi-panpan, comme vous dites, est parfait

à sa manière, mais ne le prenez pas comme une mesure de l'amour ou je vais devenir affreusement scientifique et vous rétorquer que le meilleur amant dans la nature est, d'un point de vue statistique, le sanglier. Cet animal émet quatre-vingt-cinq milliards de spermatozoïdes à chaque coït ; même un étalon ne dépasse pas les treize milliards. Alors, quelle place occupe l'homme avec son misérable petit jet de cent vingt-cinq millions ? Toutefois, l'homme connaît l'amour, alors que le sanglier et l'étalon regardent à peine leur partenaire une fois qu'ils ont réglé leur petite affaire.

— Je me félicite de ne pas avoir fait d'études scientifiques, dit Lamotte. J'ai toujours cru, et continue à croire, que la femme est un miracle de la nature.

— Bien sûr qu'elle l'est, acquiesça Roberta, et même beaucoup plus que vous ne croyez. Vous êtes trop éthéré. Regardez une belle fille : est-elle esprit ? Oui, évidemment, mais elle est aussi beaucoup d'autres choses absolument exaltantes tant elles sont extraordinaires. Regardez-moi, par exemple — et je vous jure que ce n'est pas pour faire étalage de mes charmes de femme mûre : tandis que je suis assise ici, mes oreilles fabriquent de la cire, ma morve se durcit, ma salive glougloute, mes larmes sont prêtes à couler, et, après un dîner comme celui que nous venons de faire, que de prodiges se passent à l'intérieur ! Ma vésicule et mon pancréas travaillent dur, mes fèces sont vigoureusement pétries et façonnées en boulettes, mes reins accomplissent leur étonnante tâche, ma vessie se remplit et mes sphincters... Vous n'avez pas idée de ce que la notion de féminité doit aux sphincters ! L'amour trouve tout cela parfaitement normal, comme un enfant avide qui ne voit que le glaçage sur un magnifique gâteau !

— Le glaçage suffit à mon bonheur, dit Lamotte. Penser à une femme comme à une boucherie ambulante me dégoûte profondément.

— De plus, le glaçage est si varié qu'on pourrait passer sa vie à l'étudier, fit observer McVarish. Les artifices que les femmes peuvent inventer ! Un coiffeur de ma connaissance m'a dit que ses clientes demandaient à sa manucure et épilatrice des choses incroyables ! Qu'on leur épile les poils pubiens en forme de cœur ou de flèche. Elles supporteront de longues minutes de traitement à la cire brûlante pour obtenir l'effet désiré. Ensuite, elles veulent qu'on les leur teigne au henné ! "Y a le feu dans la cale", comme le chantent les marins — comme ils le chantent certainement à la vue du résultat !

— Elles se donnent du mal pour rien, déclara Roberta. Les gens acceptent n'importe quoi pour un peu de ce vieux zizi-panpan. Ou, plus exactement, la nature les aide gentiment à le faire. Les rapports sexuels entraînent un amoindrissement considérable de la faculté de perception. La vue, l'ouïe, le goût, le toucher et l'odorat s'affaiblissent, quoi qu'en disent les livres de technique érotique, qui affirment le contraire. L'amant laid comme un pou a soudain l'air d'un Adonis. On ne voit presque plus la couperose, les grognements ne semblent pas comiques, on remarque à peine la mauvaise haleine. Et ça, ce n'est pas l'amour, René, mais la nature venant à la rescousse de l'amour. Et l'homme est la seule créature à connaître l'amour comme une émotion complexe ; il est aussi le seul dans toute la création à le transformer en passe-temps. Oh, c'est une étude extrêmement compliquée, croyez-moi !

— "Que ton amour soit différent de celui des hommes prisonniers de leur chair", dit Lamotte en faisant semblant de se boucher les oreilles. Je parie qu'aucun de vous deux n'est capable de réciter la suite de ce sonnet. »


Le moment approchait où je devais suggérer au recteur de nous lever de table pour que ceux qui le désiraient pussent prendre du café et du cognac. J'avais toutefois du mal à capter son attention : lui, Mme Skeldergate et Ludlow étaient plongés dans une discussion passionnée sur la nature d'une université.

« Ludlow la compare à une ville, dit le recteur. Je ne pense pas que ce soit très juste.

— C'est certainement une ville de jeunes, estima Mme Skeldergate.

— Pas du tout, trancha le recteur. Il y a beaucoup de jeunes, heureusement, dans une université, mais à elle seule, la jeunesse serait incapable de maintenir une institution pareille. C'est une cité de la sagesse dont le noyau est constitué par l'ensemble de ses savants et de ses érudits. Ce sont eux qui en font la qualité et c'est à leur feu que les jeunes viennent se chauffer. Car ces derniers vont et viennent, tandis que nous restons. Sur le cadran de l'horloge universitaire, ils sont l'aiguille des minutes, nous sommes celle des heures. Les sociétés intelligentes ont toujours conservé leurs sages dans des institutions d'une sorte ou d'une autre. Là, leur tâche principale consistait à être sage, à préserver les fruits de la sagesse et, si possible, à y ajouter. Bien entendu, les pédants et les opportunistes parviennent toujours, je ne sais comment, à s'y infiltrer, comme nous ne cessons de le constater ; et, comme l'a fait remarquer Ludlow, nous avons aussi nos vauriens et nos voleurs — ces fameux clercs de saint Nicolas. Cependant, nous sommes les conservateurs et les gardiens de la civilisation, surtout à notre époque où il n'y a plus d'aristocratie pour s'acquitter de cette tâche. Une cité de la sagesse. Je m'en tiendrais volontiers à cette définition. »

Cela lui fut dénié car, dans le monde universitaire, il y a toujours quelqu'un qui trouve quelque chose à redire à l'idée d'un autre.

« Pas une simple cité, dirais-je, monsieur le recteur, déclara Deloney. Une grande université comme la nôtre, composée de si nombreux collèges qui, autrefois, furent tous indépendants et qui gardent encore une certaine autonomie au sein de l'académie, serait plutôt un empire. Le président y tient le rôle d'empereur. Il supervise une multitude de royaumes dont chacun a son chef ; les directeurs, doyens et recteurs ressemblent aux grands-ducs et seigneurs de fiefs puissants, avec, ici et là, un prince-évêque comme le directeur de Saint Brendan ou un abbé mitré comme le recteur de Spook, tous jaloux de leur pouvoir, mais tous soumis à l'empereur. Nées au Moyen Âge, les universités ont conservé beaucoup d'éléments de cette époque — et je ne parle pas seulement des toges et du cérémonial officiel, mais de choses profondément enfouies en elles.

— Prendrez-vous du café, monsieur le recteur ? » demandai-je selon la formule consacrée.

Le recteur se leva. Les autres convives l'imitèrent et les dernières minutes de notre soirée virent d'autres groupes se former.

Arthur Cornish s'approcha de moi.

« Je n'ai pas encore eu l'occasion de vous dire combien votre geste, cet après-midi, m'a touché. Tout le monde croit naturellement que j'ai hérité une énorme fortune de mon oncle, mais, dans le cadre complexe d'une grosse affaire familiale comme la nôtre, ce que j'ai reçu reste impersonnel. Or j'avais envie d'un souvenir de lui. Nous nous ressemblions bien plus que vous ne pouvez le supposer. Il est parti de chez lui très jeune pour se consacrer à ses collections d'art. Je crois qu'il faisait semblant d'être encore moins doué pour les choses pratiques qu'il ne l'était en réalité, pour ne pas avoir à devenir financier. En fait, il était très malin, toujours à l'affût d'une bonne affaire. Il aurait volé une mouche morte à une araignée aveugle. Ça, c'était son attitude vis-à-vis des marchands d'art, mais il s'est montré généreux envers beaucoup de peintres — ce qui compense, n'est-ce pas ? Une chose, toutefois, m'intrigue : comment saviez-vous que je m'intéressais aux partitions autographes ?

— Je l'ai appris par une amie commune, Mlle Theotoky. Un jour, après le cours, nous parlions des méthodes de notation au début du Moyen Âge, et c'est à ce moment-là qu'elle vous a mentionné.

— Je me souviens effectivement avoir abordé ce sujet avec elle, mais j'avais l'impression qu'elle ne m'écoutait que d'une oreille.

— Eh bien, vous vous êtes trompé. Elle m'a répété tout ce que vous aviez dit.

— Cela me fait plaisir. Mais, en fait, nos goûts musicaux sont très différents.

— Mlle Theotoky s'intéresse à la musique médiévale et essaie de découvrir ce qu'elle peut sur des musiques encore plus anciennes. C'est très mystérieux. Nous savons que Néron jouait du violon, mais que jouait-il exactement ? Jésus et les apôtres partirent au mont des Oliviers après avoir chanté un hymne. Quelle sorte d'hymne ? Qui sait si, aujourd'hui, nous ne serions pas consternés d'entendre le Sauveur chanter d'une voix nasillarde quelque mélopée. Cela ne fait que quelques siècles que la musique a pu être reproduite ; pourtant, elle est très souvent la clé du sentiment. C'est là une chose qui devrait intéresser Hollier.

— Maria étudie peut-être ces choses pour Hollier. Elle a l'air subjuguée par lui.

— Ai-je entendu prononcer le nom de Maria ? demanda McVarish en se joignant à nous. Cette merveilleuse créature surgit de tous les coins. A propos, j'espère que vous ne m'avez pas trouvé trop familier à son propos cet après-midi. Mais depuis le moment où j'ai repéré cette petite Vénus dans le fouillis d'objets ayant appartenu à votre oncle, j'ai été obsédé par sa ressemblance avec Maria. Maintenant que je l'ai emportée à la maison et l'ai étudiée en détail, je suis encore plus content. Elle restera pour toujours auprès de moi, en train d'attacher sa sandale aussi innocemment que si elle était seule. Si jamais vous avez besoin de vous souvenir de Maria, Arthur, venez chez moi. Elle vous aime beaucoup, d'ailleurs.

— Qu'est-ce qui vous fait croire ça ?

— Je suis bien renseigné sur ce qu'elle pense. Un de mes amis, que vous ne devez pas connaître — un homme extrêmement amusant nommé Parlabane —, la connaît intimement. Il fait le nègre pour Hollier, le *famulus*, comme il dit, ce que je trouve merveilleux. Il voit donc souvent Maria puisque celle-ci travaille dans le bureau de Hollier. Ils ont de longues conversations. Maria lui raconte tout. Pas directement, je suppose, mais Parlabane a l'habitude de lire entre les lignes. Et, même si son grand homme, c'est Hollier, elle vous aime énormément. Ce que je comprends fort bien, mon cher. »

McVarish toucha légèrement la manche d'Arthur, comme il avait touché la mienne quelques heures plus tôt. C'est son style.

« Ne croyez pas que j'essaie de me mettre sur les rangs, poursuivit-il, bien que Maria vienne à mes cours et s'assoie tout devant. Cela me procure un immense plaisir car, dans l'ensemble, les étudiants ne sont pas décoratifs. Or je ne peux résister à une femme décorative. J'adore les femmes, vous savez, à la différence de Rabelais, mais comme sir Thomas Urquhart, je crois. »

Là-dessus, il s'éloigna pour dire bonsoir au recteur.

« Sir Thomas Urquhart ? fit Arthur. Ah oui, le célèbre traducteur. Je commence à détester son nom.

— Si vous fréquentez Urky, vous l'entendrez souvent », dis-je. Puis j'ajoutai, assez méchamment, je l'admets, mais Urky me rendait furieux : ''Si vous cherchez son nom dans un dictionnaire biographique, vous verrez que sir Thomas avait la réputation d'être follement vaniteux.''

Arthur ne dit rien, mais il me fit un clin d'œil. Puis lui aussi partit prendre congé du recteur. En tant que vice-recteur, je devais appeler un taxi pour Mme Skeldergate. Cela fait, je me hâtai de monter dans mon appartement au-dessus du portail pour noter dans le *Nouvel Aubrey* ce que j'avais entendu pendant la soirée. *Où ils jacassent devant leurs coupes pleines.*

### 3

Je commençais à appréhender le *Nouvel Aubrey*. Cet ouvrage, débuté comme un portrait de l'université pris sur le vif, était en train de devenir un journal intime, l'un de ceux qui contiennent des confidences embarrassantes. Je n'y parlais pas assez des autres et infiniment trop de Simon Darcourt.

Je bois peu, et le peu que je bois ne m'affecte pas. Cependant, après notre soir de réception, j'eus l'impression de ne pas être dans mon état normal, ce que quelques verres de vin pris entre six et dix heures pouvaient difficilement expliquer. J'avais passé une journée qui aurait dû être agréable : bien travaillé le matin ; achevé ma tâche pour Cornish dans l'après-midi ; acquis deux Beerbohm de premier ordre et, de surcroît, inédits, ce qui satisfaisait ce désir de possession exclusive que connaissent bien tous les collectionneurs ; supervisé avec succès notre soirée et traité à mes frais les coexécuteurs testamentaires. Pourtant, j'étais mélancolique.

Quelqu'un qui a reçu une formation de théologien sait, ou devrait savoir, comment réagir dans un cas pareil. Un petit examen fit apparaître la cause de mon humeur. Maria.

C'était une excellente étudiante et une jeune fille dotée d'un très grand charme. Bon, rien d'anormal jusque-là. Cependant, elle occupait une place beaucoup trop grande dans mes pensées. Quand je la regardais et l'écoutais pendant les cours, j'étais perturbé par ce que je savais sur elle et sur Clement Hollier. Le fait que celui-ci l'eût un jour possédée sur son affreux vieux canapé m'était désagréable, mais il n'y avait pas de quoi en faire un drame, d'autant plus que Hollier avait semblé être à ce moment-là dans cet état de perception réduite que Roberta Burns avait décrit avec tant de vivacité. Ce qui me contrariait vraiment, c'était qu'il la croyait amoureuse de lui. Qu'est-ce qu'elle lui trouvait ? Certes, c'était un fin lettré, mais elle n'était tout de même pas assez bête pour se laisser séduire par cette caractéristique d'un homme qui, par ailleurs, n'était pas du tout fait pour elle. Il était beau, certes, si l'on aimait les ténébreux aux traits accusés qui ont toujours l'air d'être hantés par leurs souvenirs, à moins qu'ils ne souffrent tout simplement d'aigreurs d'estomac. Cependant, son érudition mise à part, Hollier était manifestement un imbécile.

Non, Darcourt, tu es injuste. C'est un homme aux sentiments profonds : vois comme il reste fidèle à ce misérable raté de John Parlabane.

Que le diable l'emporte, celui-là ! Il avait jasé sur Maria avec McVarish, et quand ce dernier disait « lire entre les lignes », il était clair que Parlabane et lui s'étaient livrés à ce genre de spéculations injustifiables sur les femmes qu'affectionnent certains hommes au caractère tout à fait déplaisant.

Elle aime bien Arthur Cornish. Ah oui ? Non, elle l'aime « énormément », avait-il dit. Une autre de ses exagérations. Ou bien était-ce vrai ? En effet, pourquoi avait-elle parlé d'Arthur Cornish lors de sa conversation avec moi sur les méthodes de notation musicale au Moyen Âge ? Une remarque sur la collection de l'oncle du jeune homme, mais celle-ci avait-elle un rapport avec ce que nous disions ? Je ne sais que trop bien à quel point les amoureux tiennent à introduire à tout prix le nom de leur bien-aimé ou bien-aimée dans la conversation, simplement pour prononcer ce mot magique, pour le savourer.

L'ennui avec toi, Darcourt, c'est que tu te laisses obséder par cette fille.

Encore un accès d'agitation mentale, auquel j'essayai d'appliquer un peu de cette méthode qu'on m'avait enseignée en théologie pour l'examen de conscience.

Ton problème, Darcourt, c'est que tu es en train de tomber amoureux de Maria Magdalena Theotoky. Quel nom ! Marie-Madeleine, la femme aux sept démons, et Theotoky, c'est-à-dire, la mère de Dieu. Les gens portent les noms les plus extraordinaires, c'est vrai, mais quelle contradiction ! C'était celle-ci qui ne voulait pas me laisser en paix.

Oh ! Darcourt, espèce d'imbécile, d'âne bâté, de crétin !

Jusqu'où la bêtise peut-elle mener un homme soi-disant sain d'esprit ? Toi, un prêtre entre deux âges, plutôt corpulent... *mais pas d'une Église qui refuse le mariage à ses ministres, je te ferai remarquer.* Ferme-la, qui te parle de mariage ?... *tu y pensais, et le lien que tu établis entre amour et union légitime te classe définitivement comme un bourgeois et aussi comme un type vieux jeu* ... où en étais-je ? Jusqu'où la bêtise peut-elle mener un homme soi-disant sain d'esprit ? Tu réussis dans ta carrière et tu as une vie confortable... *mais solitaire...* qui lissera ton oreiller à l'heure de ta mort ?... *peux-tu sérieusement demander à cette superbe fille de te mettre au tombeau ?* Jusqu'où la bêtise peut-elle mener un homme soi-disant sain d'esprit ? Qu'as-tu à lui offrir ? De l'amour. *Bah, des dizaines d'autres hommes peuvent lui en donner — des hommes beaux, jeunes et riches comme Arthur Cornish.* Il doit être amoureux d'elle : rappelle-toi comme il a mal pris les allusions qu'Urky a faites cet après-midi et de nouveau ce soir, il y a une heure ? Quelle chance as-tu contre lui ? Ou contre le beau Clem ? Tu es un imbécile, Darcourt.

Évidemment, je pourrais l'aimer sans attendre de réciprocité. Cela s'est fait bien des fois au cours des siècles. Depuis l'époque dont parle Roberta Burns, quand nos ancêtres velus cessèrent de mordre leurs femmes et de leur jeter les os à la fin de leur festin de chair crue. Beaucoup d'amours sans espoir ont attristé l'humanité depuis que l'idéaliste et l'amateur de sexe devinrent deux aspects différents de la même créature humaine éprise.

J'étais sans conteste un idéaliste, mais étais-je un amateur de sexe ? Je ne suis pas un homme totalement inexpérimenté dans ce domaine, mais il y a déjà si longtemps... et je ne peux pas dire que cela m'ait vraiment manqué. Maria, toutefois, est jeune et à l'apogée de sa beauté. L'adoration et des conversations amusantes ne lui suffiraient pas.

Dieu, comment en suis-je arrivé là ?

4

Mais voilà, j'en étais arrivé là. J'étais profondément amoureux d'une de mes étudiantes, situation dans laquelle un professeur fait figure soit de salaud, soit d'imbécile. Pendant les semaines qui suivirent, je fis tout ce qu'il m'était possible de faire : je ne parlais jamais à Maria en dehors des cours, je me montrais extrêmement pointilleux pour l'évaluation de son travail — mais comme celui-ci était admirable, cela ne changea rien. J'étais fermement résolu à réprimer ma folie.

Ma résolution fut donc mise à rude épreuve, mais mon cœur s'embrasa quand, après le dernier cours avant Noël, Maria s'attarda dans la salle et me demanda d'un air timide :

« Monsieur Darcourt, pensez-vous qu'il vous serait possible de venir dîner chez ma mère le lendemain de Noël ? Cela nous ferait tellement plaisir. »

Tellement plaisir ! Tellement plaisir !! Tellement plaisir !!!

# LE DEUXIÈME PARADIS V

Parlabane faisait partie de ma vie maintenant. J'avais fini
par l'accepter, à contrecœur, mais avec *philosophie*, si je puis
me permettre d'employer ce mot. J'en doute, car depuis que
je connais un peu mieux Parlabane, j'ai compris qu'il fallait
user de ce terme avec précaution. La philosophie, c'était sa
discipline, et lui un philosophe professionnel en comparaison
duquel la plupart des gens n'étaient que des esprits confus
et sans méthode dès qu'il s'agissait d'aborder des thèmes
importants. Mais en supposant que je puisse employer ce
terme simplement pour désigner une résignation mélancolique
devant l'inéluctable, alors, oui, j'acceptais sa présence dans
les bureaux de Hollier presque tous les jours, pour une heure
ou deux, avec philosophie.

Il avait abandonné les manières mi-obséquieuses mi-
hautaines qui allaient de pair avec son habit religieux. Il
n'était plus le moine mendiant qui méprisait en secret ceux
auxquels il demandait l'aumône. Cependant, il continuait à
apporter son tricot : il le transportait dans un sac à provisions
en papier, mêlé à quelques livres et à ce qui m'avait l'air
d'être une serviette de toilette sale. Tandis que je me
rappelle ce qu'il disait, j'entends le cliquetis des aiguilles en
accompagnement à ses paroles. A présent, il donnait des
cours du soir à des personnes qui préparaient un diplôme
universitaire sur une longue durée et par petits bouts. Je

frémis à la pensée de ce qu'il pouvait leur enseigner, parce que ce qu'il me disait à moi me glaçait parfois le sang.

« Je suis l'un des rares authentiques philosophes sceptiques qui existent dans le monde, Molly. Certes, il y a des gens qui se disent sceptiques, mais leurs vies prouvent qu'ils ne croient pas à ce qu'ils professent. Ils aiment leurs familles, envoient des dons à la recherche sur le cancer et écoutent avec tolérance, voire avec approbation, les foutaises dont sont faites la plupart des conversations sur la politique, la société, la culture, et cetera, même dans une université.

« Le véritable sceptique, cependant, vit dans une atmosphère de doute soigneusement équilibré au sujet de toute chose. Il rejette l'idée qu'il pourrait y avoir des raisons suffisantes d'accepter une affirmation ou une proposition, quelle qu'elle soit. Bien entendu, si quelque imbécile lui dit qu'il fait beau, il est probable qu'il acquiescera parce qu'il n'a pas le temps de discuter avec cette personne du sens qu'elle donne au mot ''beau''. Mais pour toutes les questions importantes, il réserve son jugement.

— N'admet-il pas que certaines choses sont bonnes et d'autres mauvaises, désirables ou indésirables ?

— Ce serait prendre des décisions morales ; or, en matière de morale, il veut supprimer toute prétention. Le genre de jugement dont vous parlez est prétentieux parce qu'il repose sur un genre de métaphysique. Et, bien que souvent très fascinante, je l'admets, celle-ci n'est que du bla-bla-bla. Le scepticisme s'efforce d'aider toute métaphysique à se détruire — à se pendre avec ses propres jarretières, pour ainsi dire.

— Mais il ne vous reste plus rien, alors !

— Si, il vous reste la conclusion prudente que le contraire de toute proposition générale peut être affirmé avec autant de prétention à la vérité que la proposition elle-même.

— Allons, allons, Parlabane ! Il y a quelques semaines à peine, vous vous baladiez ici habillé en moine. N'aviez-vous pas la moindre foi ? Tout cela n'était-il qu'une cynique mascarade ?

— Absolument pas. Vous rapprochez vulgairement le scepticisme du cynisme. Le cynisme, c'est de la pacotille, et le cynique, généralement, un sentimental grincheux. Le christianisme, peut-être même toute foi respectable d'un point de vue intellectuel, est acceptable pour le sceptique parce qu'il doute que la pure raison humaine puisse expliquer ou justifier quoi que ce soit, mais le christianisme enseigne que c'est la chute de l'homme qui a introduit le doute dans le monde. Au-delà de ce monde de doute et d'affliction se trouve la vérité, et la foi en indique le chemin parce qu'elle est fondée sur l'existence de quelque chose qui est placé au-dessus de l'expérience et du savoir humains. Le scepticisme est de ce monde, ma chérie, mais Dieu ne l'est pas.

— Oh ! mon Dieu !

— Précisément. En conséquence, ma foi ne m'empêchait et ne m'empêche toujours pas d'être un sceptique en ce qui concerne toutes les choses de ce monde. Sans Dieu, le sceptique se trouve dans un vide, et son doute, c'est-à-dire sa plus grande réussite, est également son drame. Le malheur d'un homme sans Dieu est si terrible qu'il m'est impossible d'y penser pendant plus d'une ou deux minutes. La chute de l'homme fut une calamité beaucoup plus grave que la plupart des gens ne sont prêts à l'admettre.

— Rien n'est certain hormis Dieu ?

— Vous l'avez dit. En six mots. Si vous m'en accordiez six cent mille, je vous présenterais cette proposition d'une façon plus convaincante que votre résumé genre *Reader's Digest* ne peut le faire.

— Ne vous donnez pas cette peine : vous ne m'avez pas convaincue.

— Ma chère Molly, je ne suis pas un *vieil* ami, mais j'espère être un ami. Permettez-moi donc de vous parler franchement. Je n'essaie pas de vous convaincre de quoi que ce soit. Étant donné votre esprit, votre âge, votre état de santé ainsi que votre sexe — facteur que, dans les discussions intellectuelles d'aujourd'hui, il est de bon ton d'évacuer —, il est peu probable que je réussisse jamais à vous convaincre de la vraisemblance d'une conclusion personnelle à laquelle je ne suis arrivé qu'après trente ans de réflexion, avec beaucoup d'angoisse. Vous convertir au scepticisme ne m'intéresse pas. Pas plus qu'y convertir n'importe qui d'autre. Mais cette université me paie, assez mal d'ailleurs, pour dire ce que je pense être la vérité à un curieux mélange d'étudiants, et c'est ce que je fais.

— Et si cela les détruisait ? Pas de vérité, pas de certitude, nulle part ?

— Eh bien, tant pis pour eux. Ils ne s'en porteront pas plus mal que des millions d'autres qui ont été détruits par des processus beaucoup moins élégants que mon enseignement. Bien entendu, je leur dis ce que je viens de vous dire à vous : quand la raison humaine refuse d'admettre toute autre soumission qu'à elle-même, la vie devient tragique. Cependant, mes étudiants se sont très souvent tournés vers la philosophie précisément pour fuir Dieu — quelque Dieu minable généralement inventé par leurs parents. Comme tant de prétendus intellectuels, ils ont un esprit sans originalité, et adorent le drame et la complexité. »

Ça, c'était un aspect de Parlabane. Mais j'en connaissais au moins un autre, mis à part celui de l'homme qui se gavait de spaghettis, sifflait du mauvais vin, tenait des propos obscènes au Rude Plenty et m'empruntait de l'argent presque toutes les semaines. Ce Parlabane-là n'avait vraiment rien à voir avec le philosophe sceptique.

« Vous ne vous attendez tout de même pas à ce que je vive en permanence sur des hauteurs intellectuelles aussi vertigineuses, n'est-ce pas, Molly ? Dans ce cas je serais certainement un maître imposteur, et plus d'un philosophe s'est attiré des malheurs de cette façon. Cet esprit élevé et romantique qu'était Nietzsche, par exemple. Il ne s'accordait aucun répit. Bien entendu, il croyait implicitement à ses sottises, tandis que moi, en tant que sceptique, je suis tenu de douter de tout, y compris de mes idées philosophiques les plus chères. Nietzsche dit un jour qu'il ne pouvait y avoir de dieux parce qu'il ne pourrait supporter qu'il y en eût sans qu'il fût de leur nombre. Ce qui revient à dire que rien ne peut être vrai qui ne place Friedrich Nietzsche au sommet de l'arbre. Je suis différent. Je reconnais qu'un arbre a un pied aussi bien qu'un sommet, des racines aussi bien qu'une cime. Enfin, je suppose qu'il en est ainsi pour des raisons pratiques, car je n'ai jamais vu ou entendu parler d'un arbre qui ne correspondît pas à cette description.

« J'ai beaucoup réfléchi aux arbres. Je les aime. Ils me parlent avec éloquence de ce doute équilibré qui, comme je vous l'ai dit, est à la base de l'attitude sceptique. Pas de cime majestueuse sans les puissantes racines qui travaillent dans le noir, tirant leur nourriture du sol parmi les pierres, les eaux cachées et toutes ces petites choses enfouies dans la terre. L'homme est pareil : visibles, sa splendeur et ses fruits lui rapportent amour et admiration. Mais qu'en est-il de ses racines ?

« Avez-vous jamais regardé un bulldozer défricher un terrain ? Il s'avance vers un grand arbre et le pousse inexorablement jusqu'à ce que celui-ci tombe ; ensuite, il le jette de côté. Les cris et le bruit de déchirement qu'émet l'arbre tandis qu'on arrache ses racines accompagnent cette brutale opération. C'est une mort particulièrement poignante. Et, une fois l'arbre déterré, on s'aperçoit que ses racines sont aussi vastes que sa cime.

« Quelles sont les racines d'un homme ? Toutes sortes de choses qui nourrissent sa partie visible, mais la racine la plus profonde, le pivot, c'est l'enfant qu'il fut autrefois et dont je vous ai parlé quand j'essayais de vous distraire en vous racontant l'histoire de ma vie. C'est la racine la plus profonde, car elle plonge vers les ancêtres.

« Les ancêtres — comme cela paraît grandiose ! Toutefois, il ne s'agit pas de ces vieux schnocks pompeux à perruque blanche dont les gens aiment exhiber les portraits, mais de nos profondeurs cachées, c'est-à-dire la matière informe qui nourrit toute véritable création et toute véritable action. Les racines ressemblent beaucoup plus à un grand placenta qu'à ces arbres généalogiques qui ne sont que branches.

— Vous parlez comme Ozias Froats.

— Le dépiauteur de crottes ? Vous le connaissez ? J'aimerais que vous me présentiez à lui.

— Je ne le ferai certainement pas si vous l'appelez ainsi. Je pense qu'il est l'un de ces mages dont parle Paracelse. Il a du monde une vision plus large que n'importe lequel d'entre nous, à part, peut-être, le professeur Hollier. Pour lui, la vérité réside dans ce qui est caché et négligé.

— Oui, comme la merde. Mais qu'est-ce qu'il espère y découvrir ?

— Il ne veut pas le dire, mais, même s'il le disait, je ne comprendrais probablement pas son langage. J'ai toutefois l'impression qu'il s'agit d'une sorte de sceau personnel, un sceau qui changerait d'une manière significative selon votre état de santé physique ou mentale. Une nouvelle façon de mesurer, je ne sais trop quoi, mais quelque chose comme la personnalité ou l'individualité. Je ne devrais pas faire de conjectures.

— Je sais : ce n'est pas votre domaine.

— Cependant, si Ozias Froats a raison, c'est le domaine de tout le monde, parce que tout le monde en profitera.

— Eh bien, je lui souhaite bonne chance. Toutefois, en tant que sceptique, je doute de la science, comme du reste, à moins que le savant ne soit lui-même un sceptique. Or peu d'entre eux le sont. La puanteur du formol a peut-être, comme l'odeur de l'encens, le pouvoir de stimuler un esprit porté à l'idolâtrie. »

Je commençais à voir en Parlabane quelqu'un de bien plus important que le terrible importun pour lequel je l'avais pris tout d'abord. Il transportait avec lui sa propre atmosphère : il n'était pas assis sur le vieux canapé de Hollier depuis cinq minutes que celle-ci emplissait déjà la pièce. Il serait absurde de dire que cela avait quelque chose d'hypnotisant, mais c'était certainement contraignant : cela me portait à être d'accord avec lui tant qu'il était présent pour me rendre compte, dès qu'il était parti, que j'avais accepté beaucoup d'idées auxquelles je ne croyais pas vraiment. La cause en était sa dualité : quand il était dans la peau du philosophe, il fallait qu'il impose ses vues, et il n'avait d'ailleurs aucun mal à me clouer le bec parce que je finissais par être à court d'arguments ; et quand il était l'autre Parlabane, celui qui parlait des racines de l'arbre du moi, il était si provocant et ingénieux que je ne parvenais pas à me maintenir à son niveau.

Son apparence avait encore empiré. Comme moine, il avait déjà l'air bizarre dans le cadre canadien — même à Spook —, mais maintenant il ressemblait à un sinistre clochard. Le costume que quelqu'un lui avait donné était d'un bon drap anglais de couleur grise ; cependant, trop grand pour lui dès le début, ce n'était plus à présent qu'un chiffon informe couvert de taches de nourriture. Le pantalon était trop long, et, comme Parlabane ne supportait plus de porter des bretelles, il le ceinturait avec ce qui semblait être une vieille cravate. Le vêtement traînait sur ses talons, sale et effiloché du bout. Sa chemise était toujours crasseuse, et l'idée me traversa l'esprit qu'un sceptique avancé devait considérer la propreté ordinaire comme une chose absurde. Il sentait mauvais : ce n'était pas simplement une odeur de vêtements sales, mais une puanteur lourde, vivante. Quand il a commencé à faire froid, Hollier lui a donné un de ses pardessus. Celui-ci était déjà terriblement usé. Je l'appelais son « pelage » : le col et les poignets étaient en effet garnis d'une fourrure emmêlée et mitée. Ce vêtement était assorti d'un bonnet de fourrure. Trop grand pour Parlabane, il faisait l'effet d'une perruque mal peignée d'où dépassaient des cheveux qui avaient sérieusement besoin d'une coupe.

Un clochard, certes, mais pas un de ceux qui hantent le campus dans l'espoir de taper d'un dollar quelque professeur au cœur tendre. Ces gens-là sont des hommes détruits ; leurs visages ne reflètent aucun esprit, seulement du désarroi et du désespoir. Parlabane, lui, avait d'une certaine manière l'air important : sa figure couturée, aux traits brouillés, était impressionnante, et, derrière ses épaisses lunettes, son regard vous transperçait. Son attitude envers moi ressemblait beaucoup à ce que Hollier avait prédit. Il ne pouvait pas me laisser tranquille, et, bien qu'il eût l'air de penser que j'étais une de ces idiotes qui font un doctorat pour passer le temps (ce n'est pas un paradoxe : les idiotes sont tout à fait capables d'en faire un), il recherchait manifestement ma compagnie pour me parler, pour me déboussoler intellectuellement. Cela n'avait rien de nouveau pour moi : dans les universités, il y a toujours des gens qui importunent les femmes sur le plan sexuel, mais il y en a encore plus qui vous brutalisent et vous pelotent intellectuellement sans même se rendre compte que ce qu'ils font est d'ordre sexuel. Parlabane était différent : sa séduction intellectuelle était à une autre échelle, et elle était infiniment plus amusante que celle de la plupart des universitaires. Certes, je ne l'aimais pas, mais c'était agréable de jouer avec lui, à ce niveau-là. Dans le domaine sexuel, ce ne sont pas toujours des facteurs physiques qui vous excitent, et quoique Parlabane fût un séducteur invraisemblable, même sur le plan intellectuel, il était clair qu'il voulait, au moyen de ce titillement prolongé, m'amener à un orgasme de l'esprit.

Au Canada, la fin du mois de novembre est souvent un moment très romantique. Les arbres dénudés, l'air glacial et les vents tourbillonnants, l'étrange lumière qui règne parfois toute la journée pour basculer, peu après quatre heures, dans d'inexorables ténèbres, me portent à des pensées « gothiques ». A Spook, dont l'architecture l'est tellement — gothique —, on est tenté de se laisser aller à des fantasmes nordiques, et je me suis surprise à me demander si dans un tel état d'esprit je n'étais pas en train de travailler sous la direction du docteur Faust : Hollier était en effet un chercheur aussi passionné que ce célèbre personnage, et même physiquement il lui ressemblait. Mais, évidemment, on ne peut pas avoir de Faust sans Méphisto. Or Parlabane avait la langue aussi bien pendue, était aussi amusant, et parfois aussi effrayant que le diable lui-même. Bien entendu, dans la pièce de Goethe, le malin apparaît sous la forme d'un voyageur érudit superbement vêtu. Sur ce point, Parlabane se situait à l'autre extrême, mais, en ce qui concernait la façon dont il dominait toutes les conversations qu'il avait avec moi et sa faculté, en toutes circonstances, de présenter le pire comme le meilleur, il faisait un Méphisto acceptable.

Je ne comprends pas les femmes qui, à un moment ou à un autre de leur vie, ne veulent pas conclure un pacte avec le diable. Je ne suis pas une naïve villageoise comme la pauvre Gretchen que Méphisto livra à Faust comme objet de plaisir : je suis indépendante, et même si j'obtenais ce que je désire, c'est-à-dire que Hollier me fasse une déclaration d'amour, me propose le mariage ou une liaison, je ne crois pas que je me laisserais complètement investir par lui. Je sais, ce que je dis là est un peu présomptueux, car bien des femmes qui me sont supérieures se sont fait dévorer par l'amour ; cependant, moi, j'espère me réserver une partie de mon être, ne fût-ce que pour avoir une chose de plus à donner. En amour, je refuse de jouer le vieux jeu de la soumission ainsi que celui, ultra moderne, du peut-être-que-oui-peut-être-que-non-mais-de-toute-façon-prends-garde. A moitié bohémienne, la fille de Tadeusz n'a pas le temps pour ce genre de manœuvres minables. Parlabane essayait de me séduire intellectuellement, de me coucher par terre et de m'abandonner là, haletante et froissée — tout cela à l'aide de mots. J'ai décidé de voir si je parviendrais à le déconcerter.

« Frère John, ai-je dit un après-midi de novembre quand la lumière du jour commençait à décliner dans le bureau de Hollier, je vais vous faire une tasse de thé et vous poser une question. Vous m'avez parlé du monde du scepticisme philosophique, disant que Dieu était la seule issue à un univers gâté par une tragique ambiguïté. Mais moi je passe mon temps à travailler sur les écrits d'auteurs qui pensaient différemment et que je trouve extrêmement convaincants : Cornelius Agrippa, Paracelse et mon cher François Rabelais.

— Tous des luthériens bilieux.

— Peut-être des hérétiques, mais certainement pas des luthériens. Comment des esprits aussi élevés qu'eux auraient-ils pu être d'accord avec un homme qui déclarait que la société est une prison pleine de pécheurs dans laquelle il fallait maintenir l'ordre par la force ? Comme vous voyez, je sais quelques petites choses sur Luther, moi aussi. Mais n'essayez pas de détourner la conversation. J'ai envie de parler de Rabelais, qui pensait qu'un être humain libre trouve sa règle de conduite dans son sens de l'honneur...

— Un instant : il n'a pas dit "être humain libre", mais hommes libres — "les hommes qui sont libres, bien nés, instruits et conversants en d'honnêtes compagnies".

— Inutile de me citer cette phrase en anglais. Je la connais par cœur en français : *"Gens libères, bien nés, bien instruits, conversantes en compagnies honnêtes."* Prouvez-moi que « gens » signifie hommes. Comme beaucoup de personnes, vous pensez que Rabelais est mysogyne parce que tout ce que vous connaissez de lui, c'est la traduction bavarde de sir Thomas Urquhart...

— De fait, je viens de la relire. Urquhart McVarish m'en a prêté un exemplaire.

— Je vous passerai l'original français. Vous découvrirez alors que le projet conçu par Rabelais d'une communauté idéale — on pourrait presque l'appeler une université — comprenait énormément de femmes.

— Comme source de plaisir, je présume.

— Ne présumez rien. Lisez Rabelais — en français.

— Molly, vous êtes en train de devenir un horrible bas bleu !

— Ce n'est pas avec des injures que vous m'ébranlerez. Répondez à ma question : le sens de l'honneur n'est-il pas suffisant comme règle de conduite ?

— Non.

— Et pourquoi ?

— Parce qu'il ne peut être plus grand que l'homme — ou la femme, si vous voulez pinailler — qui le possède. Or un imbécile, un pygmée de l'esprit, un fermier, un conservateur ou un démocrate convaincus n'ont pas du tout le même genre d'honneur, et, si les circonstances s'y prêtent, ils vous enverront au bûcher, refuseront de vous payer votre salaire ou vous mettront simplement au rancart. L'honneur est fonction des limites individuelles. Dieu ne l'est pas.

— Oui, mais je préférerais être François Rabelais plutôt que l'un de vos sceptiques glacés qui s'accrochent à Dieu comme à une bouée dans l'océan Arctique.

— Si cela peut vous faire plaisir... Vous êtes une romantique. Rabelais en était un, lui aussi. Ses idées biscornues s'accordent avec les vôtres. Si cette faribole de l'honneur comme guide unique et suffisant vous convient, eh bien parfait ! Vous finirez comme ces idiots anglais qui réglaient leur vie d'après ce qui était ou non fair-play.

— Allons, allons, Parlabane, tout cela n'est que du coupage de cheveux en quatre et des insultes d'intellectuel. N'accordez-vous aucune importance à la qualité de la vie ? La valeur de ce que croit un homme n'apparaît-elle pas dans ce que sa croyance fait de lui ? Ne préféreriez-vous pas vivre noblement comme François Rabelais plutôt qu'enfermé dans le congélateur du scepticisme, vous demandant si — et quand — Dieu va ouvrir la porte du frigo et vous dégeler ?

— Rabelais ne vivait pas noblement. Pendant la majeure partie de sa vie, il évita soigneusement les gens qui raisonnaient mieux que lui.

— C'était un grand écrivain, puissant et fécond, un esprit large et hospitalier.

— Romantisme, romantisme que tout cela ! Vous répétez les opinions de certains critiques comme si c'étaient des faits.

— O.K., vous m'avez battue au jeu de l'érudition, mais

vous ne m'avez pas fait changer d'avis. Je refuse donc d'admettre que vous m'ayez battue au vrai jeu.

— C'est-à-dire ?

— Eh bien, regardez-vous et regardez-moi. Je suis très contente de ce que je fais, tandis que je ne vous ai jamais entendu apprécier ou approuver la moindre de vos actions, à l'exception d'une seule liaison amoureuse qui a mal tourné. Alors, qui de nous deux est le gagnant ?

— Vous êtes idiote, Molly. Une très belle idiote, il est vrai, et vous débitez vos sottises d'une voix si agréable et avec un soupçon d'accent si charmant qu'un jeune hétéro-sexuel comme Arthur Cornish vous prend peut-être pour une véritable Aspasie.

— Mais je suis une Aspasie, ou du moins, il se pourrait que j'en sois une. Vous ne cessez de me jeter ma féminité à la figure, mais vous n'avez pas la moindre idée de ce que c'est qu'une femme. Vous, vous avez un esprit masculin qui doit être plutôt bon, quoique, finalement, pas tellement créateur ; moi, j'ai un esprit féminin. Et, alors que le vôtre, qui adore les distinctions subtiles, est monochrome, les teintes du mien sont encore plus riches que celles du spectre. Je ne peux pas vous battre à votre jeu, mais je crois que vous n'arriveriez même pas à deviner quel est le mien.

— C'est joliment exprimé. Eh bien, je dirai que votre jeu actuel, c'est le romantisme. Oh ! je n'emploie pas ce terme dans un sens péjoratif ! Ce que j'entends par là, c'est une certaine luxuriance et...

— Et beaucoup de confusion, allez, dites-le ! Mais cela, seulement si je vous laisse établir les règles.

— Permettez-moi de terminer, s'il vous plaît. Je vous ai dit que la cime de mon arbre est un scepticisme qui n'épargne rien sauf le miracle de l'existence de Dieu. Mais j'ai aussi des racines. Elles nourrissent ma cime, et, comme d'habitude, ces deux extrémités s'opposent. Les racines sont pareilles à une cime renversée qui pousserait dans l'obscurité au lieu de grandir dans la lumière, qui descend vers les profondeurs au lieu de s'étirer vers le haut. Et elles sont romantiques, Molly. Sur ce terrain, nous pouvons nous rencontrer, vous et moi, et prendre du bon temps ensemble. Pourquoi est-ce que j'écris un roman, d'après vous ? Voilà une chose que les sceptiques ne font pas.

— Quand je pense à ce que j'ai appris sur vous, frère John, j'ai du mal à imaginer pourquoi vous écrivez un roman. Vous êtes disert, mais je crois que vous manquez d'imagination. Vous n'êtes ni un conteur ni un poète ; vous ne donnez pas accès à un monde de merveilles. Je ne connais aucun romancier, mais vous me semblez peu fait pour cette vocation.

— Ma vie est un roman. Mon roman, c'est ma vie, légèrement transposée. Je n'ai pas besoin d'imagination : j'ai un riche matériau. J'écris sur moi et sur toutes les personnes que j'ai rencontrées et qui comptent pour moi, sur mes idées et leur évolution. Je ne vous cacherai pas que lorsque mon livre paraîtra, il fera rougir pas mal de gens que j'ai connus. Je n'écris pas pour me justifier, mais pour rapporter une remarquable aventure spirituelle afin que le lecteur puisse en tirer un enseignement. Ce qu'il fera certainement.

— Me le ferez-vous lire ?

— A sa parution, je vous en donnerai peut-être un exemplaire. En tout cas, vous ne lirez pas le manuscrit. Cela, je ne le permettrai qu'à un ou deux amis dont le jugement littéraire est sûr. Vous, avec votre goût pour Rabelais, vous ne pouvez pas y prétendre. C'est une œuvre sérieuse.

— Merci pour le compliment.

— Entre-temps, vous pourriez peut-être m'aider sur le plan pratique. Les gens s'en rendent rarement compte, mais écrire entraîne pas mal de dépenses. Vous serait-il possible de me prêter cinquante dollars pour quelques jours ?

— Mon petit agenda me dit que vous me devez déjà deux cent soixante-cinq dollars. Vous avez un esprit méthodique, frère John : vous empruntez toujours par multiples de cinq.

Qu'est-ce qui vous fait croire que je peux continuer à vous prêter de l'argent à ce rythme ?

— Je sais que vous en avez, ma petite. Beaucoup plus que la moyenne des étudiants.

— D'où tenez-vous cela ?

— Je suis quelqu'un d'observateur. La richesse est difficile à cacher. Vous avez beaucoup de fric. Peut-être le recevez-vous de Hollier ?

— Foutez le camp ! »

Mais il n'a pas bougé, et j'étais trop avisée pour me lancer dans une partie de bousculade avec quelqu'un d'aussi musclé que Parlabane, car, même vêtu de cet horrible costume, il avait l'air d'être extraordinairement costaud. Il est resté sur le canapé, souriant d'un air narquois, et moi je me suis replongée dans mon travail en essayant d'ignorer sa présence.

Pourquoi avait-il dit cela ? Hollier ne lui avait sûrement jamais parlé de notre unique et — comme il me semblait maintenant — absurde union sur ce canapé. Non, c'était tout à fait contraire à son caractère, même en tenant compte de l'affreuse complicité masculine face aux femmes.

Je me suis sentie rougir, réaction que je n'arrive pas à contrôler. Pourquoi ? De colère, je suppose. Pendant que j'écrivais et trifouillais dans mes papiers, de plus en plus consciente du regard hypnotique que Parlabane fixait sur moi, j'ai entendu sa voix, très basse et d'une surprenante douceur, chanter la chanson que je déteste le plus au monde : la chanson avec laquelle mes camarades d'école ne cessèrent de me tourmenter après qu'elles m'eurent arraché des renseignements sur ma famille.

*Slumber on, my little Gypsy sweetheart*
*Wild little woodland dove ;*
*Can you hear the song that tells you*
*All my heart's true love ?*

> *Dors, ma petite chérie bohémienne,*
> *Ma sauvage petite colombe des bois ;*
> *Entends-tu ce chant qui te parle*
> *De mon amour pour toi ?*

Ç'a été la goutte qui a fait déborder le vase. J'ai mis ma tête sur la table et j'ai sangloté. Parlabane était vraiment un spécialiste des coups bas !

« Qu'y a-t-il, Maria ? Ça ne va pas ? Ma petite chanson touche-t-elle en vous quelque fibre sensible ? Allons, allons, mon petit cœur, séchez vos larmes. Vous vous demandez sans doute comment j'ai découvert votre secret ? Par pure intuition, ma chérie. Je suis un grand intuitif, vous savez. C'est là une qualité de mes racines, non de ma cime. J'arrive à flairer toutes sortes de choses simplement en regardant, en écoutant et en laissant mes racines nourrir ma cime. Si vous préférez que je garde ce petit détail pour moi, vous pouvez compter sur mon silence. Quoique, comme vous devez le savoir, certaines personnes montrent beaucoup de curiosité à votre égard parce que vous êtes si belle et si désirable pour un hétérosexuel. Elles me harcèlent de questions sur vous, pensant que connaître des choses à votre sujet les rapprochera de leur but : vous posséder. Parfois, elles insistent tellement que j'ai du mal à leur résister. »

Il a donc eu ses cinquante dollars. Il les a glissés dans une poche intérieure, puis il s'est levé pour partir. Debout à la porte, il a encore dit :

« Ne pensez pas que je vous croie capable de vouloir cacher vos origines tsiganes, ma chère Molly : ce serait stupide et bas. Je suis un peu plus perspicace que ça. Je pense que vous essayez de les étouffer parce qu'elles représentent le contraire de ce que vous vous efforcez d'être : une femme moderne, érudite, un parfait produit de cette époque et de cette civilisation plutôt indigentes et moroses. Non, vous n'essayez pas de les cacher ; vous essayez de les extirper de votre être.

C'est impossible, vous savez. Écoutez mon conseil, ma chère : laissez vos racines nourrir votre cime. »

## 2

C'était très facile, pour Parlabane, de me conseiller d'accepter mes racines. Il ne pouvait savoir, et d'ailleurs cela lui aurait été égal, ce que celles-ci me coûtaient chez moi, à la maison, endroit qui n'était pas une caverne secrète d'affectivité et de sagesse ancestrale où je pouvais me ressourcer, mais un antre de duplicité et de malhonnêteté, façon tsigane. Mamousia était en train de préparer Yerko pour une de ses descentes de piraterie sur l'innocente et crédule cité de New York.

Ma mère et mon oncle y étaient en relations d'« affaires » avec l'un des luthiers les plus réputés de la ville — un commerçant qui avait également un autre magasin, à Paris, pour lequel les Laoutaro avaient longtemps travaillé. Non seulement quelques-uns des meilleurs virtuoses du monde, mais aussi une foule d'artistes moins en vue quoique excellents — violonistes d'orchestres de premier ordre et leurs collègues violoncellistes et contrebassistes, qui, de temps en temps, avaient tous besoin d'un instrument, pour eux ou pour un élève — venaient voir ce célèbre marchand, dont l'opinion était pour eux parole d'Évangile.

Je ne peux le nommer car ce serait trahir un secret qui ne m'appartient pas. D'ailleurs, je ne suis pas en train d'insinuer que ce marchand est un escroc. Simplement, la quantité de très beaux instruments est tout de même limitée. Il n'y a pas eu des centaines de grands luthiers aux XVIIIe et XIXe siècles, et, même s'il existe quelques milliers d'instruments de première qualité dans le monde, il en existe encore plus qui semblent tout aussi bons, ou presque aussi bons, et qui sortent d'ateliers comme ceux de mamousia et de Yerko Ainsi, le marchand disait à un client : « Si vous trouvez ce

Nicolas Lupot un peu trop cher pour ce que vous étiez disposé à mettre dans un instrument de réserve, j'ai ici un authentique violon de l'école de Mirecourt. N'ayant pas de dossier complet sur ses propriétaires précédents, je ne me sens pas en droit de demander le montant de sa valeur. Quelque riche amateur a dû le posséder pendant une génération. Il est très beau et, en outre, c'est une bonne affaire. » Le musicien l'essayait, l'emportait probablement chez lui pour s'y habituer et finissait par l'acheter.

Je ne dis pas que ce n'était pas un bon instrument ou que certains de ses éléments n'avaient pas, à un moment quelconque, été fabriqués à Mirecourt. Mais la coquille — cette partie du violon superbe, si évocatrice, mais sans grande importance — pouvait très bien avoir été sculptée par Yerko dix-huit mois plus tôt, et le dos, ou même la table, façonné avec amour par mamousia à partir du magnifique sapin argenté ou du sycomore qu'elle achetait aux fabricants de pianos. Les éclisses étaient certainement son œuvre, aussi authentiques que pouvait l'être le reste. Et chaque violon, viole ou violoncelle qui sortait du sous-sol du 120, Walnut Street, Toronto, avait été reverni, couche après couche, avec un produit à l'ancienne mode, dont la formule était un secret des Laoutaro, à base de résines et d'ambre fossile qui coûtaient très cher et étaient très difficiles à trouver. Oh ! mamousia et Yerko n'étaient pas des escrocs qui fournissaient de la camelote à des prix élevés ! Une fois passé au *bomari*, leur violon était un bon instrument. Un assemblage de morceaux d'instruments anciens, qui avaient été abîmés d'une manière ou d'une autre — et, de ce fait, étaient bon marché — et de parties neuves. Une merveille d'ingéniosité, mais pas tout à fait ce qu'il semblait être.

Mamousia et Yerko vendaient du romantisme — le romantisme des antiquités. De nos jours, dans des endroits aussi peu romantiques que Chicago, on fabrique d'excellents instruments — aussi bons, d'un point de vue matériel, que ceux des grands luthiers d'autrefois. Il leur manque toutefois l'attrait romantique de l'âge. Or, bien que beaucoup de violonistes soient cyniques et que certains ne soient que des artisans syndiqués, avec juste assez de fibre artistique pour conserver une chaise à l'arrière d'un modeste orchestre de province, ils sont sensibles au charme des objets anciens. Romantisme et patine, voilà ce qu'offraient Yerko et mamousia, et que vendait très cher le célèbre luthier, parce que lui aussi comprenait leur valeur marchande.

Pourquoi cela me gênait-il ? Parce que j'avais appris la dure discipline de l'érudit frémissant à la pensée d'un faux et condamnant un homme qui, par exemple, prétendrait avoir découvert un texte de Shakespeare que personne d'autre ne peut trouver. Si une chose n'est pas défendable à tous les points de vue, elle est suspecte et probablement sans valeur. Est-ce là un puritanisme de pacotille ? Non, mais pareille attitude est inconciliable avec des supercheries romantiques comme les beaux instruments ambigus qui sortaient de notre sous-sol.

Pour le genre de voyages que je viens de mentionner, Yerko rassemblait ce qu'il nommait son quatuor à cordes Kodaly. Les trois autres « membres » étaient des musiciens victimes de quelque faillite morale ou financière et qui n'étaient que trop heureux d'aller gratuitement à New York avec mon oncle, dans un break contenant une dizaine d'instruments destinés à rester chez le luthier. Ensuite, Yerko rentrait au Canada par un autre poste frontière, sans son quatuor, mais avec un tas de détritus — des violons cassés ou démembrés — à l'arrière de sa voiture. Avec sa haute stature, ses longs cheveux noirs et son air mélancolique, Yerko était pour un douanier l'image même du musicien. Une partie des préparatifs de voyage consistait à dessoûler Yerko de manière qu'il pût conduire la voiture et conclure des affaires sans s'attirer d'ennuis et à lui mettre dans le crâne l'idée que, s'il entrait dans une maison de jeu et risquait le moindre dollar, mamousia le découvrirait et lui ferait regretter sa légèreté. Les règlements se faisant en numéraire, Yerko revenait de New York avec des liasses de billets dissimulées dans la doublure de son grand manteau informe de musicien. Selon le raisonnement de ma mère et de mon oncle, l'allure de ce dernier était celle d'un artiste d'une manière trop évidente, caricaturale même, pour éveiller des soupçons.

Ce trafic constituait l'essentiel de leurs affaires. Le travail parfaitement honnête qu'ils réalisaient pour quelques interprètes de tout premier ordre ne payait pas assez, mais il les flattait en tant que luthiers et leur donnait une précieuse réputation parmi les gens qui fournissaient du romantisme et de bons violons aux orchestres d'Amérique du Nord.

### 3

Les Tsiganes méprisent les gens souffreteux, et, chez nous, il était interdit d'être malade. Aussi, quand j'ai attrapé cette forte grippe, j'ai tout fait pour le cacher. Mamousia pensait que j'avais un rhume, et il n'était pas question que je reste au lit, sur le canapé que j'occupais dans la salle de séjour commune. Elle a absolument tenu à ce que je suive le traitement unique qu'elle préconise pour tous les troubles respiratoires : se fourrer une gousse d'ail dans chaque narine. C'est dégoûtant, et, du coup, je me suis sentie encore plus mal. Je me suis donc traînée jusqu'à l'université et réfugiée dans le bureau de Hollier. Là, je m'asseyais sur le sofa quand je pensais que Hollier pouvait entrer et m'y allongeais le reste du temps. Je me trouvais terriblement à plaindre.

Et pourquoi ne me serais-je pas apitoyée sur mon sort ? N'avais-je pas des problèmes ? Mon foyer était un lieu d'inconfort et de duplicité morale où je n'avais même pas un vrai lit pour dormir. (*Tu es riche, imbécile. Trouve-toi un appartement et laisse-les tomber*. Oui, mais cela les blesserait. Or, malgré leurs affreuses combines, je les aime, et les quitter serait abandonner des êtres que Tadeusz m'eût demandé de chérir.) Mon amour pour Hollier m'épuisait. Ce dernier, en effet, ne manifestait pas la moindre intention de vouloir réitérer notre seule et unique union physique ; il n'avait même pas l'air de tenir à moi. (*Alors, provoque-le. N'as-tu aucune ressource féminine ? Tu n'as plus l'âge, et ce n'est plus l'époque, d'avoir ce genre d'hésitations.* Oui, mais j'aurais honte de me jeter ainsi à sa tête. *Eh bien, si tu ne veux pas tendre le bras pour te servir de nourriture, tu n'as qu'à mourir de faim !* Mais comment m'y prendrais-je ? « *Il y a une femme à la fenêtre avec le cul nu !* » Ta gueule ! Ta gueule ! Arrête de chanter. *Je chante à partir de mes racines, Maria. Qu'est-ce que tu attendais ? Des clochettes de fées ?* Seigneur ! On dirait Gretchen en train d'écouter le diable dans l'église ! *Non, c'est ton cher ami Parlabane, Maria, mais tu ne mérites pas un tel ami : tu n'es qu'une petite pimbêche.*)

Mon travail universitaire traînait. J'avais beaucoup étudié Rabelais et connaissais bien, maintenant, tous les textes existants de cet auteur. Cependant, on m'avait promis un superbe manuscrit qui m'apporterait exactement le genre de considération dont j'avais besoin et qui m'élèverait au-dessus du monde dans lequel mamousia et Yerko pouvaient me déshonorer. Mais depuis ce jour de septembre où il l'avait mentionné pour la première fois, Hollier ne m'en avait plus jamais parlé. (*Demande-lui où ça en est.* Je n'oserais pas. Il me répondrait simplement que dès qu'il aurait des nouvelles, il me le ferait savoir.) J'avais la fièvre et me sentais affreusement mal. J'avais l'impression que ma tête était bourrée de chiffons graisseux. (*Prends deux aspirines et couche-toi*).

Un après-midi, je dormais profondément, probablement avec la bouche ouverte, quand Hollier est revenu. J'ai bondi sur mes pieds et suis tombée. Hollier m'a aidée à me rasseoir, m'a touché le front et a pris un air grave. Pleurant un peu, je lui ai expliqué pourquoi je ne pouvais pas être malade chez moi.

« Je suppose que vous vous tracassez aussi pour votre travail, a-t-il dit. Vous ne savez pas où vous en êtes, et ça, c'est de ma faute. Je vous ai parlé de ce manuscrit, il y a bien longtemps, mais ce foutu document a disparu. Non, bon Dieu ! Il a été volé, et je sais même par qui. »

Cette nouvelle-là était très excitante, et quand il m'eut parlé de la succession Cornish, de la tentative faite par le professeur Darcourt pour coincer le professeur McVarish au sujet du manuscrit que ce dernier avait certainement emprunté, ainsi que de l'attitude irritante de McVarish dans toute cette affaire, je me suis sentie beaucoup mieux et j'ai pu me lever pour nous préparer du thé.

Je n'avais encore jamais vu Hollier de pareille humeur.

« Je sais qu'il l'a, ce gredin, répétait-il. Il se le garde sous le coude rien que pour enquiquiner le monde. Que diable pense-t-il pouvoir en faire ? »

J'ai essayé de faire entendre la voix de la raison.

« C'est un historien de la Renaissance. Il doit vouloir en tirer quelque chose dans son propre domaine.

— Mais il n'a pas la spécialisation qu'il faut ! Que sait-il de l'histoire de la pensée ? Il connaît la politique et un peu de l'art de la Renaissance, mais il ne peut en aucune façon se prétendre un historien de la culture ou des idées de cette période, contrairement à moi. Je veux ce manuscrit ! »

Fantastique ! Hollier était en colère et déraisonnable. Je ne l'avais vu aussi excité qu'une seule fois : le jour où je lui avais parlé du *bomari*. Il disait des bêtises, mais cela ne me dérangeait pas. Au contraire, cela me plaisait.

« Je sais ce que vous allez me dire, a-t-il repris : que tôt ou tard ce manuscrit apparaîtra au jour parce que McVarish aura écrit quelque chose dessus. Je pourrai alors demander à voir ce document et mettre à nu les erreurs de McVarish. Vous allez me dire d'aller trouver Arthur Cornish et d'exiger une confrontation. Mais que peut savoir quelqu'un comme le jeune Cornish sur ce sujet ? Non ! Je veux ce manuscrit avant que quelqu'un d'autre n'ait fait l'imbécile avec ! Je vous ai dit que je n'avais pas eu le temps de regarder ces lettres de près. Toutefois, il m'a suffi d'un coup d'œil pour voir qu'elles étaient écrites en latin, évidemment, mais un latin truffé de ce qui m'avait l'air d'être des citations grecques et aussi de mots hébreux qui se détachent du texte dans ces gros caractères hébraïques si particuliers. Et qu'est-ce que cela signifie, d'après vous ? »

J'avais bien ma petite idée là-dessus, mais j'ai pensé qu'il valait mieux le laisser parler.

« La cabale, voilà ce que cela pourrait signifier. Rabelais écrivant à Paracelse au sujet de la cabale. Peut-être était-il plongé jusqu'au cou dans cette herméneutique, peut-être la méprisait-il, peut-être se renseignait-il sur elle. A moins qu'il ne fît partie de ceux qui voulaient la christianiser. Quoi qu'il en soit, quoi de plus important à mettre au jour actuellement ? Et c'est bien là mon intention : découvrir et faire connaître cette série de lettres correctement, et non pas dans l'interprétation fumeuse d'un McVarish.

— Elles pourraient être assez anodines. J'espère que non, mais ce serait possible.

— Ne dites pas de bêtises ! En ce temps-là, un grand érudit n'écrivait pas à un de ses collègues pour lui demander des nouvelles de son jardin. C'était dangereux : les lettres pouvaient tomber entre les mains d'autorités ecclésiastiques répressives, et Rabelais aurait été, une fois de plus, compromis. Dois-je vous le rappeler ? Le protestantisme était le communisme de l'époque, et Rabelais en était beaucoup trop proche pour son bien. Mais la cabale aurait pu l'envoyer tout droit en prison, voire déboucher sur la mort, sur le bûcher ! Des lettres anodines ! Vraiment, Maria, vous me décevez ! Parce que je veux vous faire participer à ces travaux, vous savez. Quand mon commentaire sur ces lettres sera imprimé, votre nom figurera à côté du mien : je voudrais en effet que vous vous chargiez de vérifier les citations grecques et hébraïques. Plus que cela : *Stratagèmes* sera pour vous. Vous le traduirez et l'éditerez. »

Sur le plan de l'érudition, c'était là un geste d'une fantastique générosité. S'il avait les lettres, il me laisserait le texte historique. Formidable !

C'est alors que Hollier a fait une chose qui ne lui ressemblait pas du tout. Il s'est mis à jurer comme un fou et a jeté sa tasse par terre ; il a pris la mienne et l'a cassée aussi ; ensuite, ç'a été le tour de la théière. Puis, criant le nom de McVarish, il a fracassé le plateau sur le dos d'une chaise et a piétiné furieusement les débris de porcelaine, de bois et de feuilles de thé. Il était cramoisi. Ensuite, sans me dire un mot, il est parti dans sa chambre et a fermé sa porte à clé. Je m'étais faite aussi petite que possible sur le canapé, pour plus de sécurité et aussi pour mieux l'admirer.

Pas une seule allusion à l'amour, pourtant. J'avais presque honte de remarquer ce détail alors que des questions d'érudition si importantes étaient à l'ordre du jour. Toutefois, je n'ai pas pu m'en empêcher. Hollier était si furieux contre McVarish qu'il n'avait pas le temps de penser à autre chose.

Il avait néanmoins manifesté des sentiments, il avait fait preuve de préoccupations humaines, même si celles-ci se rapportaient essentiellement à lui. C'était lorsqu'on excitait son zèle de lettré que Hollier devenait quelque chose de plus qu'un érudit soucieux et distant, l'aspect de lui qu'il montrait au monde. La première fois que je lui avais parlé du *bomari*, il avait réagi d'une façon extraordinaire ; les deux fois où il m'avait parlé du manuscrit de Gryphius, il avait été très ému ; et, cette fois, il s'était mis dans une violente colère. En ces trois occasions, c'était comme s'il avait été quelqu'un d'autre, quelqu'un de plus jeune et de plus vif, que la passion poussait à des actes qui lui étaient inhabituels.

Ceux-ci relevaient de ses racines et non de son austère cime d'érudit. De temps en temps, je l'entendais crier, parfois des phrases intelligibles telles que : « Et cet imbécile qui voulait que j'aille voir McVarish et que je lui raconte tout ! » Lui raconter quoi ? Et qui était cet imbécile ?

J'ai ramassé les débris et nettoyé par terre. Je l'ai fait avec plaisir. L'accès de rage de Hollier avait guéri ma grippe.

Ou presque. A mon retour à la maison, ce soir-là, mamousia m'a dit :

« Ton rhume a disparu, mais je te trouve pâlote. Je sais ce qui ne va pas chez toi, ma fille : tu es amoureuse. De ton professeur. Comment va-t-il, au fait ?

— Le mieux du monde, ai-je répondu, pensant à la tempête à laquelle j'avais assisté dans l'après-midi.

— C'est un homme très bien. Très beau. T'a-t-il fait l'amour ?

— Non. »

Je n'avais aucune envie de lui donner des détails.

« *Ach* ! ces *gadje* ! Aussi lents que des serpents à l'automne. Je suppose qu'il leur faut le prétexte de circonstances plus formelles. Les *gadje* attachent beaucoup d'importance à ces choses-là. Nous devons te montrer à ton avantage. Invite-le pour Noël. »

Nous avons longuement discuté à ce propos. Je n'étais pas très sûre de ce que mamousia entendait par « circonstances formelles ». Du vivant de Tadeusz, ma mère et lui n'invitaient jamais personne à la maison : ils emmenaient les gens au restaurant, au concert ou au théâtre. Le bouleversement qui s'était produit chez nous à la mort de mon père avait fait cesser tout cela. Mamousia n'avait jamais eu d'amis parmi les relations d'affaires ou les membres hongrois des professions libérales que fréquentait Tadeusz, et elle laissa tomber toutes ses connaissances. Cependant, quand elle se mettait quelque chose en tête, il était impossible de la faire changer d'idée. Un dîner de Noël s'était emparé de son imagination, bien que Noël ne fût pas une très grande fête chez les Tsiganes. J'ai essayé d'être franche.

« Je ne te permettrai pas de l'inviter ici si c'est pour m'exhiber comme un poney tsigane que tu voudrais vendre. Tu ne connais rien au comportement de gens comme lui.

— Crois-tu qu'à mon âge je sois complètement idiote ?

Je serai aussi distinguée que n'importe quelle dame *gadji* — absolument parfaite. T'exhiber, *pocherate* ? Jamais de la vie ! Nous nous y prendrons comme les femmes du monde viennoises : nous lui ferons voir qu'il n'est pas le seul à te désirer.

— Mais il ne me désire pas, mamousia !

— C'est ce qu'il croit. Il ne sait pas ce qu'il désire. Laisse-moi m'occuper de cette affaire. C'est lui que je veux pour père de mes petits-enfants, et il est grand temps que tu te maries. Nous le rendrons jaloux. Tu dois inviter un autre homme. »

Quel autre homme ? Arthur Cornish ? Arthur et moi étions sortis ensemble plusieurs fois ; nous étions en train de devenir de grands amis, mais il ne m'avait jamais fait d'avances, à part m'embrasser sur les deux joues au moment de prendre congé, ce qui ne compte pas vraiment. Arthur était bien la dernière personne que je voulais introduire dans l'univers de mamousia.

Ma mère avait réfléchi, elle aussi.

« Pour rendre Hollier jaloux, il faut inviter quelqu'un qui soit son égal, sinon quelqu'un de légèrement supérieur à lui. Quelqu'un qui aurait des manières plus agréables, serait plus élégant, porterait plus de bijoux. Un autre professeur ! En connais-tu un ? »

C'est ainsi que j'en suis venue à demander au professeur Darcourt de dîner chez nous le lendemain de Noël, c'est-à-dire Boxing Day. Quand je me suis courageusement lancée dans mon petit discours, le révérend a pris une couleur bizarre : un rose vif qui commençait au-dessous de son col et montait lentement, comme si quelqu'un remplissait un verre de vin. Cela m'a terrifiée. Avait-il entendu dire qu'il s'agissait d'un intérieur tsigane ? Craignait-il d'avoir à s'asseoir par terre et à manger du hérisson rôti, l'unique plat rom que semblent connaître les *gadje* ? A mon grand soulagement, il a dit oui, qu'il serait ravi de venir, et, quand j'ai quitté la salle de cours, j'ai constaté qu'il me suivait des yeux, plus rose que jamais. En tout cas, il ferait très bien l'affaire : il avait à peu près le même âge que Hollier et des manières exquises ; malgré sa corpulence, il s'habillait avec élégance, et, même s'il ne portait pas ce que mamousia aurait appelé « des bijoux », il arborait une charmante petite croix en or à la chaîne de montre qui s'étalait sur les douze mètres d'intestin mentionnés par le professeur Froats. Oui, Simon Darcourt serait parfait.

« Un prêtre ? s'est étonnée mamousia quand je lui en ai parlé. Je dois dire à Yerko de surveiller son langage.

— Veille surtout à ce qu'il ne soit pas ivre.

— Compte sur moi », a dit mamousia, promesse que j'ai interprétée aussi généreusement que possible, quoique avec des réserves.


4


Il n'a pas été nécessaire de recommander à Yerko de surveiller son langage. Mon oncle est revenu de New York lesté d'argent caché, mais le cœur léger. Il avait en effet trouvé un dieu à adorer, un dieu nommé « bébé » Jésus. Un ami l'avait emmené au Metropolitan Museum, où, à l'occasion de la fête de Noël toute proche, l'on donnait une pièce sur la Nativité dans le département médiéval. L'ami avait pensé que Yerko apprécierait la musique interprétée avec des vieilles violes authentiques et d'autres instruments médiévaux parmi lesquels une sorte de *cimbalom*, le tympanon tsigane dont mon oncle jouait en virtuose. Mais l'imprévisible Yerko s'était enthousiasmé pour la pièce : l'Annonciation, la Nativité, l'adoration des bergers et le voyage des mages. Officiellement, les Tsiganes se disent catholiques, mais l'esprit de Yerko, que n'encombrait ni instruction ni tradition religieuses, était grand ouvert aux merveilles. A l'âge de cinquante-huit ans, mon oncle était transfiguré par sa nouvelle foi en l'enfant miraculeux. En conséquence, il avait acheté une *crèche** en bois sculpté, et, dès son retour à la maison, s'était mis au travail pour en faire la chose la plus magnifique qu'une imagination comme la sienne pouvait concevoir. Le résultat fut en effet splendide, quoique dans le style trop chargé qu'affectionnent les Tsiganes.

Il l'a installée dans notre unique séjour, qu'encombraient déjà les meilleurs meubles et bibelots qui étaient autrefois répartis dans toute la maison, quand mes parents l'occupaient en entier. Cette crèche attirait immédiatement le regard. Yerko priait devant et ne passait jamais à proximité sans s'incliner et saluer bèbè Jésus à voix basse. Grâce aux améliorations apportées par Yerko, l'Enfant portait maintenant une superbe petite couronne de cuivre et d'or ouvrés ainsi qu'une robe de velours rouge, rebrodée de perles, confectionnée par mamousia.

Sa présence m'ennuyait beaucoup. Elle allait à l'encontre de ce que j'espérais être mon austérité intellectuelle de lettrée, mon dédain rabelaisien pour la superstition et mon désir de... de quoi ? D'une certaine convention canadienne qui maintient la religion à sa place — une place où l'on ne peut la railler, mais où elle ne s'impose pas. Que penseraient nos invités de cet extraordinaire autel ?

Ils l'ont trouvé magnifique. Bien que Hollier soit venu à pied et Darcourt en taxi, ils sont arrivés au même moment devant notre porte. Tous deux ont déclaré être ravis de se voir, avec cette amabilité un peu outrée propre à la période de Noël. Avant même que j'aie eu le temps de le débarrasser de son pardessus, Darcourt s'est précipité en avant pour contempler la crèche.

J'avais prévenu Yerko que l'un de nos invités était pasteur. Bien entendu, mon oncle a jugé que cela devait être Hollier, celui-ci paraissant le plus austère des deux.

« Mon bon père, dit Yerko en s'inclinant profondément,

---

* En français dans le texte (N.d.T.).

je vous souhaite tout le bonheur possible en ce jour anniversaire de la naissance de bèbè Jésus.

— Hum... Oui, merci, monsieur Laoutaro », a répondu Hollier, assez décontenancé.

Je crois que, lors de sa première visite, mon oncle n'avait pas ouvert la bouche. Aussi Hollier n'avait-il pas entendu sa voix, qui est celle d'un homme parlant au fond d'un puits de pétrole : très grave et oléagineuse, en quelque sorte.

Mais à présent, Yerko avait repéré le col clérical d'une blancheur de neige que portait Darcourt. Pendant un moment, j'ai craint qu'il ne baise la main du révérend, à la mode paysanne. Ç'aurait été là un très mauvais début pour notre fête, du moins à mes yeux.

« Je vous présente mon oncle Yerko », ai-je dit, me plaçant entre les deux hommes.

Doté d'un grand savoir-vivre, Darcourt avait compris que dire « monsieur Laoutaro » était une erreur.

« Puis-je vous appeler Yerko ? a-t-il demandé. Appelez-moi Simon, je vous en prie. Est-ce vous qui avez monté cette crèche ? Voilà une chose qui nous rapproche beaucoup, mon cher Yerko. C'est de loin la plus jolie chose que j'aie vue ce Noël. »

Il avait l'air sincère. Il doit aimer le baroque, goût que je n'aurais jamais soupçonné chez un spécialiste du Moyen Âge.

« Cher père Simon, a répondu mon oncle en s'inclinant de nouveau, vous remplissez mon cœur de joie. Tout ceci est pour bèbè Jésus. » Il a jeté un regard humide à son chef-d'œuvre. « Et tout ceci aussi », a-t-il ajouté en désignant la table où nous allions manger.

Je dois admettre que celle-ci était étonnante. Mamousia avait déballé des trésors que nous n'avions pas vus depuis la mort de Tadeusz, et la table aurait pu figurer comme un autel dressé à la Gourmandise dans un tableau vivant représentant les sept péchés capitaux. Sur une nappe hérissée de dentelle s'étalait un service complet de cette porcelaine appelée Royal Crown Derby, appréciée de certains connaisseurs et peinte de couleurs criardes, bleu, rouge et or, dans le goût tsigane le plus extrême. Tadeusz en avait fait cadeau à mamousia à une époque où mes parents avaient vaguement l'idée de recevoir chez eux, mais il n'avait jamais servi. Il était là, maintenant, avec ses assiettes reposant sur d'autres assiettes, au milieu de couverts en argent aux formes les plus tarabiscotées que Jensen avait pu inventer. Il y avait une véritable forêt de bougies brûlant dans des candélabres à branches multiples, et, dans cette fournaise, les fleurs que j'avais absolument tenu à fournir commençaient à se flétrir.

« Il n'y a pas que les *gadje* qui savent bien faire les choses », avait dit mamousia.

Si Darcourt avait craint de se voir servir du hérisson rôti, au moins était-il maintenant assuré de le manger dans un style luxueux.

Il avait apporté un magnifique gâteau de Noël qu'il offrit cérémonieusement à mamousia. Ma mère approuva le geste : il correspondait à l'idée centre-européenne qu'elle se faisait de l'hospitalité. Hollier n'avait pas de cadeau, mais j'ai constaté avec plaisir qu'il portait un costume de bonne qualité, quoiqu'un peu chiffonné.

Il n'y a pas eu de préliminaires. Nous nous sommes mis aussitôt à table. J'avais vaguement parlé d'apéritif, mais mamousia s'était montrée très ferme là-dessus : ce genre de chose ne se faisait pas dans les restaurants chics où elle avait joué quand elle était jeune fille ; Tadeusz jugeait insensée cette habitude qu'avaient les Américains de prendre des cocktails, et même assez vulgaire, selon les critères polonais. Nous avons donc sauté l'apéritif. Bien entendu, Darcourt a été prié de réciter le bénédicité, ce qu'il a fait en grec, peut-être parce que c'était la langue qui s'accordait le mieux au Crown Derby.

Mamousia s'est assise au haut bout de la table, avec Hollier à sa gauche et Darcout à sa droite ; Yerko s'est mis à l'autre extrémité. A mon grand ennui, mamousia m'avait assigné le rôle de serveuse, et, quoique j'eusse une place à côté de

Darcourt, je n'étais pas censée l'occuper beaucoup. Je devais apporter les plats de la cuisine, où s'affairait une Portugaise surmenée qui se faisait payer double tarif parce qu'elle travaillait un jour férié et que mamousia houspillait avec des ordres très stricts.

« C'est le devoir d'une fille de servir les invités, avait déclaré ma mère. N'oublie pas de sourire et de les supplier de se resservir. Sois généreuse. Montre à ton cher professeur que tu sais te conduire en maîtresse de maison. Et mets une robe décolletée. Les hommes *gadjo* aiment reluquer la poitrine des femmes. »

C'était là une chose que je savais. Mais cela leur était égal, aux Bohémiennes, que les hommes reluquent ou non. Elles sont pudiques pour leurs jambes, pas pour leurs seins. Parlabane aurait dit que l'indifférence que j'ai toujours montrée à l'égard des regards indiscrets était une manifestation de mes racines. Ce soir-là, donc, j'ai mis une jupe longue, comme mamousia, mais nos épaules et nos seins étaient en évidence.

Toutefois, à la différence de mamousia, je ne portais pas de fichu. Pas plus que des bijoux, à l'exception d'une chaîne et de quelques bagues. En revanche, mamousia était l'objet le plus décoré de la pièce, après bèbè Jésus. Elle dégoulinait d'or — de l'or véritable : deux grands anneaux à ses oreilles et un collier fait de thalers à l'effigie de Marie-Thérèse, qui devait bien peser un kilo.

« Vous regardez mon or ? a-t-elle demandé à Hollier. C'est ma dot, mais il est à moi. Si mon mariage avait été un échec, je n'aurais pas été pauvre. Mais ç'a été une réussite. Oh oui ! une grande réussite, même ! Nous les femmes de la famille Laoutaro, nous faisons de merveilleuses épouses. Nous sommes célèbres pour cela. »

Ce petit discours a été prononcé sur ce que je dois appeler un ton « coquin » qui m'a horriblement embarrassée et m'a fait rougir. J'étais furieuse et j'ai rougi encore plus car je voyais que Hollier et Darcourt me regardaient, tandis que moi je jouais le rôle de la chaste jeune fille à laquelle on présente d'éventuels maris. Dans la vraie tradition tsigane.

Bon sang ! Voilà que moi, une fille moderne du Nouveau Monde, je me trouvais ici, déguisée en Bohémienne et servant de la nourriture à la table de ma mère pour la simple raison que j'étais incapable de résister à mamousia. Ou peut-être parce que mes racines étaient encore plus grandes que ma cime. Alors que je bouillais intérieurement, mes racines m'assuraient que j'étais plus belle que jamais, et cela parce que je rougissais. La vie est vraiment beaucoup plus compliquée que la préparation d'un doctorat ne le laisserait supposer !

Le menu avait été composé selon ce que mamousia avait vu dans les restaurants de sa jeunesse, et je pense — en fait, j'en suis sûre — qu'il a étonné nos invités. Tous les produits n'avaient pas été volés. Les vins, notamment, avaient été achetés. Dans notre partie du monde, en effet, tous les vins et alcools sont des monopoles d'État, et faucher dans des magasins dirigés par le Liquor Control Board est difficile, même pour une chapardeuse aussi habile que mamousia. Le gouvernement, qui plonge sa main dans toutes les poches et son nez dans tous les verres, surveille jalousement ses propres intérêts. Les lourds vins rouges et le tokay que nous avons bus avaient donc été acquis honnêtement, même si, dans un magasin où l'on se servait soi-même, mamousia avait pu piquer une bouteille de liqueur de poire et deux de liqueur d'abricot. Par conséquent, nous étions assez bien approvisionnés, vu que nous n'étions que cinq personnes, sans compter la Portugaise à laquelle il fallait de temps en temps verser un verre pour l'encourager.

Nous avons commencé par une bisque de homard provenant de deux boîtes volées par mamousia, mais qui avait été grandement améliorée avec du xérès et de la crème, la plus épaisse qu'on puisse trouver dans le commerce. Puis nous sommes passés à une tourte au lapin achetée dans une pâtisserie française. Nos invités ont mangé ce plat inhabituel de bon appétit, ce qui m'a fait plaisir car il avait coûté une fortune. Ils ne se rendaient peut-être pas compte qu'il y aurait ensuite une grande carpe farcie, accompagnée d'une sauce à l'ail dans laquelle une cuiller aurait tenu debout, et un *mélange** de légumes si raffinés que c'est à peine s'ils ressemblaient encore à des légumes. Quand Darcourt lui eut fait honneur, son front s'est mis à briller de sueur.

Hollier, comme je l'ai constaté avec inquiétude, mangeait avec bruit ; or paraître manger avec bruit quand Yerko est à la même table que vous, c'est être *vraiment* bruyant. C'était un mastiqueur : ses mâchoires montaient et descendaient comme des pistons, et, sans avoir l'air avide, il mangeait néanmoins beaucoup. Le pauvre ! Manquait-il de nourriture dans sa vie solitaire de professeur ? Ou sa mère, qui n'habitait pas très loin de chez nous, l'avait-elle gavé de dinde et de plum-pudding, ces mets que des Canadiens comme eux jugent appropriés pour Noël ? Hollier était d'un type sheldonien qui peut manger beaucoup sans grossir.

La carpe a été suivie d'un sorbet, servi non pas comme dessert, pour finir le repas, mais pour « taquiner » un peu nos estomacs, comme l'a dit mamousia, avant de passer au prochain plat sérieux, en l'occurrence un authentique *guly'as-hus*, de nouveau très aillé et abondant, mamousia considérant ce mets comme la partie la plus importante du repas, l'apothéose du festin.

Celui-ci se terminait-là, mis à part une tarte aux abricots accompagnée d'une crème corsée de cognac et une *sachertorte*. Mamousia a insisté pour que tout le monde prît de ce dessert-là, qui lui rappelait le bon temps à Vienne et donnait un petit air cosmopolite à ce repas qui, par ailleurs, était purement hongrois. Et, bien entendu, il nous a tous fallu goûter au gâteau de Darcourt.

Nos invités ont tout mangé, ont bu le lourd vin rouge, puis sont passés allègrement au tokay.

* En français dans le texte (N.d.T.).

La conversation, qui pendant tout ce temps avait été très animée, l'est devenue encore plus vers la fin du repas. Je courais porter des choses à la cuisine, en rapporter d'autres, m'efforçant de dompter la cuisinière à laquelle j'avais donné un peu trop de « remontant ». Ses soupirs et ses gémissements auraient pu passer inaperçus, mais, vers le milieu du dîner, elle se mit à parler toute seule ; parfois, elle ouvrait la porte et nous regardait avec une solennité hébétée pour voir si tout allait bien.

Mamousia jouait les hôtesses distinguées, du moins tel qu'elle imaginait ce rôle. Elle voulait faire parler nos invités de l'université et de ce qu'ils y faisaient. Le travail de Darcourt, elle pouvait le comprendre : il instruisait d'autres prêtres. Darcourt a essayé d'expliquer qu'il n'était pas tout à fait un prêtre au sens où l'entendaient mamousia et Yerko.

« Je suis anglican, comprenez-vous, a-t-il dit à un moment donné. Par conséquent, bien que je sois incontestablement prêtre, je le suis plutôt dans un sens pickwickien, si vous voyez ce que je veux dire. »

Non, ils ne voyaient pas.

« Mais vous aimez le bèbè Jésus ? s'est informé Yerko.

— Oh oui ! Tout autant, je vous assure, que mes frères de Rome. Ou ceux de l'Église orthodoxe. »

Lors de sa première visite, Hollier avait expliqué à mamousia en quoi consistait son travail. Il a développé un peu ce sujet, sans toutefois dire qu'il considérait ma mère comme un fossile culturel ou une détentrice de l'esprit sauvage.

« Je scrute le passé, a-t-il déclaré.

— Ah ! tout comme moi, alors ! s'est écriée mamousia. Toutes les Tsiganes le font. Cela vous donne-t-il des douleurs ? Parfois, quand j'ai passé beaucoup de temps à scruter le passé, j'ai très mal à mes organes génitaux, si je peux me permettre de parler de ce genre de choses. Mais nous ne sommes plus des enfants. A part ma fille. Maria, va voir à la cuisine ce que fabrique Rosa. Dis-lui que si elle m'ébrèche une de ces assiettes, je lui arracherai le cœur. Bien. Cher

Hollier, vous apprenez à vos étudiants à scruter le passé ? A ma fille aussi, eh ?

— Maria est plongée dans l'étude d'un homme remarquable du passé, un certain François Rabelais. On pourrait dire que c'était un grand humoriste.

— Qu'est-ce que cela signifie ?

— C'était un homme très sage, mais il exprimait sa sagesse par des plaisanteries, des histoires complètement farfelues.

— Des plaisanteries ? Un genre de devinettes, vous voulez dire ?

— Oui, en un sens chaque plaisanterie est une devinette parce qu'elle dit une chose tout en voulant en dire une autre.

— Je connais quelques bonnes devinettes, assura Yerko. La plupart d'entre elles ne peuvent être posées devant bèbè Jésus. Mais écoutez celle-ci : quel grand gaillard peut entrer en riant dans la chambre à coucher de la reine — oui, même dans celle de la reine d'Angleterre — sans frapper ? »

Il y a eu le silence gêné qui tombe toujours après l'énoncé d'une devinette et pendant lequel les gens font semblant de chercher la réponse, alors qu'en réalité ils l'attendent du questionneur.

« Vous donnez votre langue au chat ? Un grand gars rieur et ardent. Il peut même se poser sur le lit de la reine et regarder à travers son peignoir. Hein ? Vous ne connaissez pas de type pareil ? Mais si voyons ! Le soleil ! Ah, prêtre Simon, vous avez sûrement pensé que c'était une devinette cochonne, hein ? »

Et Yerko a ri bruyamment, montrant l'intérieur de sa bouche jusqu'à la luette, tant sa blague l'enchantait.

« J'en connais une encore meilleure, a annoncé mamousia. Écoutez bien ce que je vais vous dire, sinon vous ne trouverez jamais. Il s'agit d'un *objet*, vous comprenez ? Cet objet a été fabriqué par un homme qui l'a vendu à un homme qui n'en voulait pas ; l'homme qui s'en est servi ne savait pas qu'il s'en servait. Alors, qu'est-ce que c'est ? Réfléchissez. »

C'est ce que nos invités ont fait ou feint de faire. Mamousia a tapé sur la table.

« Un cercueil ! a-t-elle dit. C'est une bonne blague pour un prêtre, non ?

— Racontez-nous d'autres devinettes tsiganes, madame, a dit Hollier. Les écouter, pour moi, c'est comme plonger un regard émerveillé dans un lointain passé. Or tout ce que nous pouvons récupérer du passé jette de la lumière sur notre époque et nous guide vers l'avenir.

— Oh, nous pourrions vous dire bien des secrets, intervint Yerko. Les Tsiganes en ont des tas. C'est ce qui les rend si puissants. Écoutez, je vais vous révéler un secret rom qui vaut bien mille dollars. Disons que votre chien se bagarre avec un autre chien, chacun d'eux essayant de tuer l'autre. Roufrouf ! Grrr ! Impossible de les séparer. Vous lui donnez des coups de pied. Vous lui tirez la queue. Rien à faire. Il veut du sang. Que faites-vous, alors ? Vous léchez votre index — il faut qu'il soit bien mouillé — puis vous vous approchez et vous fourrez votre doigt dans le cul de l'une des deux bêtes, n'importe laquelle, aussi loin que vous pouvez. Puis vous l'agitez. Chien surpris. Qu'est-ce qui m'arrive ? il pense. Il lâche son ennemi, vous lui flanquez un bon coup de pied et la bagarre est finie. Vous avez un chien ?

— Ma mère a un très vieux pékinois, l'informa Hollier.

— Eh bien, essayez mon truc la prochaine fois qu'il se battra. Montrez-lui qui est le maître. Vous avez un cheval ? »

Aucun des deux professeurs n'en avait.

« Dommage, j'aurais pu vous dire comment se l'attacher pour toujours. Je vous le dirai quand même : vous lui murmurez quelque chose dans les naseaux. Quoi ? Votre nom secret, celui que seuls vous et votre mère connaissez. Dans chaque naseau. Il est à vous pour toujours. Il quittera n'importe quel maître pour vous suivre. Crachez-moi à la figure si je mens.

— Comme vous le voyez, ma fille montre ses cheveux, a fait remarquer mamousia à Darcourt. Cela veut dire qu'elle n'est pas mariée — pas même fiancée, bien qu'elle ait une magnifique dot et qu'elle soit une très brave fille. Personne ne l'a jamais touchée. Les jeunes filles tsiganes sont très strictes là-dessus. Pas de flirt comme ces filles *gadji* éhontées. Ce que j'ai pu entendre à ce sujet ! Vous auriez du mal à le croire ! Elles ne valent guère mieux que des *putani*. Maria n'est pas comme ça.

— Ah ! Je suis sûr que si elle est encore célibataire, c'est parce qu'elle le veut bien, a dit Darcourt. Une beauté pareille !

— Bien que vous soyez prêtre, vous avez l'air d'aimer les femmes. Mais c'est vrai, les prêtres de votre sorte se marient, comme les orthodoxes.

— Pas tout à fait comme les orthodoxes. Ces derniers peuvent se marier, mais ils doivent renoncer à tout espoir de devenir jamais évêque. Tandis que nos évêques sont généralement mariés.

— C'est beaucoup beaucoup mieux ainsi ! Cela leur évite d'être mêlés à des scandales. Vous voyez ce que je veux dire ? » Mamousia a froncé le sourcil. « Les garçons !

— Euh… je suppose que oui. Quoique les évêques aient tant à faire avec les scandales des autres qu'ils ne doivent pas être très attirés par ce genre de choses, même s'ils sont mariés.

— Serez-vous évêque, père Simon ?

— Cela m'étonnerait beaucoup.

— Vous n'en savez rien. J'ai l'impression que vous feriez un très bon évêque. Vous avez la distinction qu'il faut et une belle voix. Vous ne voulez pas savoir ?

— Pourriez-vous le lui dire ? a demandé Hollier.

— Oh, ça ne l'intéresse pas. Et puis cela me serait impossible, avec tout ce que j'ai mangé ! »

Elle est rusée, mamousia ! Lentement, mais pas trop, elle s'est laissé persuader par Hollier de scruter l'avenir. La liqueur d'abricot avait circulé autour de la table. Hollier était devenu plus convaincant, mamousia, plus flirteuse, et Darcourt, bien qu'il s'en défendît, désireux de savoir ce qui l'attendait.

« Apporte les cartes, Yerko », a ordonné ma mère.

Les cartes étaient rangées au-dessus d'une vitrine, aucun autre objet dans la pièce ne devant se trouver plus haut qu'elles. Mon oncle les a descendues avec tout le respect nécessaire.

« Je devrais peut-être couvrir bèbè Jésus, a-t-il dit.

— Bèbè Jésus est-il un perroquet qu'il faut recouvrir d'un morceau de tissu ? Tu n'as pas honte, mon frère ? Tout ce que je pourrais voir dans l'avenir, il le sait déjà.

— J'ai trouvé une solution, ma sœur. Tu lis les cartes et nous dirons à bèbè Jésus que c'est un présent pour son anniversaire. De cette façon, nous éviterons tout ennui.

— Voilà une pensée inspirée, a approuvé Darcourt. Faire l'offrande de ce don merveilleux. Je n'y avais pas pensé.

— Tout le monde doit un cadeau à bèbè Jésus, a déclaré Yerko. Même les rois. Les voici, dans la crèche. J'ai fabriqué moi-même leurs couronnes. Savez-vous ce qu'ils apportent ?

— Le premier apporte de l'or, a répondu Darcourt en se tournant vers les santons.

— Oui, de l'or. Et vous, vous devrez donner de l'argent à ma sœur — oh, très peu, vingt-cinq cents peut-être — pour que les cartes tombent correctement. Mais il n'y avait pas que de l'or. Les autres rois apportent de l'innocence et de la gaieté *. »

Darcourt s'est d'abord montré étonné, puis ravi.

« C'est très beau, Yerko, a-t-il dit. Est-ce vous qui avez inventé ça ?

— Non, c'était dans la pièce que j'ai vue à New York. Les rois disent : Nous t'apportons de l'or, de l'innocence et de la gaieté.

— *Sancta simplicitas*, a dit Darcourt en levant ses yeux

---

* Yerko a mal entendu les mots *incense* et *myrrh* — encens et myrrhe ; il en a fait *innocence* et *mirth* — innocence et gaieté (N.d.T.).

vers les miens. Si seulement il pouvait y avoir un peu plus de gaieté dans le message qu'il nous a laissé ! Voilà une chose dont nous manquons terriblement dans le monde que nous avons créé. Et l'innocence ! Oh ! Yerko, vous êtes merveilleux ! »

Etait-ce simplement l'effet de la liqueur d'abricot, ou la pièce brillait-elle vraiment d'une lumière dorée ? Les bougies se consumaient, et, à l'exception du chocolat, du nougat et des fruits confits, j'avais rapporté tous les plats à la cuisine. Comme l'a dit mamousia, ces petites friandises étaient destinées à sceller nos estomacs, à faire savoir à nos systèmes digestifs et à nos intestins, quelle que fussent leur longueur, que c'était fini pour ce soir.

Ma mère avait ouvert sa délicate boîte en écaille et préparait les cartes. Un jeu de tarots, c'est beau, et le sien, vieux de plus d'un siècle, était particulièrement plaisant.

« Je ne peux pas vous faire le grand jeu, a-t-elle dit, pas après tout ce que j'ai mangé. Il faudra vous contenter des Cinq Lames. »

Avec dextérité, elle a divisé le paquet en cinq paquets plus petits : les deniers, les bâtons, les coupes et les épées aux quatre coins, et les vingt-deux lames majeures au centre.

« Il faut que nous soyons très sérieux maintenant, a-t-elle dit, et Darcourt a effacé son sourire poli. L'argent, s'il vous plaît. »

Darcourt lui a donné un *quarter*. Ensuite, mamousia s'est couvert le visage de ses mains pendant environ trente secondes.

« Bien. Maintenant, vous devez battre toutes ces cartes et en choisir une dans chacun de ces paquets en laissant celui du milieu pour la fin. Puis vous les disposerez comme je l'ai fait. »

Darcourt a suivi ses instructions. Quand il eut fini, nous avons vu sur la table une pentalogie que mamousia a interprétée ainsi :

« Votre première carte, qui donne le ton à l'ensemble, est

la reine de bâton, une belle femme brune et sérieuse qui occupe beaucoup vos pensées... Mais ensuite, nous avons le deux de coupe, et l'emplacement de cette carte indique ce qui contrarie vos projets ; elle signifie que dans votre histoire d'amour avec la femme brune, l'un de vous deux fera des difficultés. Mais ne vous inquiétez pas trop avant que nous ayons vu le reste... Ah, ici nous avons l'as d'épée. Vous devez donc vous attendre à une période de soucis et de tensions qui vous ôteront le sommeil... La dernière de vos quatre cartes du pourtour est le cinq de deniers. Cela signifie que vous subirez une perte, mais que celle-ci sera compensée par un gain beaucoup plus important. Bon, ces quatre lames sont régies par la cinquième qui se trouve au milieu. Cette dernière est votre grand atout, celle qui influence tout ce qui vous a été dit pour les autres cartes... Et c'est le Chariot. Une très bonne lame, parce qu'elle signifie que tout le reste est placé sous la protection du Soleil et que, quoi qu'il vous arrive, ce sera pour votre plus grand bien, même si vous ne vous en rendez compte qu'à la fin de votre période d'épreuves.

— Mais voyez-vous une mitre pour moi ? Un chapeau d'évêque ?

— Comme je vous l'ai dit : un gain important. Cela pourrait être n'importe quelle chose que vous considérez comme tel. Si c'est un chapeau d'évêque, il se peut que ce soit cela. Mais à moins de faire le grand jeu, ce qui prend au moins une heure, il m'est impossible de vous donner plus de détails. C'est un très bon destin que je vous ai trouvé, père Simon, en échange de ce *quarter* qui n'est même plus en argent, mais en quelque vil métal. Réfléchissez à ce que je vous ai dit. Cette belle femme brune — si vous la voulez, le Chariot, votre allié, pourrait vous mener à elle.

— Soyez franche avec nous, madame. Vous attribuez à ces cartes des significations qui, je suppose, sont arbitraires. Quiconque les choisit aura le même destin que moi. Je suis certain que ce que vous faites est plus qu'un effort de mémoire.

— La mémoire n'a rien à voir avec tout cela. Bien sûr, les cartes ont une certaine signification, mais n'oubliez pas qu'il y en a soixante-dix-huit. Cela fait combien de combinaisons de cinq ? Rien que pour le grand atout, il y a vingt-deux lames, et celles-ci influencent tout ce qui concerne les quatre autres. Sans le Chariot, je vous aurais prédit un avenir beaucoup moins heureux. Mais tout cela a lieu sous le signe du temps et du destin. Vous êtes vous — si vous savez qui c'est —, et moi, je suis moi, et ce qui se passe entre nous quand je vous tire les cartes est différent de ce qui se passerait avec n'importe qui d'autre. De plus, c'est aujourd'hui le lendemain de Noël et il est presque dix heures : cela aussi a son importance. Tout a un sens. Pourquoi est-ce que je vous fais les cartes à ce moment précis, alors que c'est la première fois que je vous vois ? Qu'est-ce qui nous a réunis ? Le hasard ? N'en croyez rien ! Le hasard n'existe pas. Tout a un sens, sinon le monde se désintégrerait. Mais vous aussi vous aurez votre tour, mon cher Hollier. Je vais battre de nouveau les cartes. Ensuite, vous ferez votre choix et nous verrons ce que l'année à venir vous réserve. »

Darcourt avait accepté qu'on lui prédise son avenir, mais Hollier, lui, le désirait ardemment. Il était rouge d'excitation. Pour lui, cette séance, c'était l'esprit sauvage — comme il l'appelait — à l'œuvre ; il était en présence d'une culture fossile. Il a choisi ses cartes. Mamousia les a examinées et j'ai vu sa figure s'assombrir. Alors j'ai regardé le jeu avec beaucoup d'attention, parce que je m'y connais un peu moi aussi. Je me suis demandé si ma mère allait dire la vérité telle qu'elle apparaissait, l'édulcorer, voire la changer complètement. Car il faut se montrer très prudent au tarot, même si vous ne tirez pas les cartes pour de l'argent. Il ne faut pas être trop explicite au sujet de la lame appelée la Mort, par exemple. Cette vilaine image, qui représente un squelette armé d'une faux en train de couper des fleurs, des têtes et des membres humains, ne devrait pas être associée au consultant, même si vous voyez la mort clairement inscrite sur sa figure. Il vaut mieux dire : « La mort d'une de vos connaissances pourrait influencer votre avenir. » Alors, la pauvre créature pensera aussitôt à un héritage ou, si c'est une femme mal mariée, à une libération. Cependant, mamousia s'est montrée honnête avec Hollier, bien qu'elle ait un peu adouci l'annonce de certains malheurs.

« C'est un jeu très intéressant. Ne pensez pas trop à l'issue de ma prédiction jusqu'à ce que j'aie fini. Ce quatre de bâton, ici, signifie qu'un problème que vous avez actuellement s'aggravera bientôt… Et là, le quatre de coupe — vous semblez attirer les quatre — veut dire qu'une personne de votre entourage va vous créer des ennuis, à vous et à une autre personne qui vous est encore plus proche… Bon, ici, où il est question de votre chance, nous avons le trois d'épée. Or cette lame représente la haine, et vous devrez vous tenir sur vos gardes : en effet, que ce soit quelqu'un qui vous haïsse ou que ce soit vous qui haïssiez quelqu'un, il en résultera de gros problèmes… Mais votre quatrième carte est le valet de deniers. Or le valet est un serviteur, quelqu'un qui travaille pour vous ; il vous enverra une lettre très importante. Quelle influence cela aura sur la haine et les ennuis, je l'ignore… Voici maintenant votre grand atout. C'est la Lune, la femme changeante qui parle de danger. Comme vous voyez, toute cette affaire est assez compliquée et je n'ose pas l'expliquer avec ces seules cartes. Je vous demanderai donc d'en prendre une autre dans le paquet des lames majeures. Espérons qu'elle jettera quelque lumière sur votre choix précédent. »

Hollier était-il plutôt pâle ? En tout cas, je sais que moi je l'étais. Je pensais que mamousia déguiserait son avenir, qui, comme je le voyais, était assez sombre, mais elle a dû avoir trop peur des cartes pour le faire. En effet, si vous trompez les cartes, celles-ci vous trompent en retour, et plus d'une bonne cartomancienne est devenue un charlatan et une tricheuse à cause de cela. Se rendant compte que les cartes s'étaient retournées contre elles, certaines se sont mises à boire ou se sont même suicidées.

Hollier a choisi une carte et l'a posée assez lentement sur la table. C'était la Roue de la Fortune. Mamousia était ravie.

« Ah ! maintenant je comprends ! Vous l'avez placée devant moi à l'envers, de sorte que nous voyons tous les personnages qui sont dessus à l'endroit ; le Diable est en bas et le haut de la roue est vide ! Toutes vos épreuves aboutiront donc à un bien ; vous finirez par triompher, mais non sans avoir subi quelques grosses pertes. Alors, soyez courageux ! Gardez le moral et tout ira bien !

— Grâce à bèbè Jésus ! a commenté Yerko. Ouf ! J'ai eu chaud ! Buvez un coup, professeur ! »

Un peu plus de liqueur d'abricot. A présent, je semblais avoir complètement perdu ma cime ; je vivais à partir de mes racines. Je devais être assez ivre, mais tous les autres l'étaient aussi, et c'était une bonne ivresse. Pour tirer les cartes, mamousia s'était débarrassée de ses chaussures, et j'en avais fait autant. Deux Bohémiennes aux pieds nus. Je ne sais pas très bien comment nous en sommes arrivés là, mais mamousia avait pris son violon et jouait de la musique tsigane. Quant à moi, j'étais perdue dans les forts contrastes émotifs entre le *lassu*, si mélancolique et, à dire vrai, larmoyant, et le *friska*, la sauvage gaieté des Roms, mais tout cela dans un style authentique, un peu fou et incontestablement archaïque qui n'a rien à voir avec des pâtisseries *gadje* telles que *Die Czardasfürstin*. Le *friska* que jouait mamousia évoquait non pas un feu de camp, les dents étincelantes et les jupes virevoltantes de Tsiganes de comédies musicales, mais quelque chose de très ancien et de durable, quelque chose qui reléguait l'université et le doctorat dans un espace clos à l'air confiné, le souvenir d'un temps où les hommes vivaient plus dehors que dedans, prenaient les cris d'oiseaux pour des augures et sentaient Dieu tout autour d'eux.

Yerko alla chercher le *cimbalom* qu'il avait fabriqué lui-même. Attaché par une corde, l'instrument pendait de son cou comme un grand plateau ; Yerko frappait si vite les cordes que ses petits maillets brillaient comme le fouet d'un cuisinier en train de monter de la crème. A quatre heures, cet après-midi, quand cette fête n'était encore pour moi qu'un point noir à l'horizon, cette musique m'aurait exaspérée ; maintenant, à onze heures passées, elle m'électrisait. J'aurais aimé avoir le courage de bondir sur mes pieds et, bien qu'il y eût peu de place dans la pièce, de danser, de frapper un tambourin et de m'abandonner à l'instant présent.

Le séjour est devenu trop étroit pour nous.

« Allons donner la sérénade aux autres habitants de la maison », a crié mamousia par-dessus la musique.

C'est ce que nous avons fait. Nous avons monté l'escalier en chantant une des célèbres chansons magyares, *Magasan repül a daru*. Celle-ci n'a rien à voir avec Noël : c'est un chant de triomphe et d'amour. J'ai pris mes deux professeurs par le bras et j'ai chanté les paroles pour nous trois : Darcourt chantait l'air d'une très belle voix mais en l'accompagnant seulement de la-la-la, tandis que Hollier, qui semblait avoir beaucoup de fougue mais pas d'oreille, rugissait d'une façon monotone la syllabe ya-ya-ya. Quand nous en sommes arrivés à :

> *Akkor leszek kedves r'ozs'am atied*,

je les ai embrassés tous les deux : l'occasion semblait l'exiger. Je me suis rendu compte alors que, malgré ce qui s'était passé entre nous, je n'avais jamais embrassé Hollier, pas plus qu'il ne m'avait embrassée jusqu'à ce jour. Mais c'est Darcourt qui a réagi avec le plus de passion. Sa bouche était douce et agréable, tandis que Hollier m'a embrassée si brutalement qu'il a failli me casser les dents.

Qu'a pensé de notre initiative le reste de la maisonnée ? Les caniches ont aboyé furieusement. Mme Faiko ne s'est pas montrée ; elle a monté le volume de sa télé. Mlle Gretser est apparue en chemise de nuit, soutenue par Mme Schreyvogl ; toutes deux ont hoché la tête et souri d'un air approbateur. Mme Nowaczynski, qui était dans la salle de bains, est sortie elle aussi, mais sans dents ni perruque, à son grand embarras plutôt qu'au nôtre. Au troisième étage, M. Kostich est apparu sur le palier en pyjama. « Bravo ! C'est très beau, madame », a-t-il dit en souriant, mais M. Horne a surgi de chez lui comme un diable de sa boîte en criant :

« Bon sang ! Est-ce qu'il va y avoir moyen de dormir dans cette baraque ? »

Mamousia s'est arrêté de jouer et a pointé son archet en direction du locataire révolté — ne mettant pour dormir que sa veste de pyjama, celui-ci exposait à nos yeux ses organes génitaux désagréablement fripés.

« M. Horne, a-t-elle dit avec majesté, est infirmier*. »

Comme si on avait pressé un bouton, M. Horne a crié :

« Ce qui est certain, c'est que je ne suis pas une foutue infirmière ! Et maintenant, cessez votre tapage de putain de merde ou je vous fous à tous une sacrée raclée ! »

Yerko s'est approché tout doucement de lui.

« Vous ne pas parler comme ça à ma sœur, a-t-il dit, régressant soudain au petit nègre. Vous ne pas dire des grossièretés devant ma nièce qui est vierge. Vous ne pas être désagréable quand nous chantons pour bèbè Jésus. Vous fermer votre gueule. »

Cependant, au lieu d'obtempérer, M. Horne a crié :

« Vous êtes soûls, tous autant que vous êtes ! Pour vous, c'est peut-être Noël, mais pour moi, c'est un jour de travail. »

Yerko lui a alors donné un bon coup sur le bout de son pénis avec l'un des longs et souples maillets de son *cimbalom*. M. Horne s'est mis à hurler et à danser sur place. Oubliant de garder une attitude virginale, j'ai éclaté de rire et n'ai pu reprendre mon sérieux qu'une fois au bas de l'escalier, où nous avions battu en retraite et où les caniches continuaient à aboyer. Je me suis dit que Rabelais aurait aimé cette scène.

Puis mamousia s'est rappelé son rôle de grande dame ⁄

---

* Infirmier, en anglais, se dit *male nurse*, soit, littéralement, infirmière mâle (N.d.T.).

D'une voix assez forte pour parvenir aux oreilles de l'infirmier, elle a expliqué :

« Ne faites pas attention à cet homme. Il est de basse extraction. Je ne l'héberge que par pitié. »

M. Horne s'est étranglé de rage. Il n'en a pas moins continué à crier des mots inintelligibles jusqu'à ce que nous ayons réintégré l'appartement de mamousia.

« L'air que nous chantions tout à l'heure m'est familier, a dit Darcourt. Il provient sûrement d'une des *Rhapsodies hongroises* de Liszt.

— Tout le monde admire beaucoup notre musique, a répondu ma mère. Les gens la volent, ce qui prouve sa valeur. Ce grand musicien, Liszt, il nous en pique tout le temps des morceaux.

— Mamousia, Liszt est mort depuis iongtemps », ai-je dit, parce que je n'avais pas entièrement dominé la diplômée universitaire en moi et que cela m'ennuyait que ma mère apparût comme une ignorante aux yeux de Hollier.

Mamousia, cependant, n'était pas femme à reconnaître ses erreurs.

« Les vrais grands hommes ne meurent jamais, a-t-elle déclaré.

— Bravo ! C'est très bien dit, madame ! a approuvé Hollier.

— Le café ! Vous n'en avez pas encore pris, s'est soudain rappelé ma mère. Yerko, offre des cigares à ces messieurs pendant que Maria et moi préparons le café. »

Quand nous sommes revenues dans le séjour, Hollier regardait Darcourt caresser un des rois de la crèche tandis que Yerko lui expliquait quelque détail de son travail de décoration.

« Voici le café ! Du vrai café kalderash, noir comme la vengeance, fort comme la mort et sucré comme l'amour ! Maria, donne ceci au professeur Hollier. »

J'ai pris la tasse et l'ai tendue à Darcourt, qui se trouvait le plus près de moi. J'ai cru entendre mamousia émettre une sorte de cri étouffé, mais je n'y ai pas prêté grande attention sur le moment. J'avais un peu de mal à me tenir sur mes jambes. Bue en quantité, la liqueur d'abricot est fatale.

Du café. Et encore du café. De longs cigarillos noirs dont l'odeur âcre aurait pu être celle de crottes de chameaux, tant elle évoquait l'Orient. J'ai essayé de me maîtriser, mais je savais que mes yeux se fermaient et je me suis demandé si j'arriverais à rester éveillée jusqu'au départ de nos invités.

Finalement, ceux-ci sont partis. Je les ai accompagnés jusqu'à la porte d'entrée, où, pour terminer la fête, nous nous sommes embrassés encore une fois. Il m'a semblé que Darcourt l'a fait plus longtemps que son statut d'oncle-professeur ne le justifiait, mais il n'est pas vraiment vieux, après tout. Il sentait bon. J'ai toujours été très consciente de l'odeur des gens. C'est là quelque chose que la société réprouve ; d'innombrables publicités nous assurent tous les jours qu'avoir une odeur humaine reconnaissable est inconvenant. Ma cime ne prête que peu d'attention aux odeurs ; mes racines, cependant, ont le nez très fin, et, après la fête, c'étaient elles qui avaient le dessus. Darcourt sentait bon, comme un homme bien propre. Hollier, en revanche, sentait légèrement le moisi, comme le contenu d'une malle restée fermée pendant des années. Ce n'était pas une mauvaise odeur, mais elle n'avait rien d'agréable. C'était peut-être son costume. J'ai pensé à cela pendant que je me tenais à la porte et les regardais s'éloigner dans la neige légère en inspirant profondément l'air vif de la nuit.

A mon retour dans l'appartement, j'ai entendu mamousia qui disait à Yerko, en romani :

« Non ! Ne bois pas ça !

— Pourquoi ? C'est du café. Hollier n'a pas bu sa deuxième tasse.

— Ne le bois pas, je te dis.

— Pourquoi ?

— Parce que je te l'ordonne.

— Qu'as-tu mis dedans ?

— Du sucre.

— Évidemment, mais quoi encore ?

— Juste une petite goutte de quelque chose de spécial, pour lui.

— Une goutte de quoi ?

— Peu importe.

— Tu mens. Qu'as-tu mis dans la tasse du professeur ? C'est mon ami. Tu vas me le dire ou je te fiche une raclée.

— Quelques pépins de pomme grillés, si tu tiens absolument à le savoir.

— Oui, mais ce n'est pas tout. Femme, as-tu mis ton sang secret dans ce café ?

— Non !

— Tu mens ! Que fais-tu ? Tu veux que Hollier tombe amoureux de toi ? Vieille folle ? Notre cher Tadeusz ne t'a-t-il pas suffi comme mari ?

— Baisse la voix ou Maria va nous entendre. Pas mon sang. Le sien.

— Bon Dieu ! Oh ! pardon bèbè Jésus ! Celui de Maria ? Comment te l'es-tu procuré ?

— Grâce à ces trucs, tu sais, ces trucs *gadje* qu'elle introduit en elle chaque mois. Tu en mets un dans le presse-ail et pffft ! le tour est joué. Elle veut Hollier, mais elle est bête. Je lui ai tendu une tasse pour Hollier et elle est allée la donner à Darcourt ! Qu'est-ce qui va se passer maintenant, à ton avis ? Et toi, pose cette tasse : je ne veux pas d'inceste dans ma maison ! »

Je me suis précipitée dans la pièce. J'ai saisi mamousia par ses grands anneaux d'or et ai essayé de la jeter par terre. Mais elle, elle m'a attrapée par les cheveux et nous sommes restées cramponnées l'une à l'autre comme deux cerfs aux bois emmêlés, nous tiraillant dans tous les sens et criant de toute la force de nos poumons. C'est en romani que j'ai insulté ma mère, avec des mots terribles dont je ne savais même pas que je les connaissais. Nous avons roulé sur le plancher. Mamousia a avancé brusquement la tête vers la mienne et m'a mordu sauvagement le nez. De mon côté, j'essayais sérieusement de lui arracher les oreilles. D'autres cris.

Yerko se tenait au-dessus de nous, braillant :

« Espèce de femelles sans religion ! Que va penser bèbè Jésus ? »

Il m'a donné un grand coup de pied au derrière et un autre à mamousia, en un endroit du corps que je ne pouvais voir parce que j'étais couchée par terre, hurlant de douleur et de rage depuis les profondeurs de mes racines tsiganes.

Au loin, les caniches aboyaient.

# LE NOUVEL AUBREY V

Si, avant Noël, je me croyais amoureux de Maria, le début de la nouvelle année m'en apporta la douloureuse certitude. Je n'emploie pas le mot « douloureux » à la légère : j'étais un homme écartelé. Mon moi diurne parvenait à faire face à la situation ; aussi longtemps que brillait le soleil je voyais les choses raisonnablement, mais, dès la tombée du jour — et chez nous les nuits sont longues en janvier —, mon moi nocturne prenait le dessus et je me retrouvais dans un état pire que celui d'un collégien soupirant après son premier amour.

Je dis pire parce que j'avais plus d'expérience et un éventail plus large de sentiments susceptibles de me faire souffrir qu'un collégien, que je connaissais le monde mieux que lui et savais ce qui attend un professeur qui tombe amoureux d'une étudiante. L'amour, chez les jeunes, est censé être intense, absorbant, et, en fait, c'était bien ainsi que je l'avais connu. Adolescent, je crois n'avoir jamais passé plus d'une semaine sans être amoureux. Mais, chez les jeunes, cet état est considéré comme normal. Les yeux perdus dans le vague, la distraction, les profonds soupirs sont observés avec sympathie et interprétés avec indulgence. Un homme de quarante-cinq ans, toutefois, a d'autres chats à fouetter. On suppose qu'il en a terminé avec cette partie-là de sa nature, qu'il s'est installé dans son rôle de mari et de père, de célibataire satisfait, de coureur de jupons, d'homosexuel ou de ce qu'on voudra, et qu'il a maintenant d'autres sortes de préoccupations. Cependant, l'amour, tel que je le vivais, consomme énormément de temps et d'énergie ; c'est l'émotion primordiale qui colore tout le reste, et, à mon âge, elle est intensifiée par vingt-cinq bonnes années d'expérience du monde, ce qui la renforce sans qu'aucune philosophie ni aucun bon sens ne viennent l'adoucir.

J'étais pareil à un homme atteint d'une maladie dévorante dont il ne peut se plaindre et pour laquelle il ne peut demander aucune sympathie.

Ce dîner du 26 décembre avait bouleversé toute ma vie affective et intellectuelle. Qu'essayait de me dire la mère de Maria en me tirant les cartes ? Par cette histoire de dame de bâton et d'amours difficiles, me donnait-elle un avertissement ? Avait-elle deviné quelque chose au sujet de mes sentiments envers Maria ? Et Maria avait-elle trouvé curieuse mon attitude envers elle, en avait-elle parlé à sa mère ? Non, c'était impossible. J'étais certain d'avoir été discret. De toute manière, de quel droit soupçonnais-je la vieille femme d'avoir triché ? Comparée à d'autres mères de Rosedale — celle de Hollier, par exemple, de laquelle il ne fallait jamais rien attendre d'extraordinaire —, elle avait l'air d'un charlatan ; mais Mme Laoutaro était une *phuri dai*, on ne pouvait la juger selon ces critères. Tout ce qui se rapportait à ce dîner sortait complètement du champ de mes habitudes, et quelque chose d'enfoui très profondément en moi me disait que ce n'était pas simplement une soirée passée avec des Tsiganes, mais une rencontre d'une importance et d'une signification primordiales.

Non seulement ma propre réaction mais aussi celle de Hollier m'assuraient que j'avais vécu ces instants dans un registre émotionnel totalement différent de tout ce que j'avais connu jusque-là. L'avenir de Hollier était sombre ; l'intensité avec laquelle la *phuri dai* avait lu les cartes et Hollier écouté ses prédictions m'avait fait craindre que nous n'entendions parler de choses qu'il aurait mieux valu taire. Si Mme

Laoutaro avait joué la comédie, elle ne lui aurait certainement pas fait autant de prédictions inquiétantes. Il est vrai qu'un Grand Atout était venu à notre secours à tous les deux, mais, pour Hollier, seulement après qu'il eut choisi une deuxième carte. Non, la façon dont cette femme avait interprété le tarot ne sentait pas le charlatanisme. Tout comme son collier de thalers, son art appartenait à un autre monde, mais il rendait le son de l'or véritable.

Et moi, qu'est-ce que j'y avais gagné ? La prédiction d'une affaire de cœur où quelqu'un ferait des difficultés, mais qui se terminerait bien, quoique je dusse connaître à la fois une perte et un gain. Pour l'affaire de cœur, en tout cas, il était certain que je l'avais.

Quelle soirée ! Tous ses détails étaient gravés clairement dans ma mémoire, jusqu'au curieux goût aillé qu'avait eu le café. Mais le souvenir le plus précis, c'était le baiser que m'avait donné Maria. L'embrasserais-je de nouveau un jour ? Oui, mais j'avais décidé que cela ne serait qu'en tant qu'amoureux agréé.

Songer à son baiser et prendre ce genre de résolution la nuit avait une touche romantique ; au matin, les mêmes pensées me remplissaient d'un sentiment proche de la terreur. C'était humiliant d'avoir à admettre que mon amour était à la fois ardent et craintif. Mais c'était ainsi. De l'amour, je voulais les plaisirs, mais non les responsabilités, et quelles que puissent être les règles pour un jeune, celles-ci ne conviennent pas à un homme d'âge mûr ni, à plus forte raison, à un pasteur. Mon amour avait une tête de Janus. Une face, la jeune, était tournée en arrière vers tous les plaisirs des premiers temps de ma vie, les joies de l'amour recherchées et atteintes, les baisers, les caresses, le lit. Mais l'autre face, la plus âgée, regardait la farce du vieux célibataire qui épouse une jeune femme — car, pour moi, il ne pouvait être question que de mariage. Je ne ferais à Maria aucune proposition déshonorante, et mon état de pasteur m'interdisait de songer au concubinage décontracté des jeunes « libérés ». Le mariage ? Cela faisait bien longtemps que j'avais abandonné ce genre de projet, et il m'en avait fort peu coûté, car à cette époque je ne connaissais personne que j'eusse eu envie d'épouser. J'avais adopté le point de vue qu'un pasteur responsable d'une paroisse perd beaucoup s'il n'a pas de femme, mais gagne encore plus s'il peut consacrer toute son énergie à son travail. N'étais-je pas trop vieux pour changer ? Se juger trop vieux, à quarante-cinq ans, pour faire quelque chose d'aussi naturel que tomber amoureux et se marier, c'est être vraiment vieux. Plus la face juvénile de mon amour Janus languissait et soupirait, plus sévère devenait l'expression de la face âgée.

Sois réaliste, disait mon moi diurne. Tu vis confortablement, tu n'as de comptes à rendre à personne en ce qui concerne tes habitudes, tu as du temps pour l'exercice de ta profession et pour tes occupations privées, surtout pour cette recherche spirituelle qui te donne tant de peine et qui a été si longtemps ta principale joie. Tu n'as pas besoin de voiture. Les domestiques du collège s'occupent très bien de toi grâce aux cinq cents dollars de pourboires que tu leur distribues chaque année, à eux et à d'autres personnes qui te facilitent la vie quotidienne. Tu n'es pas obligé d'habiter en banlieue, de rembourser péniblement un emprunt-logement et de te tracasser au sujets des appareils dentaires de tes enfants. Ta situation, même si elle n'est pas princière, est meilleure que celle que peuvent espérer la plupart des hommes de ton genre. Alors, attention, Darcourt ! Ne fais pas de bêtises. Espèce d'animal indolent et patouflard ! criait mon moi nocturne. Places-tu vraiment ces vulgaires détails matériels au-dessus de l'épanouissement de ton âme ? Si tu avances de telles excuses pour contrarier la chair, comment peux-tu espérer développer ton esprit ? Espèce de grosse limace, tu es indigne de la révélation qui t'a été accordée.

Car, voyez-vous, j'avais décidé que Maria était une révélation — une révélation d'une nature telle que j'ose à peine la mettre noir sur blanc même pour moi.

Si j'avais abandonné le travail paroissial pour devenir un ecclésiastique érudit, c'était parce que je voulais creuser profondément dans la mine de ces vieilles croyances qui ont un rapport avec les textes rejetés par les compilateurs de la Bible comme indignes d'être inclus dans ce qui est censé être la parole de Dieu. J'avais réalisé mon projet, et mon travail avait été accueilli favorablement. Mais quiconque se farcit la tête de textes apocryphes ne tardera pas à jeter un coup d'œil aux textes hérétiques. Aussi, sans nulle intention d'adopter leur doctrine, je me découvris un grand intérêt pour les gnostiques : beaucoup de choses qu'ils avaient à dire étaient en effet extrêmement attirantes. Leur notion de Sophie frappa mon esprit parce qu'elle correspondait à certaines idées que, plein d'hésitation et de crainte, j'avais moi-même essayé de développer.

J'aime les femmes, et le manque de présence féminine dans le christianisme m'a longtemps dérangé. Oh, je connais toutes les explications avancées à ce sujet. Je sais que le Christ comptait des femmes parmi ses disciples, qu'il aimait parler avec des femmes et que parmi les fidèles qui demeurèrent au pied de la Croix, il y avait essentiellement des femmes. Cependant, quoique le Christ ait pu penser, l'édifice doctrinal compliqué que nous appelons son Église ne comprend pas la moindre femme investie d'autorité — seule une Trinité composée, pour l'exprimer d'une façon impie, de deux hommes et d'un oiseau —, et même l'hommage tardif que l'Église de Rome rendit à Marie n'a pas réparé le mal. Les gnostiques, eux, firent mieux les choses : à leurs adeptes, ils proposèrent Sophie.

Sophie, la personnification féminine de la Sagesse divine : « Vous êtes avec la Sagesse, elle qui connaît votre œuvre, elle qui était présente lorsque vous créâtes le monde ; elle sait ce qui vous est agréable et ce qui s'accorde avec vos commandements. » Sophie, à travers laquelle Dieu prit conscience de lui-même. Sophie, par l'intermédiaire de laquelle l'univers fut achevé, une associée de Dieu dans la

Création. Sophie, grâce à laquelle — du moins à mes yeux — la gloire glaciale du Dieu patriarcal devient la splendeur universelle d'une âme cosmique parfaite.

Qu'est-ce que tout cela a à voir avec Maria Magdalena Theotoky, diplômée de l'université qui étudie sous ma direction le grec du Nouveau Testament ? Maria, qui, pendant trois minutes pleines d'étonnement et certainement pas d'extase, je présume, avait été possédée par Clement Hollier sur ce terrible canapé de cuir délabré ? Oh ! mon Dieu ! c'est là qu'apparaît ma folie d'érudit, je suppose, mais quiconque s'intéresse aux nombreuses légendes concernant Sophie connaît celle de la « Sophie tombée », qui s'incarna en une mortelle et finit par déchoir au point de devenir prostituée dans un bordel de Tyr d'où la sortit le gnostique Simon Magus. Pour moi, cet épisode est la Passion de Sophie, car n'emprunta-t-elle pas une forme humaine et ne subit-elle pas un sort ignominieux pour sauver l'humanité ? C'est cela qui conduisit les gnostiques à saluer en elle aussi bien la Sagesse que l'*anima mundi*, l'âme du monde qui demande la rédemption et qui, pour l'obtenir, éveille le désir. Eh bien, Maria ne s'appelait-elle pas Theotoky — la maternité de Dieu ? Oh, inutile de me faire remarquer qu'à l'époque byzantine Theotoky était devenu un nom grec suffisamment commun pour qu'on ne lui attribue pas plus de signification qu'au nom anglais assez répandu de Godbehere*. Mais ce qui pour la plupart des érudits pourrait n'être qu'un fait intéressant était pour moi un signe, une assurance que ma Maria était, peut-être pour moi tout seul, la messagère d'une grâce et d'une rédemption spéciales.

Quand un homme se consacre avec ferveur à l'étude de légendes et de croyances oubliées, je suppose qu'il ne devrait pas s'étonner si le mythe envahit sa vie et obsède son esprit. Pour moi, Maria était facteur de totalité, la gloire et la générosité de Dieu, et aussi la puissance obscure de la terre,

---

* Que Dieu soit ici (N.d.T.).

si étrangère à l'esprit chrétien conventionnel. Les Perses croyaient qu'à sa mort l'homme rencontre son âme sous la forme d'une femme belle, mais qui est aussi très vieille et infiniment sage ; c'est ce qui semblait m'être arrivé, bien que je fusse incontestablement vivant.

Pour un intellectuel, rencontrer une idée incarnée est une expérience terrible, et c'est ce que j'avais fait.

Tels étaient les fantasmes qu'entretenait mon moi nocturne, et tous les conseils terre à terre que lui donnait mon moi diurne — tel un comptable bien établi — ne pouvaient les dissiper.

Que devais-je faire, alors ? Reculer était bas, avancer, une splendide et terrifiante aventure. Je devais aller de l'avant.

## 2

Bien que je dise, comme tous les amoureux, que je pensais à Maria pendant toutes mes heures de veille, cela n'était évidemment pas vrai. Quoi que les non-universitaires puissent penser, les professeurs sont des gens très occupés. D'autant plus que, par nature, ils manquent de sens pratique, compliquant de ce fait des affaires relativement simples. En outre, ils n'ont pas de secrétaire — ou doivent en partager une, généralement débordée et pas toujours très compétente, avec plusieurs autres collègues. En conséquence, ils passent beaucoup de temps à faire des fiches, classer des papiers et chercher des documents qu'ils ont perdus. On leur demande tous les jours des informations qu'ils n'ont jamais eues ou ont jetées, et des rapports sur des étudiants qu'ils n'ont pas vus depuis cinq ans et ont oubliés. Ils ont la réputation d'être distraits parce qu'ils sont déchirés entre le travail pour lequel on les paie — c'est-à-dire enseigner ce qu'ils savent et enrichir leur propre savoir — et un travail qu'ils n'avaient pas prévu, tel que siéger dans des comités sous la direction de présidents qui ne savent pas comment pousser leurs collègues à prendre une décision. On leur demande d'être aussi efficaces que des hommes d'affaires dans une profession qui n'est pas une affaire, n'a pas la structure d'une affaire et concerne des choses intangibles. Dans mon cas, la confusion dans laquelle vit habituellement un professeur était aggravée par le fait que je travaillais aussi de temps en temps comme pasteur. Il s'agissait, entre autres, de prononcer des sermons pratiquement au pied levé et de faire accomplir à des amis, ou à des enfants d'amis, les rites de passage chrétiens tels que baptême, mariage et enterrement. N'ayant pas de paroisse, j'étais la personne à laquelle on pensait aussitôt pour remplacer un pasteur atteint de la grippe et tourner la manivelle du moulin à dogme le dimanche matin, parfois dans une banlieue lointaine. Mais, comme j'étais professeur, je ne pouvais prétendre au lundi de congé des ecclésiastiques. Je ne me plains pas : je dis simplement que j'étais un homme occupé.

Toutefois, Maria n'était jamais très éloignée de mes pensées, même lorsque Parlabane et son épouvantable roman semblaient dévorer ma maigre ration de loisirs.

Je ne savais pas très bien si ce livre allait être bientôt terminé ou non, car Parlabane avait tout un tas de brouillons, d'ébauches et de versions alternatives, et aussi parce qu'il ne me montra jamais la totalité de son texte. Il était aussi jaloux et soupçonneux qu'un auteur peut l'être au sujet de son travail, et je pense vraiment qu'il me croyait capable de lui faucher ses idées si je prenais connaissance d'un trop grand nombre d'elles. Il avait la même phobie vis-à-vis des éditeurs, et j'avais l'impression qu'il s'était lancé dans l'absurde entreprise de vendre un roman que personne n'avait le droit de lire en entier.

« Tu n'y connais rien, répondait-il quand je lui en faisais la remarque. Les éditeurs achètent toujours des livres qu'ils n'ont pas vus sous leur forme complète et définitive. Un ou deux chapitres leur suffisent pour juger si le bouquin vaut quelque chose ou non. Les journaux n'arrêtent pas de parler des énormes avances versées à tel ou tel auteur sur la simple promesse ou la simple ébauche d'une œuvre.

— Je ne crois pas à tout ce que je lis dans les journaux. Mais j'ai moi-même publié deux ou trois livres.

— Oui, mais c'était un travail universitaire. C'est très différent. Personne ne s'attend à ce que des livres comme les tiens deviennent des best-sellers. Le mien, en revanche, fera sensation. Je suis certain qu'édité comme il faut, avec la publicité qu'il faut, il rapportera une fortune.

— L'as-tu proposé à un éditeur américain ?

— Non, ça c'est pour plus tard. Je tiens à ce qu'il y ait d'abord une édition canadienne : je veux être lu par ceux que ce livre concerne le plus avant de toucher un public plus large.

— Ceux que ce livre concerne le plus ?

— Bien sûr. C'est un *roman à clé* aussi bien qu'un *roman philosophique**. Sa parution provoquera quelques grincements de dents, je t'assure.

— Est-ce que tu ne crains pas de te mettre des procès en diffamation sur le dos ?

— Peu de gens voudront faire savoir qu'ils ont servi de modèle pour tel ou tel personnage. D'autres personnes s'en chargeront pour eux. Et puis, je ne suis tout de même pas assez bête pour décrire des comportements et transcrire des conversations d'une façon qui permettrait des identifications trop faciles. Mais ils se reconnaîtront, crois-moi. Et, avec le temps, tous les autres lecteurs les reconnaîtront aussi.

— Est-ce une sorte de roman-vengeance, alors ?

— Sim, tu me connais mieux que ça, tout de même ! Je ne suis pas mesquin. Non, ce n'est pas un roman-vengeance, comme tu dis. Ce serait plutôt un roman-justice.

— Justice pour qui ?

— Pour moi. »

Tout cela m'inquiétait assez. Mais au fur et à mesure qu'il

* En français dans le texte (N.d.T.).

me confiait des liasses de papier jaune, copies carbone malpropres de certaines parties de son œuvre, grandissait en moi la certitude que ce roman ne serait jamais publié. Il était terrible, en effet.

Non pas que ce fût un travail d'amateur mal écrit : Parlabane était bien trop compétent pour cela. Non, c'était tout simplement illisible. Chaque fois que j'essayais d'en lire quelques pages, j'étais submergé d'ennui, pris de lassitude comme sous l'effet d'un stupéfiant. C'était un roman très intellectuel, d'une structure très complexe, avec une foule de personnages qui, tous, semblaient incarner une idée de Parlabane et qui, chapitre après chapitre, débitaient ce qu'ils avaient à dire en une pesante prose. Un soir, avec tout le tact dont j'étais capable, je lui dis le fond de ma pensée.

Parlabane rit.

« Évidemment, comme tu n'en as vu que des fragments, tu ne peux apprécier la portée de l'ensemble. Il y a un plan, mais celui-ci n'apparaît que peu à peu au lecteur. Ce livre n'est pas un petit roman d'amour à lire pendant les vacances, tu sais. Après le premier impact, les gens le liront et le reliront, et, chaque fois, ils découvriront d'autres niveaux. Comme pour Joyce — quoique, dans mon cas, ce soient les idées qui sont complexes, et non pas le langage. La première impression que tu en as retirée est trompeuse. Tu crois qu'il s'agit d'une autobiographie, du pèlerinage intellectuel d'un cerveau très riche et original, allié à un esprit inquiet. Je te dis ça parce que tu es un vieil ami et que, dans une certaine mesure, tu vois ma qualité. D'autres lecteurs comprendront autre chose, certains comprendront plus que toi. C'est un livre dans lequel des lecteurs vraiment fervents et sensibles se trouveront eux-mêmes, et, de ce fait, trouveront une partie de l'essence de notre temps. Le monde touche à la fin d'une des ères platoniciennes — l'ère des Poissons —, et de gigantesques changements sont dans l'air. Ce livre est sans doute l'une des premières œuvres importantes de l'ère nouvelle du Verseau : il fait pressentir ce que l'avenir réserve à l'humanité.

— Ah, je vois. Ou plutôt, je n'ai rien vu de tout cela. Pour être honnête, j'ai eu l'impression que ce livre parlait de toi et de tous ceux avec lesquels tu as eu des démêlés depuis ton enfance.

— Écoute, Sim, je ne voudrais pas être désagréable, mais je crains que ce ne soit là une critique de ta personne plutôt que de mon livre. Tu es le genre d'homme qui se mire dans une glace pour voir si sa cravate est droite et non pas pour se regarder dans les yeux. Tu n'es pas plus aveugle que vont l'être des milliers d'autres personnes quand elles me liront pour la première fois. Cependant, comme tu es sympa, je te donnerai quelques indices. Peut-être qu'un autre verre me rendrait plus éloquent. Je t'en prie, cesse de mesurer l'alcool avec ce petit bidule. Je me servirai moi-même. »

Après avoir rempli son verre de whisky pratiquement à ras bord, avec juste un peu d'eau pour sauver les apparences, Parlabane se lança dans une description de son livre, dont j'avais déjà entendu la plus grande partie auparavant et que j'allais réentendre bien des fois par la suite.

« Il est d'une texture extrêmement dense, vois-tu. Il comprend une multiplicité de thèmes entrelacés qui s'éclairent mutuellement et sont exposés de telle façon que chaque phrase contient un noyau complexe de sens possibles engendrant une série d'interprétations possibles. Chaque niveau de sens est bourré de significations, de sorte que l'ensemble se présente comme l'oignon et ses nombreuses pelures. Le livre suit une progression littérale, c'est-à-dire, historique, ordinaire, mais son mouvement profond est essentiellement dialectique et moral. Il s'achemine vers sa conclusion sous la pression de renoncements successifs, de découvertes d'erreur et de ce qu'un lecteur attentif perçoit comme des vérités partielles.

— Difficile.

— Pas vraiment. Un lecteur simple se contentera d'une interprétation *littérale*. Pour lui, ce livre semblera être la biographie d'un jeune homme assez stupide et particulièrement pervers né pour vivre dans l'Esprit, mais décidé à échapper à ce destin, ou plutôt à le retarder le plus longtemps possible parce qu'il veut explorer le monde et étudier les hommes. Cet ouvrage sera tout à fait réaliste, vois-tu, de sorte qu'on pourra même le prendre pour un simple récit. Les imbéciles le trouveront futile, voire assommant, mais ils ne le lâcheront pas à cause des passages érotiques.

« Ça, c'est son aspect littéral. Mais, bien entendu, il a aussi un aspect *allégorique*. La vie du personnage principal, un jeune universitaire, est la version moderne d'un *Voyage du pèlerin* fait par un M. Tout-le-Monde contemporain. Le lecteur suit l'évolution de son esprit : ses fantasmes infantiles ; son intérêt d'adolescent pour les aspects mécaniques et physiques de la réalité vécue ; sa découverte de la logique, de la métaphysique et, surtout, du scepticisme ; les dilemmes de l'âge mûr — le début de l'âge mûr — et, enfin, l'accession, grâce à la puissance d'imagination, à une conception unifiée de la vie, à une synthèse de l'invention inconsciente, de la connaissance scientifique et de la mythologie morale, et finalement à une sagesse qui aboutit à la réconciliation religieuse de l'âme avec la réalité par l'acceptation de la vérité révélée.

— Pfuiii !

— Attends, ce n'est pas tout. Il y a aussi la dimension morale de l'ouvrage. C'est un traité sur la folie, l'erreur, la frustration, l'exploration des impasses et des fausses théories sur la vie telles qu'elles sont couramment propagées et pratiquées. Le héros — un aventurier pas trop malin — est à la recherche d'une vie satisfaisante dans laquelle l'intellect serait en harmonie avec l'émotionnel, l'intelligence *intégrée* par son application à l'expérience, les sentiments *modérés* par les faits, le désir orienté vers l'acquisition des biens de ce monde, mais contrôlé par un sens de l'humour et du relatif.

— Je suis heureux d'apprendre qu'il contiendra un peu d'humour.

— Oh, il y aura de l'humour d'un bout à l'autre. Un humour profond, puissant — celui de l'esprit comblé —, sous-tend tout le livre. Comme chez Joyce, mais moins limité par les vieilles restrictions jésuites.

— Ah, très bien.

— Mais le couronnement de ce roman, c'est son sens du point de vue *anagogique*. J'y suggère la révélation ultime de la double nature de l'univers, la révélation que l'expérience est le langage de Dieu, et la vie, le préliminaire à une quête qui ne peut être décrite, mais seulement pressentie, parce que toute chose semble indiquer qu'il existe au-delà d'elle une splendeur qui la dépasse. Ainsi, on découvre que le héros de ce conte — car, comme je te l'ai dit, pour les esprits simples c'en sera un — a cherché désespérément toute sa vie l'image du père et la mère idéalisée pour remplacer ses vrais parents, qui, dans la vraie vie, étaient des substituts inadéquats du Créateur. Sa quête n'aboutit jamais, mais son obsession concernant l'image et l'idéal cède peu à peu la place à la conviction que la réalité est la Réalité cachée derrière les ombres qui constituent le fugace moment présent.

— Un projet ambitieux.

— En effet, mais je peux le mener à bien parce que j'ai vécu tout cela. J'ai acquis ma philosophie dans ma jeunesse, puis je l'ai emportée dans le monde, où je l'ai mise à l'épreuve.

— Johnny, cela m'ennuie beaucoup de te le dire, mais la partie de ton roman que tu as bien voulu me montrer ne m'a pas donné envie d'en lire plus.

— C'est parce que tu n'as pas lu le tout.

— Quelqu'un l'a-t-il lu ?

— Hollier a en main le manuscrit complet.

— Et qu'en dit-il ?

— Je ne suis pas arrivé à lui faire vraiment donner son opinion. Il dit qu'il est très pris, ce qui est sans doute vrai, quoique j'estime que lire mon roman devrait passer avant toutes ses futiles occupations. Je suis impudent, je sais. Mais il s'agit d'un grand bouquin, et tôt ou tard Clem sera obligé de l'admettre.

— Et qu'as-tu entrepris pour le faire publier ?

— J'ai écrit une description très détaillée du livre — plan, thèmes, significations profondes — et l'ai expédiée à tous les grands éditeurs. Je leur ai également envoyé un chapitre à titre d'échantillon, car je ne veux pas qu'ils voient tout le roman avant que je ne sache s'ils sont vraiment sérieux et quel genre de conditions ils sont disposés à me faire.

— As-tu eu des réponses ?

— L'un d'eux m'a invité à déjeuner, mais à la dernière minute, sous un prétexte quelconque, il a fait annuler le rendez-vous par sa secrétaire. Un autre m'a téléphoné pour me demander si le livre contenait des scènes ''osées'', comme il disait.

— Ah, la bonne vieille pédérastie. Très à la mode en ce moment.

— Certes, elle joue un rôle assez important, mais elle fait partie intégrante du livre. Ce n'est que si on l'en détache qu'on peut parler de pornographie. Mon roman est franc — beaucoup plus franc que tout ce que j'ai pu voir d'autre sur ce thème —, mais pas porno. Je veux dire : mes descriptions ne peuvent exciter personne.

— Qu'en sais-tu ?

— Bon, peut-être que je me trompe. Mais mon but, c'est de faire ressentir aussi fort que possible au lecteur ce que vit le héros. Or cela comprend aussi bien l'extase de l'amour que le dégoût causé par la saleté du sexe.

— Tu n'iras pas très loin en disant au lecteur moderne que le sexe est sale. Le sexe est très à la mode en ce moment. Non seulement nécessaire ou agréable, ou naturel, mais à la mode, ce qui est fort différent.

— Tu parles de la baise petite-bourgeoise. Les rapports homosexuels que j'ai eus en prison, c'était autre chose. L'une, c'est le poulet ''à se lécher les doigts'' du colonel

Sander*, les autres, c'est comme se battre pour un détritus à Belsen.

— Cela se vendra peut-être très bien, après tout.

— Ne dis pas de conneries, Sim. Il s'agit d'un grand livre. Je pense qu'il remportera un succès commercial et deviendra un classique, mais cela ne veut pas dire que j'écris des cochonneries pour le marché bourgeois. »

Un classique. Tandis que je regardais Parlabane, si mal coiffé et négligé dans l'espèce de chiffon qu'était devenu ce qui avait été autrefois un de mes bons costumes, je me demandai s'il pouvait vraiment avoir écrit un roman classique. Comment le savoir ? Découvrir des classiques de la littérature n'est pas mon métier, et j'éprouve le sentiment de culpabilité habituel à la pensée que, dans le passé, des gens ont refusé de reconnaître des classiques et ont eu l'air d'imbéciles ensuite. On éprouve une certaine répugnance à croire qu'une personne que l'on connaît — en particulier quelqu'un qui ressemble autant à un raté et à un escroc que Parlabane — soit l'auteur d'une œuvre importante. D'ailleurs, il ne m'avait pas permis de lire son roman en entier ; de toute évidence, il m'en jugeait indigne, me voyant comme un homme tristement limité et incapable de comprendre la qualité de son livre. Il m'avait épargné l'épreuve d'avoir à lui dire que c'était un chef-d'œuvre. J'étais tout de même curieux de savoir ce qu'il en était. En tant que responsable du *Nouvel Aubrey*, il m'incombait de le découvrir, si je le pouvais, et de témoigner du génie si je rencontrais celui-ci sur mon chemin.

Reconnaître des classiques est peut-être hors de ma compétence. Toutefois, des organismes dispensateurs de bourses veulent bien accepter mon jugement sur les capacités d'étudiants qui demandent de l'argent pour poursuivre leurs études, et, après le départ de Parlabane, je m'attelai à la tâche pour remplir plusieurs des formulaires que ces services

* Référence à une publicité pour une chaîne de fast-foods (N.d.T.).

fournissent aux personnes qu'ils appellent des arbitres et auxquelles les étudiants donnent le nom de « médiateurs ». Je fis taire en moi le confident de Parlabane, le compilateur du *Nouvel Aubrey* et l'amoureux de Maria-Sophie, et me mis en devoir de travailler à ces papiers qui m'avaient été apportés par des étudiants anxieux mais mal organisés, qui devaient être envoyés immédiatement aux organismes compétents et pour lesquels il fallait apparemment que je fournisse les timbres, les étudiants ne l'ayant pas fait.

Sous ma fenêtre s'étendait la cour d'honneur de Plough-wright, et, quoiqu'il fût encore trop tôt pour parler de printemps, les fontaines — qui ne gelaient jamais entièrement — chantaient doucement sous leurs couronnes de glace. Comme tout cela paraissait paisible, même en cette dure époque de l'année. « Elle est un jardin bien clos, ma sœur, ma fiancée, une source scellée... » Comme je l'aimais ! N'était-il pas étrange qu'un homme de mon âge souffrît autant de ses sentiments ? Travaille, Simon. Le travail est le remède qui calme toutes les douleurs.

Alors que je me penchais au-dessus de mon bureau, je fus pris d'un accès de misanthropie. Que se passerait-il, me demandai-je, si je remplissais ces formulaires honnêtement ? Première question : *Depuis quand connaissez-vous le demandeur* ? Il y en avait fort peu que je pouvais prétendre connaître vraiment, car je ne les voyais que dans des séminaires. *En quelle qualité le/la connaissez-vous* ? En qualité de professeur, évidemment ; pour quelle autre raison remplirais-je ces formulaires ? *Parmi les étudiants que vous avez connus de cette manière, classeriez-vous le demandeur dans les premiers cinq pour cent — dix pour cent — vingt-cinq pour cent* ? Eh bien, mon cher « subventionneur », cela dépend de vos critères. La plupart d'entre eux ont un assez bon niveau, d'un point de vue général. Ah ! ici nous en venons au cas particulier : *Faites tout commentaire personnel que vous jugez utile*. C'est là que l'arbitre — ou le

« médiateur » — est censé recommander le candidat. Mais j'en ai assez de mentir.

Ainsi, après avoir scruté ma conscience pendant une heure et demie, je me trouvai avoir dit d'un jeune homme : « C'est un brave garçon, mais il n'a pas la moindre idée de ce que travailler veut dire. » D'un autre : « Perfide. Ne lui présentez jamais le dos. » D'un troisième : « Vit aux crochets d'une femme qui le prend pour un génie. Si vous lui accordez une bourse, celle-ci devrait être calculée sur la base du salaire de sa compagne. Cette dernière est une bonne sténographe et une licenciée ès lettres, mais elle est laide et je crains que, lorsque le candidat aura obtenu son doctorat, il ne découvre qu'il en aime une autre. C'est une histoire banale qui vous laissera sans doute indifférents, mais qui moi me désole. » D'une jeune femme : « Son esprit est aussi plat que la Hollande — les marais salants, pas les champs de tulipes. Sous un ciel de plomb, il s'étend dans toutes les directions, jusqu'à l'horizon. Mais elle fera sûrement un doctorat, quel qu'il soit. »

Ayant terminé mon « massacre des innocents » — innocents parce qu'ils croyaient que je ferais tout ce que je pourrais pour leur procurer de l'argent —, je collai en hâte les enveloppes de peur d'être pris de quelque faible remords. Que penserait le Canada Council de mes remarques ? me demandai-je. J'espérais bien plonger cet organisme dans le trouble et la perplexité. Tohu-bohu et brouhaha, comme aime à le dire Maria. Ah ! Maria !

Le lendemain midi, au réfectoire de Spook, je vis Hollier installé seul à une table prévue pour recevoir le trop-plein de la table principale des professeurs. Je m'assis à côté de lui.

« Au fait, ce livre de Parlabane, est-il vraiment si extraordinaire ? demandai-je.

— Je n'en ai pas la moindre idée. Je n'ai pas eu le temps de le lire. Je l'ai filé à Maria. Elle me donnera son opinion.

— Filé à Maria ! Est-ce que Parlabane ne prendra pas ça très mal ?

— Je n'en sais rien et je m'en fous. Je pense qu'elle a le droit de le lire si elle en a envie. J'ai en effet l'impression que c'est elle qui paie pour la dactylographie du manuscrit.

— Parlabane m'a tapé d'une assez grosse somme soi-disant pour couvrir ces frais-là, justement.

— Cela vous étonne ? Il tape tout le monde. J'en ai par-dessus la tête de ce type.

— Maria a-t-elle dit quelque chose ?

— Elle n'a lu que quelques pages. De plus, elle doit le lire en cachette parce que Parlabane n'arrête pas de faire irruption chez moi. Mais je l'ai vue assez perplexe, et elle soupire aussi beaucoup.

— J'ai eu exactement la même réaction. »

Quelques jours plus tard, cependant, il se passa l'inverse : ce fut Hollier qui vint s'asseoir à côté de moi.

« L'autre jour, j'ai rencontré Carpenter, vous savez, l'éditeur. Il a le manuscrit de Parlabane, ou une partie du manuscrit. Je lui ai demandé ce qu'il en pensait.

— Alors ?

— Il ne l'a pas lu. Les éditeurs n'ont pas le temps de lire des livres, comme chacun sait. Il l'a confié à un lecteur professionnel. Le rapport de celui-ci, basé sur un synopsis et un chapitre-échantillon, n'est pas encourageant.

— Ah non ?

— Carpenter dit qu'ils reçoivent au moins deux ou trois livres de ce genre par an : des romans très longs, pleins de digressions, à multiples niveaux, structure élaborée et message philosophique pesant. En réalité, ce seraient des autobiographies autojustifiantes. Il le lui renvoie.

— Parlabane sera déçu.

— Ce n'est pas certain. Carpenter dit qu'il envoie toujours une lettre personnelle pour amortir le coup. Il y suggère à l'auteur d'essayer un autre éditeur qui publie des ouvrages dans le genre du sien. L'art de faire des passes.

— Est-ce que Maria a avancé dans sa lecture ?

— Elle s'accroche. Principalement à cause du titre, je pense.

— J'ignorais que ce roman en eût un.

— Oh ! que si ! Et il est tout aussi tarabiscoté que le reste : *Ne sois pas un autre.*

— Mmm. Je ne crois pas que je me jetterais sur un livre portant un titre pareil. Et pourquoi plaît-il à Maria ?

— Parce que c'est une citation d'un de ses auteurs préférés : Paracelse. Elle a persuadé Parlabane de le lire, et Johnny en a tiré ce morceau de choix. Paracelse écrit : *Alterius non sit, qui suus esse potest.* Ne sois pas un autre si tu peux être toi-même.

— Je sais le latin moi aussi, Clem.

— Oui, forcément. En tout cas, c'est de là que ça vient. Un titre épouvantable, à mon avis, mais Parlabane pense que cela fera bien, imprimé en italique sur la page de titre. Une indication que le livre réserve au lecteur quelque chose d'une très grande valeur.

— Ce n'est pas un si mauvais titre, si on y réfléchit. Parlabane est certainement tout à fait lui-même.

— J'aimerais que les gens ne tiennent pas à être tellement eux-mêmes si cela revient à se conduire en salaud. Plus que jamais, je suis convaincu que McVarish est en possession de ce manuscrit que vous n'avez pas réussi à lui arracher. Cette histoire me turlupine. Elle tourne à l'obsession. Savez-vous ce que c'est, une obsession ? »

Oui, je le savais fort bien. Maria.

Sophie.


3


« Je vois assez souvent cette fille qui était ici lors de votre dernière visite, dit Ozy Froats. Vous voyez qui je veux dire ? Maria. »

Je voyais très bien. Mais que faisait-elle dans le labo d'Ozy ? Elle ne lui apportait tout de même pas son seau quotidien à analyser ?

« Elle m'a fait connaître Paracelse. Ce type est beaucoup plus intéressant que je ne le pensais. Il a eu quelques aperçus extraordinaires, mais, évidemment, aucun moyen de les vérifier. C'est tout de même étonnant qu'il ait pu aller si loin avec de simples conjectures.

— Vous n'accordez vraiment aucun crédit à l'intuition d'un grand homme, n'est-ce pas, Ozy ?

— Aucun. Je dois me montrer réservé sur ce point. Chaque savant a des intuitions, et celles-ci le terrifient jusqu'à ce qu'il ait pu les prouver. Les grands hommes sont rares, vous savez.

— Mais vous, vous en êtes un. Cette récompense qu'on vous a attribuée vous met hors d'atteinte de gens comme Murray Brown.

— Vous voulez parler de la médaille de Kober ? En effet, c'est pas mal, pas mal du tout, même.

— Il paraît que cela vous fait entrer dans la catégorie des nobélisables.

— Oh, ces prix, vous savez... Le Kober me fait plaisir, bien sûr, mais il faut se garder de croire que les récompenses correspondent à un véritable aboutissement de votre œuvre. Le jour de la remise, il faudra que je fasse une conférence. C'est alors que je découvrirai ce que les gens pensent vraiment, en voyant leur réaction à ce que je dirai. Mais je suis encore loin d'avoir donné tout ce que je voudrais donner.

— Ozy, pour ceux d'entre nous qui se contentent de progresser laborieusement, en faisant de leur mieux et en sachant que le résultat n'est pas brillant, la modestie des grands hommes est très irritante. L'American College of Physicians vous décerne son meilleur prix, et vous, vous manifestez des scrupules, vous vous rabaissez. Ce n'est pas de la modestie, c'est du masochisme. Vous me rendez malade.

Je suppose que cette attitude correspond à votre type
sheldonien.

— Elle correspond à mon éducation mennonite, Simon.
Garde-toi du péché d'orgueil. Vous êtes tous si aimables avec
moi que je dois faire attention à ne pas me congratuler moi-
même. Maria affirme maintenant que je suis un mage.

— Vous pourriez l'être, du moins selon sa définition à
elle.

— Elle m'a écrit une très gentille lettre. Une citation de
Paracelse. Je la porte sur moi, ce qui est un signe de faiblesse.
Je vais vous la lire : « Les saints naturels, qu'on appelle des
mages, ont un pouvoir inné qui leur permet d'agir sur les
énergies et les aspects de la nature. Il y a des hommes justes
et pieux qu'on appelle des saints. Mais il y a aussi des
hommes saints qui servent les forces de la nature et qu'on
appelle des mages... Ce que d'autres sont incapables de faire,
ils le font, car ils ont reçu un don spécial. » Si un homme
commençait à se voir ainsi, il serait fini en tant que savant.
Douter, douter et encore douter, jusqu'à ce qu'on soit sûr et
certain. C'est le seul moyen.

— Si Maria m'écrivait une chose pareille, je la croirais.

— Pourquoi ?

— Je pense qu'elle a une extraordinaire intuition en ce
qui concerne les gens.

— Ah oui ? Elle m'a envoyé un drôle de type. Selon les
critères de Sheldon, c'est certainement une curiosité. Je l'ai
donc engagé comme cobaye pour la corvée du seau. C'est un
"donateur" intéressant, quoique peu productif.

— Je le connais ?

— Voyons, Simon, vous savez bien que je ne peux pas
vous dire son nom. Ce serait tout à fait immoral. Parfois, lui
et moi nous parlons du doute. C'est un grand sceptique. Il
a été moine. Il a un type sheldonien très intéressant et très
rare : un 376, vous me suivez ? Très intellectuel et nerveux,
mais doté d'un excellent physique. Je pense qu'avec ce
tempérament-là c'est un homme dangereux. Il pourrait

devenir très violent. Il a maltraité son corps de toutes les
façons possibles et imaginables, et, d'après l'odeur de ses
selles, je dirais qu'il se drogue en ce moment. Bien qu'il
soit petit, il est fantastiquement fort et musclé. Il voudrait
bien toucher de l'argent pour ses contributions, mais il ne
va à la selle qu'une fois par semaine environ. Bouché. Ça,
c'est l'effet de la drogue. Il ne m'est pas sympathique, mais
comme c'est une curiosité, je m'efforce de le supporter.

— Pour Maria ?

— Non, simplement pour moi. Écoutez, vous ne croyez
tout de même pas que j'ai le béguin pour cette fille ? Je
trouve que c'est quelqu'un de très bien, mais ça s'arrête là.

— Son type n'est pas intéressant ?

— Pas de mon point de vue. Trop bien équilibré.

— Est-ce qu'elle risque de se transformer un jour en une
''mauvaise plaisanterie pycnotique'' ?

— C'est exclu. Elle vieillira bien. Elle se courbera, probablement, mais c'est là une chose inhérente à l'ossature
féminine. Elle restera vigoureuse jusqu'à sa mort.

— Ozy, ces types sheldoniens sont-ils irrévocables ?

— Que voulez-vous dire ?

— La dernière fois que je vous ai vu, vous m'avez parlé
très franchement de ma tendance à l'embonpoint, vous vous
rappelez ?

— Oui, c'était lors de la première visite de Maria ici. Mes
conclusions ne résultaient pas d'un examen, évidemment.
C'était une approximation. Un 425, rond, trapu, doté d'une
grande énergie. De longs boyaux.

— Des boyaux littéraires, avez-vous dit.

— Beaucoup d'écrivains ont cette particularité, c'est vrai.
Mais vous pouvez avoir de longs boyaux sans être écrivain
pour autant.

— Ne m'enlevez pas la seule consolation que vous m'ayez
offerte ! Mais voilà ce que je voulais savoir : quelqu'un de
ce type pourrait-il modifier son physique par un régime, des
exercices et des soins appropriés ?

— Dans une certaine mesure. Mais au prix de plus d'efforts que cela n'en vaut peut-être la peine. C'est ça, la faiblesse de tous ces régimes et cours de culturisme. Vous pouvez lutter contre votre type, et, probablement, obtenir pas mal de résultats, mais à la condition de le faire régulièrement. Voyez ces stars d'Hollywood : elles se laissent mourir de faim et demandent à des chirurgiens de leur rectifier la silhouette parce que leur physique est leur gagne-pain. Mais, de temps en temps, l'une d'elles craque, et alors c'est l'overdose. Le corps est la donnée de base inévitable. Vous pouvez le conserver en bon état, compte tenu de votre tempérament, mais le transformer complètement est impossible. La santé ne donne pas à quelqu'un les proportions d'une statue grecque ; la santé, c'est vivre le destin de son corps. Si vous pensez à vous-même, je crois que vous pourriez perdre avantageusement vingt-cinq livres, mais vous n'en deviendriez pas un homme mince pour autant : vous seriez un gros avec plus d'allure. J'ignore de quel prix vous le paierez sur le plan nerveux.

— Bref, ne sois pas un autre si tu peux être toi-même.

— C'est quoi, ça ?

— Encore du Paracelse.

— Il a tout à fait raison. Mais être soi-même n'est pas si simple. Il faut se connaître sur le plan physiologique, et les gens n'aiment pas savoir la vérité sur eux-mêmes. Ils se fabriquent une image mentale de leur personne, puis ils martyrisent leur pauvre corps pour essayer de le faire ressembler au modèle. Quand le corps n'obéit pas — parce que cela lui est impossible, bien sûr —, ils sont furieux contre lui et vivent en lui comme si c'était une maison inadéquate dont ils espèrent bientôt déménager. Beaucoup de maladies découlent de cette attitude.

— A vous entendre, on pourrait croire qu'il y a une prédestination physiologique.

— Ne m'attribuez pas cette affirmation. Ce n'est pas mon domaine. J'ai mon problème, et il m'occupe déjà amplement.

— Découvrir quelque chose de précieux dans ce qui est méprisé et rejeté.

— C'est la définition de Maria. Mais n'aurais-je pas l'air stupide si je prenais cela comme thème de ma conférence, lors de la remise du Kober ?

— "C'est la pierre que négligèrent vos maçons et qui est devenue la pierre angulaire."

— On ne parle pas de cette façon-là à des scientifiques, Simon.

— Alors, dites à votre auditoire que vous cherchez la *lapis exilis*, la pierre philosophale de leurs ancêtres spirituels : les alchimistes.

— Assez ! Taisez-vous ! »

Riant sous cape, je m'en allai.


4


Comme c'était ce que je pouvais espérer de mieux, à ce qu'il paraissait, je m'attelai à la tâche de devenir un gros « avec plus d'allure ». Bien entendu, je sombrai bientôt dans cette mauvaise humeur qui s'empare de moi quand je me refuse une certaine quantité de nourriture riche et de desserts crémeux. Je pensais à Ozy avec rancœur. Même s'il était un grand homme, me dis-je, je pourrais certainement faire une meilleure conférence pour le Kober que lui ; j'étofferais mes informations biologiques de citations choisies de Paracelse et donnerais à mon discours un éclat humaniste qui convaincrait mon auditoire et le sortirait de cette stupeur puritaine qu'engendre l'attitude scientifique. Là-dessus, je m'accusai de vanité. Que savais-je du travail d'Ozy ? Qu'étais-je sinon un gros imbécile dont le corps replet était un kiosque de sous-marin d'où une âme mince et acerbe contemplait le monde ? Non, cette image ne collait pas. Je n'étais pas aussi gras que ça, et quand je m'accordais assez de nourriture, mon esprit était plutôt bienveillant. Je perdais beaucoup de temps à discuter ainsi stupidement avec moi-même, et pour donner la mesure de mon abjection, j'avouerai qu'une ou deux fois je me demandai si Maria, bien que je l'aimasse éperdument, valait vraiment tous ces efforts.

Parlabane avait l'assommante habitude de venir prendre des bains chez moi : selon lui, la salle de bains de sa pension était trop primitive. C'était un baigneur voluptueux qui aimait se promener nu, non pas parce qu'il trouvait cela naturel, mais par exhibitionnisme. Il était fier de son corps, non sans raison d'ailleurs, car au même âge que le mien, il était ferme et musclé, avait des chevilles fines et ce contour impressionnant du ventre où les muscles abdominaux se dessinent comme sur une armure romaine. Je trouvais tout à fait injuste qu'un homme qui avait bu et pris des drogues pendant vingt ans et qui, selon Ozy, était sérieusement constipé, pût avoir si belle allure en costume d'Adam. Sa figure était évidemment dans un triste état, et sans ses lunettes il y voyait à peine ; il offrait néanmoins un contraste frappant avec l'individu qui ôtait mon vieux costume et quelques lamentables sous-vêtements. Habillé, il avait l'air minable, sinistre ; nu, il ressemblait d'une façon inquiétante au Satan d'un dessin de Blake. C'était certainement un homme avec lequel on n'avait pas envie de se bagarrer.

« J'aimerais être aussi en forme que toi, lui dis-je à l'une de ces occasions.

— Si tu veux devenir un théologien célèbre, tu as tort. Tous les grands docteurs de l'Église étaient soit maigres comme des clous, soit gras comme des chapons. Pas un seul qui eût mon physique parmi eux. Si tu grossissais de quarante livres, Simon, tu aurais à peu près la taille de Thomas d'Aquin quand il réfuta les arguments des manichéens. Sais-tu qu'il devint si gros qu'il fallut lui construire un autel spécial dans lequel on creusa un espace en demi-lune pour qu'il pût y loger son ventre ? Tu es encore loin de ça !

— Ozy Froats, qui vient d'être nommé — et il le mérite — lauréat de la médaille de Kober, m'a assuré que j'ai un physique d'écrivain. J'ai ce qu'Ozy appelle des « boyaux littéraires ». Si tu avais un ventre légèrement renflé comme le mien au lieu de cette espèce de superbe planche de blanchisseuse, que je t'envie, ton roman serait peut-être plus facile à lire.

— J'accepterais volontiers ta bedaine en échange d'une réponse nette d'un éditeur.

— Pas de nouvelles ?

— Si : quatre refus.

— Cela me paraît assez net, à moi. »

Nu comme un ver, Parlabane se laissa choir dans un de mes fauteuils. Bien qu'il fût manifestement très abattu, ses muscles restaient tendus et, mis à part ses grosses lunettes, il avait beaucoup d'allure. Splendide comme un auteur vaincu sculpté par Rodin.

« Non, pour moi, la seule réponse nette, ce sera l'acceptation du roman, un contrat selon mes conditions et l'assurance d'une publication rapide.

— Allons, allons ! Je ne voulais pas te décourager. Quatre refus, ce n'est rien ! Tu dois simplement t'accrocher et continuer à harceler les éditeurs. Beaucoup d'écrivains ont fait ça pendant des années.

— Je sais, mais moi j'en suis incapable. Je suis au bout du rouleau.

— Nous sommes en carême, comme je n'ai sans doute pas besoin de te le rappeler. C'est la saison la plus déprimante de l'année.

— Observes-tu le carême, Simon ?

— Je mange moins, mais ça, c'est secondaire. D'habitude, je m'impose une sorte de programme d'introspection. J'essaie de mettre un peu d'ordre en moi. Et toi ?

— Moi, je pars en brioche. C'est le livre. Personne ne veut le prendre au sérieux et ça me tue. C'est ma vie, et beaucoup plus que je ne l'avais pensé.

— Tu veux dire : ton autobiographie ?

— Mais non, bon sang ! Je t'ai déjà dit que ce livre ne se

réduisait pas à ça. Il représente ce qu'il y a de meilleur en moi. Si cela n'intéresse personne, qu'est-ce qui survivra de moi ? Tu es beaucoup trop gros pour savoir ce que c'est qu'une obsession.

— Je suis navré, John. Je ne voulais pas te blesser.

— C'est ce que j'ai réussi à sauver d'un destin assez injuste dans ce misérable trou qu'est le monde. J'y ai mis tout mon être : ma cime et mes racines. Tu n'as pas idée de ce que je ferais pour être publié. »

Il devint de plus en plus déprimé, sans perdre pour autant son instinct de conversation : quand il partit, il m'avait tapé de deux autres chemises, de chaussettes et de cent dollars, ce qui était tout l'argent que j'avais dans mon bureau. Je n'aime pas paraître mesquin, mais je commençais à en avoir par-dessus la tête d'écouter les tourments romantiques de son esprit tout en allongeant des sous pour satisfaire ses besoins charnels.

Il gagnait de l'argent, pas beaucoup, mais assez pour vivre. A quoi dépensait-il les sommes qu'il nous empruntait, à moi, à Maria et à Hollier ?

Pouvait-il vraiment s'agir de drogue ? Il avait trop bonne mine. De boisson ? Il descendait pas mal d'alcool quand il pouvait se le faire offrir, mais il n'avait aucune des caractéristiques du poivrot. Où passait son argent ? Je l'ignorais, mais j'en avais assez d'être sans cesse mis à contribution.


## 5


Le carême est une bonne saison pour l'examen de conscience et, peut-être, pour la mortification, mais jamais, que je sache, pour l'amour. L'amour, toutefois, était mon compagnon inséparable, ma pénitence, mon silice. Je devais entreprendre quelque chose à ce sujet, mais quoi ? Regarde la réalité en face, Simon : dans quel genre de situation un pasteur de quarante-cinq ans pourrait-il déclarer à une jeune femme de vingt-trois ans qu'il est amoureux d'elle et lui demander ce qu'elle en pense ? Que pourrait-elle en penser ? Réfléchis un peu, imbécile.

Mais peut-on, quand on est en proie à une obsession, voir clairement les faits ou même juger de leur validité ?

Je conçus plusieurs scénarios et élaborai différents discours, tous éminemment raisonnables, mais pleins de chaleur et d'affection. Puis, comme cela se produit souvent, les choses arrivèrent brusquement et, tout compte fait, facilement. Comme assistante de recherche de Hollier, Maria avait, le soir, le privilège de manger avec les professeurs dans le réfectoire de Spook. Une nuit, à la fin de mars, je la rencontrai juste après que le recteur eut récité le bénédicité qui termine les repas. Nous nous dirigions vers le salon des professeurs pour prendre le café. Ou, plus exactement, moi je m'y dirigeais. Je demandai à Maria si elle voulait que je lui en apporte une tasse. Non, répondit-elle, le café de Spook ne lui disait vraiment rien. Je sautai sur l'occasion de lui parler.

« Si vous voulez venir avec moi jusqu'à mon appartement à Ploughwright, je vous en ferai du vrai. Je peux même vous offrir du cognac.

— Avec plaisir. »

Cinq minutes plus tard, elle m'aidait — ou plutôt me regardait faire — pendant que je posais ma petite cafetière viennoise sur le réchaud électrique.

Quinze minutes plus tard, je lui avais avoué mon amour et, d'une façon plus cohérente que je ne l'avais pensé, lui parlais de la notion de Sophie (qu'elle connaissait, ayant fait des études médiévales). Je lui dis qu'elle personnifiait Sophie pour moi. Elle resta un long moment assise en silence.

« Je n'ai jamais été aussi flattée de ma vie, dit-elle finalement.

— Alors cette idée ne vous semble pas totalement ridicule ?

— Absolument pas. Comment pouvez-vous penser que vous êtes ridicule ?

— Un homme de mon âge amoureux d'une très jeune femme comme vous pourrait certainement le paraître.

— Mais vous n'êtes pas simplement un homme de votre âge. Vous êtes un homme merveilleux. Je vous admire depuis ce premier séminaire au cours duquel j'ai fait votre connaissance.

— Maria, ne vous moquez pas de moi. Je sais ce que je suis. Un homme plutôt laid entre deux âges.

— Oh ! *ça* ! Moi je voulais parler de votre esprit extraordinaire et du fantastique amour que vous portez à votre travail. Pourquoi voulez-vous qu'on se préoccupe de votre physique ? Oh non ! c'est affreux ce que je dis là ! Votre physique convient parfaitement à ce que vous êtes, voilà. De toute façon, l'apparence extérieure ne compte pas tellement.

— Comment pouvez-vous dire une chose pareille, vous qui êtes si belle ?

— Si votre aspect physique attirait autant l'attention que le mien et inspirait aux gens toutes sortes d'idées stupides sur vous, vous verriez peut-être la question autrement.

— L'idée que je me fais de vous vous paraît-elle stupide ?

— Non, non, ce n'est pas ce que je voulais dire. Venant de vous, la comparaison que vous avez faite est le plus beau compliment que j'aie jamais reçu.

— Qu'allons-nous faire, alors ? Oserai-je vous demander si vous m'aimez ?

— Bien sûr que je vous aime, mais je ne crois pas qu'il s'agisse du même genre d'amour que celui auquel vous pensez quand vous dites m'aimer.

— Alors ?...

— Je dois réfléchir soigneusement à ce que je vais vous répondre. Je vous aime, mais je ne vous ai encore jamais appelé par votre prénom. Je vous aime à cause du pouvoir que vous avez de me faire comprendre des choses que je ne comprenais pas ou que je comprenais différemment. Je vous aime parce que vous avez fait de votre savoir la source même de votre vie. Vous êtes pour moi un homme à part ; comme un feu, vous me réchauffez.

— Que sommes-nous censés faire, alors ?

— Faut-il que nous fassions quelque chose ? Ne faisons-nous pas déjà quelque chose maintenant ? Si pour vous je suis Sophie, qu'êtes-vous pour moi, à votre avis ?

— Je ne suis pas sûr de comprendre. Vous dites que vous m'aimez et que je représente quelque chose d'important pour vous. Dans ce cas, devons-nous devenir amants ?

— Je pense que nous le sommes déjà.

— J'entends amants dans un autre sens. Complètement.

— Vous voulez parler d'une liaison ? Coucher ensemble et tout ça ?

— Est-ce exclu ?

— Non, mais je pense que ce serait une grave erreur.

— Oh, Maria, vous en êtes sûre ? Vous savez que je suis pasteur. Je ne vous demanderai pas de devenir ma maîtresse. Je pense que ce serait méprisable.

— Je ne pourrais jamais vous épouser.

— Voulez-vous dire que c'est hors de question ?

— Totalement.

— Ah. Mais je ne peux pas vous faire de propositions déshonorantes. Ne croyez pas que ça soit simplement par pruderie...

— Non, non, je comprends très bien. "Vous ne pourriez m'aimer autant si davantage encore vous n'aimiez l'honneur."

— Pas seulement l'honneur. Vous pouvez l'exprimer ainsi, mais il s'agit de quelque chose de plus important que cela. Je suis prêtre pour toujours, dans la tradition de Melchisédech ; cela m'oblige à vivre selon certaines règles inflexibles. Si je vous possédais sans me lier à vous par un serment devant l'autel, je deviendrais bientôt pour vous une personne haïssable : un prêtre renégat. Pas un ivrogne, un débauché ou quoi que ce soit de relativement simple, et, peut-être, de pardonnable, mais un parjure. Pouvez-vous comprendre cela ?

— Oui, parfaitement. Vous auriez violé un serment à Dieu.

— Vous avez saisi, en effet. Merci, Maria.

— Mais admettez que j'aurais une drôle d'allure en femme de pasteur. Et — excusez-moi de vous dire cela — je ne pense pas que ce soit vraiment une épouse que vous voulez, Simon. Vous voulez quelqu'un que vous puissiez aimer. Ne vous serait-il pas possible de m'aimer sans faire intervenir tous ces à-côtés — mariage, amour physique, et cetera —, qui, à mon avis, n'ont pas grand rapport avec la chose dont nous parlons ?

— Vous en demandez beaucoup ! Vous connaissez les hommes ?

— Pas tellement. Mais je crois connaître beaucoup de choses sur vous. »

Je regrettai mes paroles dès que je les eus prononcées, mais la jalousie me prit de vitesse.

« Oui, mais pas autant que sur Hollier ! »

Maria pâlit, ce qui lui donna un teint olivâtre.

« Qui vous a parlé de ça ? C'est évident, je suppose : ça ne peut être que lui.

— Maria ! Comprenez-moi, cela ne s'est pas passé comme vous le croyez. Ce n'était pas du tout par vanité ou par stupidité ! Hollier était malheureux et il s'est confié à moi en tant que prêtre. En fait, je n'aurais jamais dû faire cette allusion !

— Est-ce vrai ?

— Je vous le jure.

— Alors, écoutez-moi, parce que je vais vous dire la vérité. J'aime Hollier. Je l'aime de la même façon que je vous aime, vous : pour l'homme merveilleux que vous êtes dans votre monde des merveilles. J'ai eu la bêtise de le vouloir mien de la manière dont vous avez parlé. Je ne sais et ne saurai jamais si c'était parce que moi je le désirais, ou parce que lui me désirait ; quoi qu'il en soit, c'était une grave erreur. Or cette sottise, qui, en tant qu'expérience, ne m'a rien apporté, semble avoir créé une barrière entre nous, de sorte que je l'ai presque perdu. Croyez-vous que je veuille recommencer avec vous ? Tous les hommes sont-ils si bêtement avides que, pour eux, l'amour doive nécessairement s'accompagner de cette faveur spéciale ?

— On considère que celle-ci complète l'amour.

— Alors le monde a encore quelque chose d'important à apprendre. Simon, vous m'avez appelée Sophie, c'est-à-dire la sagesse divine, l'associée de Dieu dans la Création. Maintenant je vais peut-être vous surprendre : j'admets que je suis Sophie pour vous et je le serai aussi longtemps que vous le désirerez ; cependant, je crois que je dois également être Maria, mon moi humain. Si nous couchions ensemble, ce serait peut-être Sophie qui se mettrait au lit avec vous, mais ce serait certainement Maria — et pas le meilleur aspect d'elle — qui ensuite se lèverait, et Sophie serait partie pour toujours. Et vous, mon cher Simon, vous vous allongeriez près de moi comme mon ange rebelle, mais très bientôt vous cesseriez de l'être pour devenir un pasteur anglican corpulent.

— Un ange rebelle ?

— Ne me dites pas que je peux vous apprendre quelque chose après cette conversation très peu universitaire que nous venons d'avoir ? Oh, Simon, vous devez tout de même vous rappeler les anges rebelles ! C'étaient de vrais anges : Samahazai et Azazel. Ils trahirent les secrets célestes au profit du roi Salomon, et Dieu les chassa du Ciel. Que firent-ils alors ? Passèrent-ils leur temps à se morfondre et à comploter contre le Seigneur ? Pas du tout ! A la différence de Lucifer, ce n'étaient pas des narcisses rancuniers. Au contraire : ils firent monter l'humanité d'un autre cran sur l'échelle de l'évolution. Ils descendirent sur terre où ils enseignèrent les langues, l'art de guérir, les lois et l'hygiène — tout, en fait —, et ils étaient souvent très appréciés des ''filles de l'homme''. C'est un merveilleux texte apocryphe. Cela m'étonne que vous ne le connaissiez pas, parce qu'il explique l'origine¹ des universités ! Dans certaines de ces histoires, Dieu n'apparaît pas sous son meilleur jour, n'est-ce pas ? Job fut obligé de lui dire ses quatre vérités, de lui reprocher son injustice et ses caprices. Les anges rebelles lui montrèrent que cacher et garder pour soi tout le savoir et toute la sagesse, c'était se conduire en chien du jardinier. Pour moi, cela a toujours constitué la preuve que nous finirions par civiliser Dieu. Alors, cher Simon, ne me privez pas de mon ange rebelle en voulant devenir un amant humain ordinaire, et moi, de mon côté, je ne vous priverai pas de Sophie. Vous et Hollier, vous êtes mes anges rebelles. Mais comme vous êtes le premier à en être informé, vous pouvez choisir celui que vous voulez être : Samahazai ou Azazel ?

— Samahazai, sans aucun doute ! Azazel est trop zozotant.

— Cher, cher Simon ! »

Nous parlâmes encore une heure, mais nous ne fîmes que répéter, sous une forme ou une autre, ce que nous nous étions déjà dit. Et quand nous nous séparâmes, j'embrassai effectivement Maria, non pas comme un amant ordinaire ou un fiancé, mais dans un esprit tout nouveau pour moi.

Depuis le dîner du 26 décembre, j'avais bu à longs traits « le philtre aux larmes de sirène » et vécu dans le déchirement, mais, à ma grande joie, cette épreuve semblait maintenant terminée. Je dormis comme un enfant et, au réveil, me sentis merveilleusement frais et dispos.

## 6

« Allô ? Allô, êtes-vous le révérend Darcourt ? Je vous appelle au sujet de John Parlabane : il est mort. Mort dans son lit, avec la lumière allumée. Il a laissé un mot avec votre numéro de téléphone. Vous viendrez, hein ? Parce qu'il faut faire quelque chose. On ne peut tout de même pas me demander de m'occuper de ce genre de chose. »

Ainsi me parla la logeuse de Parlabane (elle semblait être une de celles qui se sentent toujours offensées et exploitées) quand elle m'appela peu après six heures du matin, le dimanche de Pâques. Habitués aux urgences, médecins et pasteurs savent que la situation est rarement si pressante qu'ils n'aient pas le temps de s'habiller correctement et, ce faisant, d'avaler une tasse de café soluble. Détenteurs d'autorité, ils se doivent d'être calmes en arrivant sur les lieux où les attend une forme ou une autre de gâchis humain. La pension de Parlabane se trouvait non loin de l'université. J'en montai bientôt l'escalier en compagnie de Mme Mustard, qui, d'une voix excitée et véhémente, me racontait ce qui s'était passé. Elle s'était levée tôt pour aller à la messe de sept heures ; apercevant de la lumière sous la porte de Parlabane — pourtant, elle recommandait toujours à ses clients de ne pas gaspiller l'électricité —, elle avait frappé. Comme elle n'obtenait pas de réponse, elle était entrée, s'attendant à le trouver complètement ivre. Car il se soûlait régulièrement. Et dire qu'il voulait se faire passer pour un moine ! Elle l'avait découvert couché sur son lit avec un semblant de sourire aux lèvres. Elle n'avait pu le réveiller. Il était glacé. Non, elle n'avait pas fait venir de médecin. Elle n'avait aucune envie d'avoir des ennuis.

Dans l'humble petite chambre — à laquelle il avait réussi à donner un aspect sordide qui ne lui était pas inhérent —, Parlabane était couché sur un étroit lit de fer, revêtu de sa robe de moine, son diurnal entre les doigts, l'air très content de lui, mais non pas souriant : les morts ne sourient que sous la main experte de l'embaumeur. Sur la table de chevet se trouvait une enveloppe portant mon adresse et mon numéro de téléphone.

Suicide, pensai-je. Je ne peux pas dire que je rassurai Mme Mustard, mais je la calmai autant que je pus le faire, puis j'appelai un médecin que Parlabane et moi avions tous deux eu comme ami, autrefois, à l'université. Une vingtaine de minutes plus tard, celui-ci arrivait, habillé de pied en cap, lui aussi, et fleurant nettement le café soluble. Oh, que feraient médecins et pasteurs sans cette précieuse substance ?

Pendant mor attente, j'avais lu la lettre. Je m'étais débarrassé de Mme Mustard en lui demandant d'avoir la gentillesse de faire du café — de préférence du vrai, ajoutai-je, pour l'éloigner plus longtemps.

La lettre était écrite dans le plus pur style Parlabane.

*Mon cher vieux Simon,*

*Désolé de t'imposer cette corvée, mais il faut bien que quelqu'un s'en charge. Et puis cela entre dans tes fonctions, n'est-ce pas ? Je ne peux vraiment pas trop en demander à la mère Mustard, à laquelle je dois plusieurs mois de loyer. Cette dette-là ainsi que les autres pourront être acquittées avec mon à-valoir sur droits d'auteur. Ce paiement ne devrait pas tarder à arriver. Tu en doutes ? Honte à toi, incrédule. Entre-temps, je désire ardemment un service funèbre chrétien. Peux-tu ajouter à la longue liste des faveurs que je t'ai demandées celle de mettre Johnny au lit, comme tu l'as parfois fait à Spook, quand nous étions jeunes, quoique tu n'aies jamais pris le risque de l'y rejoindre, espèce de dégonflé... Merci. Ton frère en Jésus-Christ.*

*John Parlabane, S.M.S.*

Je fus très soulagé de voir arriver le médecin. Il examina le cadavre et déclara que Parlabane était mort, ce qui n'était guère utile, mais aussi, chose surprenante, qu'il ignorait pourquoi.

« Je ne vois aucune trace de quoi que ce soit, dit-il. Il est mort d'un arrêt cardiaque, et c'est tout ce que je peux inscrire sur le certificat. C'est de cela que nous mourons tous, en définitive.

— Pas d'indice pouvant indiquer qu'il s'est suicidé ?

— Pas le moindre. C'est pourtant ce que j'attendais quand vous m'avez appelé. Mais je ne trouve aucune marque de seringue qui pourrait le prouver. Ou de signe d'empoisonnement — d'habitude cela se voit, vous savez. Il a l'air si content de lui qu'il ne peut avoir connu l'angoisse de l'agonie. Pour être franc, j'étais persuadé qu'il s'agissait d'un suicide.

— Moi aussi. Je suis heureux qu'il n'en soit rien.

— Oui, je suppose que cela vous évite un dilemme. »

Mon vieil ami médecin faisait allusion ici à l'idée très répandue que les pasteurs de ma communion n'ont pas le droit de dire l'office des morts pour un suicidé. En fait, on nous accorde toute latitude dans ce domaine, et c'est généralement la charité qui l'emporte.

Je fis donc le nécessaire, ajoutant du travail supplémentaire à mon dimanche de Pâques pourtant déjà chargé. J'eus quelques petits démêlés indécents avec Mme Mustard : celle-ci refusait de laisser sortir le corps de sa maison tant qu'on ne lui aurait pas payé ce qu'on lui devait. Je la payai donc, me demandant combien de temps elle aurait résisté si je lui avais permis de garder Parlabane dans son état présent. Pauvre femme. Je suppose qu'elle a eu une vie très dure. Cela l'a rendue désagréable ; mais elle, elle se croit forte.

Le lendemain matin, lundi de Pâques, à la chapelle de Saint James the Less, qui se trouve à proximité du crématoire, je lus l'office des morts pour Parlabane. Tandis que j'attendais pour voir si des gens allaient venir assister au service, je réfléchis à la tâche que j'étais sur le point d'accomplir. Je me tenais là, en soutane, surplis et étole, le parfait expéditeur professionnel de cadavres. Dans quelle mesure croyais-je aux paroles que j'allais prononcer ? Et Parlabane, y avait-il cru ? A la résurrection de la chair, par exemple ? Inutile de s'appesantir là-dessus maintenant. Parlabane avait demandé cette cérémonie, et il l'aurait. L'office des morts était noble — une splendide musique qu'il ne fallait pas examiner à la loupe comme si ç'avait été un contrat d'assurance.

En plus de ma personne, il y avait Hollier et Maria. L'entrepreneur de pompes funèbres, induit en erreur par l'habit monastique de Parlabane, avait placé le corps avec la tête du côté de l'autel. Je ne pris pas la peine de lui faire changer cette position. Je lui avais déjà expliqué que le cadavre n'avait pas vraiment besoin de sous-vêtements. Parlabane était mort nu sous sa robe et c'est ainsi que je l'envoyai dans les flammes. Je ne voulais pas m'attirer une réputation d'excentrique en demandant au croque-mort d'autres modifications du cérémonial courant.

L'atmosphère était forcément très intime, et, pendant l'office, je dis au moment approprié :

« C'est ici, habituellement, que le pasteur prononce quelques mots sur la personne dont la dépouille est acheminée vers sa destination ultime. Mais comme nous sommes peu nombreux, et tous des amis du défunt, nous pourrions peut-être parler de lui un moment. Je pense qu'il était à plaindre, mais il aurait rejeté ma pitié : il avait un esprit fier et provocant. Il a demandé un service funèbre chrétien, et c'est pourquoi nous sommes ici. D'une façon qui lui était très particulière, il professait un profond amour pour la foi chrétienne, mais paraissait dédaigner la plupart des vertus qui sont chères aux chrétiens. On aurait dit que la foi et l'orgueil se combattaient en lui ; l'humilité lui était inconnue. J'avoue ne pas savoir que penser de lui. Je crois qu'il avait peu d'estime pour moi. La dernière lettre qu'il m'a adressée était écrite sur un ton qui se voulait humoristique mais qui, en réalité, était méprisant. Ma croyance m'ordonne de lui pardonner, ce que je fais. Il a demandé cet office, et il m'est tout à fait impossible de le lui refuser. Cependant, j'aimerais pouvoir dire honnêtement que je l'aimais.

— Il faisait tout ce qu'il pouvait pour se rendre odieux, déclara Maria. Malgré ses sourires, ses plaisanteries et ses paroles affectueuses, il méprisait tout le monde.

— Moi, je l'aimais, dit Hollier, mais il est vrai que je le connaissais mieux que vous. A mes yeux, il était une sorte de fossile culturel : l'époque où les gens pensaient pouvoir se vanter sans vergogne de leur supériorité intellectuelle est révolue. Nous sommes devenus hypocrites dans ce domaine.

A l'exception de Parlabane. Il nous prenait pour des ânes et devait certainement me considérer comme un fumiste. Cette attitude nous ramène à la grande époque de Paracelse, de Cornelius Agrippa — et aussi de Rabelais —, quand les érudits se moquaient avec raffinement de toute personne qu'ils jugeaient intellectuellement inférieure. On pouvait apprécier cet aspect-là de son personnage. Dommage que son roman soit si mauvais : d'un bout à l'autre, ce n'est vraiment qu'un énorme sarcasme, quoi qu'il ait pu en penser.

— Il semble être mort avec l'espoir qu'il serait publié, dis-je. Dans la dernière lettre qu'il m'a adressée, il dit que son à-valoir couvrira les dettes qu'il a laissées.

— Quelle blague ! fit Hollier. Simplement, il n'a jamais voulu admettre ce qu'il savait être la vérité : qu'il vivait en parasite. A propos, Simon, qui paie pour tout cela ?

— Moi, je suppose, répondis-je.

— Non, non, je veux contribuer aux frais. Pourquoi prendriez-vous tout en charge ?

— Absolument ! approuva Maria. C'était ainsi que cela se passait de son vivant ; il vaut mieux continuer de la même façon jusqu'à la fin. Il est mort en me devant un peu moins de neuf cents dollars. Ce ne sont pas cent dollars de plus qui vont me ruiner.

— Oh, cela ne coûtera pas autant, affirmai-je. Cet enterrement a été organisé aux meilleures conditions. L'incinération, plus ce qu'il devait à sa logeuse, plus quelques broutilles, nous reviendra probablement à… — vous étiez plus près de la vérité que je ne pensais, Maria —, à un peu plus de deux cents dollars chacun. Oh, mon Dieu, tout cela est très inconvenant ! Je croyais que nous allions penser avec sérieux et affection à Parlabane pendant quelques minutes, et voilà que nous chicanons sur le montant de ses dettes !

— C'est bien fait pour lui ! dit Hollier. S'il nous entend, il doit bien rigoler.

— Il aurait pu laisser le même testament que Rabelais,

dit Maria : "Je dois beaucoup, ne possède rien et lègue le
reste aux pauvres."

Elle rit. Son hilarité nous gagna, Hollier et moi, et nous
étions tous en train de rire bruyamment quand l'employé
des pompes funèbres ouvrit la porte de la petite pièce où il
attendait, passa la tête et toussota. Je compris le signal :
Parlabane devait partir au crématoire avant l'heure du
déjeuner.

« Prions, proposai-je.

— Oui, acquiesça Hollier, et ensuite... le feu purifi-
cateur. »

D'autres rires. Le croque-mort, qui avait pourtant dû voir
toutes sortes d'enterrements bizarres, eut l'air scandalisé. Je
n'avais encore jamais ri pendant la prière des morts, mais je
le fis ce jour-là, du début à la fin.

Après avoir vu partir le cercueil, je retrouvai les autres
dehors. Je n'avais pas besoin de revenir pour l'incinération.

« Je crois que je ne me suis encore jamais autant amusé à
un enterrement, dit Hollier.

— J'éprouve un sentiment de soulagement, avoua Maria.
Je devrais sans doute en avoir honte — mais non, rien de
tel. Parlabane commençait à devenir vraiment pénible, et
maintenant il n'est plus.

— Et si nous allions déjeuner ? dis-je. Permettez-moi de
vous inviter. C'était gentil de votre part de venir.

— Il n'en est pas question, répondit Hollier. Après tout,
c'est vous qui avez organisé les funérailles et même célébré
l'office. Vous en avez fait assez.

— Je viendrai avec vous à la condition que vous me laissiez
payer l'addition, déclara Maria. S'il vous faut absolument
une raison, je dirais que c'est parce que je suis plus heureuse
qu'aucun de vous deux que Parlabane nous ait quittés.
Quittés pour toujours. »

Nous acceptâmes donc son invitation et prîmes grand
plaisir à ce que nous appelâmes la veillée mortuaire de
Parlabane. Celle-ci se prolongea au-delà de trois heures. Alors

que nous revenions en voiture à l'université, où aucun de nous n'avait été ce matin, nous remarquâmes que le drapeau qui flottait sur le campus principal était en berne. Nous ne prîmes pas la peine de nous demander pourquoi : une grande université est toujours en train de regretter un de ses dignes membres.

# LE DEUXIÈME PARADIS VI

Février. Dans notre hiver canadien, c'est sans aucun doute un mois de crise, à l'université comme probablement partout ailleurs. En tout cas, la crise faisait rage dans le séjour de mamousia, où depuis une bonne heure Hollier tournait autour de son obsession concernant Urquhart McVarish et le manuscrit de Gryphius sans jamais aborder le problème de front. La pièce semblait plus sombre que ne l'expliquait l'heure — cinq heures de l'après-midi — ou la saison. Me faisant toute petite dans mon coin, je regardais et j'avais peur, très peur.

« Pourquoi ne me dites-vous pas ce que vous voulez, Hollier ? Croyez-vous que je sois dupe ? Vous parlez, vous parlez, mais ce qui vous amène ici crie plus fort que ce que vous dites. Vous voulez m'acheter une malédiction, c'est bien ça, n'est-ce pas ?

— C'est difficile à expliquer, madame.

— Mais facile à comprendre. Vous voulez ces lettres et ce livre. Ils sont entre les mains de ce type qui se moque de vous parce qu'il vous a devancé. Vous le haïssez. Vous voulez vous débarrasser de lui. Vous voulez ce livre. Vous voulez que cet homme soit puni.

— Il y a des considérations de l'ordre de l'érudition…

— C'est ce que vous m'avez dit. Vous vous croyez plus capable que l'autre d'exploiter les possibilités qu'offre ce livre. Mais, avant tout, vous voulez être le premier à le faire, n'est-ce pas ?

— Exprimé brutalement, c'est plus ou moins ça.

— Et pourquoi ne l'exprimerais-je pas brutalement ? Vous venez me voir, vous me flattez, disant que je suis une *phouri dai*, vous me racontez cette longue histoire au sujet d'un ennemi qui vous empoisonne la vie, et vous croyez que je ne devine pas votre arrière-pensée ? Vous me parlez de devenir votre collègue dans une expérience fascinante. En réalité, vous voulez que je sois votre *cohani*, celle qui jette le mauvais sort. Vous parlez du monde des ténèbres et — quel était ce mot déjà ? — des forces chtoniques, vous employez tout un langage savant, mais, en fait, vous vous référez simplement à la magie. Parce que vous vous trouvez confronté à un problème que vous ne pouvez résoudre avec vos belles paroles de professeur, vous croyez que la bonne vieille sorcellerie fera peut-être l'affaire. Mais vous avez peur d'en parler franchement. Ai-je raison ?

— Je ne suis pas un imbécile, madame. Cela fait vingt ans que je tourne autour des choses dont nous nous entretenons maintenant. Je les ai examinées avec autant de précision et d'objectivité que le permet le monde de l'érudition, mais je n'ai pas tout accepté sans réserve. Mes difficultés actuelles font que j'y pense. Vous avez raison, bien sûr : je voudrais faire appel à des moyens spéciaux pour obtenir ce que je veux, et tant pis si cela nuit à mon rival sur le plan professionnel : c'est sans doute inévitable. Mais ne me parlez pas de magie en termes simples. Je sais ce que c'est, ou plutôt je sais ce que j'entends par là. La magie — je déteste ce mot à cause du sens qu'il a pris, mais il n'y en a pas d'autre —, la magie, donc, au sens fort, ne peut agir que s'il y a un sentiment très intense. Impossible de la déclencher avec un esprit sceptique, sans vous engager, pour ainsi dire. Il faut désirer et il faut croire. Savez-vous à quel point c'est difficile pour un homme de mon temps, de ma formation et de mon tempérament ? Vous, au plus profond de votre être, vous vivez encore au Moyen Âge, et la magie vous vient, je ne dirai pas logiquement, mais facilement. Pour moi, c'est un objet d'étude, un fait psychologique, mais pas nécessairement un fait objectif. Une chose à laquelle certaines personnes ont toujours cru, mais qu'elles n'ont jamais été capables de prouver. Pour ma part, je n'ai jamais eu l'occasion de faire des expériences dans ce domaine parce qu'il m'a toujours manqué les deux éléments nécessaires : le désir et la foi.

« Cependant, maintenant, pour la première fois de ma vie, la toute première, je désire désespérément quelque chose. Je veux ce manuscrit. Je le désire assez fort pour me donner beaucoup de mal afin de l'avoir. J'ai déjà désiré des choses par le passé, comme une certaine notoriété dans mon travail, par exemple, mais jamais avec cette intensité.

— Vous n'avez jamais désiré une femme ?

— Pas aussi fort que ce manuscrit. Peut-être jamais très fort. Ce genre de chose ne m'a jamais beaucoup intéressé.

— Donc la première grande passion de votre vie est enracinée dans la haine et dans l'envie. Réfléchissez, Hollier.

— Vous simplifiez toute cette affaire pour me rabaisser.

— Non. Pour que vous vous regardiez en face. Vous avez donc le désir, mais vous n'arrivez pas tout à fait à admettre que vous avez la foi ?

— Vous ne comprenez pas. Toute ma formation vise à suspendre la foi, examiner, faire des expériences, mettre à l'épreuve, vérifier.

— Par conséquent, juste à titre d'expérience, vous voulez appeler une malédiction sur votre ennemi.

— Je n'ai jamais parlé de malédiction.

— Pas ouvertement, non. Mais pour mes oreilles à l'ancienne mode qui informent mon cerveau à l'ancienne mode, vous n'avez pas besoin d'utiliser ce mot démodé. Vous ne pouvez pas le prononcer parce que vous voulez vous ménager une porte de sortie : si ça marche, bien ; si ça ne marche pas, vous pourrez toujours dire que tout cela n'était que des balivernes tsiganes ; ainsi, le grand professeur, l'homme moderne, gardera le dessus. Vous voulez ce livre ? Eh bien, trouvez quelqu'un pour vous le voler. Je peux vous mettre en rapport avec un excellent voleur.

— Oui, j'avais pensé à cela, mais...

— Si vous le volez et qu'ensuite vous écrivez quelque chose dessus, votre ennemi saura que vous le lui avez piqué, n'est-ce pas ?

— Oui, cela m'était venu à l'esprit.

— Oh ! venu à l'esprit ! Alors regardons les choses en face, comme vous l'avez déjà fait au fond de vous, bien que vous ne l'admettrez jamais, ni à moi ni même à vous-même. Pour obtenir ce livre, quel qu'il soit, et pouvoir l'utiliser en toute sécurité, le type qui l'a maintenant doit mourir. Êtes-vous prêt à souhaiter la mort de quelqu'un, professeur ?

— C'est ce que font tous les jours des milliers de gens.

— Oui, mais le pensent-ils sérieusement ? Tueraient-ils leur ennemi s'ils le pouvaient ? Alors, pourquoi ne faites-vous pas assassiner le vôtre ? Je ne vous trouverai pas de tueur, mais Yerko pourrait vous dire où en chercher un.

— Madame, je ne suis pas venu ici louer les services d'un voleur ou d'un assassin.

— Non, vous êtes trop malin pour ça, trop moderne. Supposons que votre tueur se fasse attraper. Ces gens-là sont souvent maladroits. Il dira : ''C'est le professeur qui m'a payé pour le faire.'' Vous aurez alors de sérieux ennuis. Tandis que si vous êtes découvert et dites : ''j'ai loué les services d'une vieille Tsigane pour jeter un sort à mon ennemi'', le juge rira et vous menacera du doigt parce qu'il pensera que vous vous moquez de lui. Vous êtes très malin, Hollier.

— Vous me traitez comme si j'étais un imbécile.

— C'est parce que vous m'êtes sympathique. Vous êtes un homme d'une trop grande valeur pour agir comme vous le faites. Heureusement que c'est moi que vous êtes venu trouver. Au fait, qu'est-ce qui vous a donné cette idée ?

— A Noël, vous m'avez lu le tarot, et ce que vous aviez prédit est arrivé. L'obsession et la haine dont vous avez parlé sont devenues de terribles réalités.

— Et celles-ci causent des ennuis aussi bien à vous qu'à une personne proche de vous. Qui est-elle ?

— Tiens, j'avais oublié ce détail. Je n'en sais rien.

— Moi, je sais : c'est ma fille Maria.

— Ah oui, en effet. Elle devait travailler avec moi sur ce manuscrit.

— Est-ce que c'est tout, pour Maria ?

— Oui, bien sûr. Que pourrait-il y avoir d'autre ?

— Oh ! mon Dieu ! Hollier, vous êtes vraiment bête ! Je me souviens très bien de vos cartes. Qui est ce valet de deniers, le serviteur à la lettre ?

— Je ne sais pas, il n'est pas encore apparu. Mais la figure qui m'a ramené ici, c'est la Lune, la femme variable qui parle de danger. Qui cela pourrait-il être à part vous ? C'est donc à vous que je demande conseil, naturellement.

— L'avez-vous bien regardée, cette lame ? La Lune, haute dans le ciel. Elle est à la fois la Vieille femme, la lune pleine, et la Vierge, la lune croissante, et aucune d'elles ne prête attention au chien et au loup sur la terre qui hurlent, la tête levée vers elles. Et, en bas de la carte, on distingue le Cancer, cet esprit terrestre qui régit le côté sombre de tout ce que voit la Lune. Or le Cancer symbolise toutes sortes de mauvaises choses : la vengeance, la haine et l'autodestruction. Parce qu'il dévore — et c'est la raison pour laquelle cette terrible maladie dévorante porte son nom. Quand, dans un tirage, je vois sortir la Lune, je sais toujours que quelque chose de funeste pourrait arriver au consultant à cause d'une vengeance et d'une haine féroce. Alors, écoutez-moi bien, Hollier. Je vais vous dire certaines choses qui vous déplairont, mais j'espère par là pouvoir vous aider, car je ne fais que dire la vérité.

« Cela fait une heure que vous me demandez, à mots couverts, de jeter un mauvais sort tsigane à votre ennemi —

juste à titre d'expérience, comme une blague, en quelque sorte. Quel mauvais sort tsigane ? En connaissez-vous un ? Vous parlez comme si vous saviez beaucoup plus de choses sur les Tsiganes que moi. Je ne connais qu'une centaine, tout au plus, de mes frères de race, et la plupart sont morts — tués par des gens comme vous qui veulent toujours être modernes et avoir raison. Jeter des sorts ne sert qu'à concentrer le sentiment.

« En effet, celui-ci doit être extrêmement fort quand on veut ensorceler quelqu'un. Supposons que je vous vende un maléfice. Je ne hais pas votre ennemi : il ne m'est rien. Donc, pour lui jeter un sort et m'en tirer sans dommage personnel, il faut que je sois au mieux avec *l'Autre*. Parce que *l'Autre* est redoutable. Il n'applique pas la justice de l'homme civilisé, mais le principe d'équilibre qui prend l'homme beaucoup moins en compte et qui peut paraître cruel et mauvais à celui-ci. Me comprenez-vous ? Quand l'équilibre a décidé de redresser le fléau de la balance, il arrive des choses épouvantables. Une grande partie de ce que nous ne comprenons pas est l'expression de cet équilibre en action. Nous attirons ce qui est déjà en nous, vous savez, Hollier. Nous finissons toujours par recevoir le chien ou le violon qui nous conviennent, même s'ils nous déplaisent ; et si nous sommes fiers, l'équilibre peut nous montrer brutalement combien nous sommes faibles. Or le maître du principe d'équilibre, c'est *l'Autre*. Si je jette un sort uniquement pour votre profit, l'équilibre doit être satisfait, croyez-moi, sinon j'aurai de graves ennuis.

« Je ne veux pas abuser de mon crédit auprès de *l'Autre* pour vous faire plaisir, Hollier. Je ne veux pas faire appel à celui qui vit là, en bas, sous terre, avec le Cancer, et dont l'armée se compose de toutes les créatures des ténèbres, des suicidés et de forces terrifiantes, pour vous procurer un vieux livre. Et savez-vous ce qui m'effraie au sujet de notre conversation ? C'est la frivolité avec laquelle vous me demandez une chose pareille. Vous ne savez pas ce que vous faites.

Vous avez cette légèreté d'esprit absolument choquante de l'homme éduqué moderne. »

Hollier prenait tout cela assez mal. Pendant qu'il écoutait mamousia, sa figure avait pris une couleur pourpre de plus en plus foncée, comme si elle saignait de l'intérieur. Il dévisageait ma mère, à présent ; toute l'attitude raisonnable, professorale qu'il avait montrée jusque-là avait disparu. Son apparence était terrible ; jamais encore je ne l'avais vu ainsi.

« Je ne suis pas frivole, a-t-il répondu d'une voix étranglée. Vous ne pouvez pas comprendre ce que je suis parce que vous ne connaissez rien à la passion intellectuelle...

— Parlez plutôt d'orgueil, Hollier.

— Taisez-vous ! Vous avez dit tout ce que vous aviez à dire, à savoir non. Très bien, n'en dites pas plus. Faites comme bon vous semble. En venant ici, j'espérais sans doute que vous consentiriez à utiliser votre pouvoir en ma faveur. Je vous prenais pour une *phouri dai* et une amie. Maintenant je sais que votre amitié ne va pas très loin, et j'ai aussi révisé mes idées en ce qui concerne votre sagesse. Ma situation n'est pas pire que ce qu'elle était avant que je ne vienne ici. Bonsoir.

— Attendez, Hollier, attendez ! Vous ne voyez pas à quel danger vous vous exposez ! Vous n'avez pas compris ce que j'ai dit ! Le pouvoir d'un maléfice, c'est la force du sentiment. Si je dis à *l'Autre* : ''Mon ami est très perturbé par Untel, que pouvez-vous faire pour lui ?'' je suis seulement votre messagère. Pour être messagère, il faut que j'aie la foi. Vous n'avez pas besoin de moi pour prononcer une malédiction ; vous avez déjà maudit votre ennemi dans votre cœur et êtes entré en rapport avec *l'Autre* sans mon intermédiaire. J'ai très peur pour vous ! J'ai déjà vu des haines terribles dans ma vie, mais jamais chez un homme aussi peu lucide que vous.

— Alors, maintenant vous me dites que je peux me passer de vous ?

— Oui, parce que vous m'y obligez.

— Eh bien, écoutez, madame Laoutaro, vous m'avez rendu un grand service cet après-midi. Je sais à présent que j'ai aussi bien le sentiment que la foi ! Je crois ! Oui, je *crois* !

— Oh ! mon Dieu ! Hollier, mon ami, je suis terriblement inquiète pour vous ! Maria, ramène le professeur chez lui en voiture. Et conduis très prudemment, je te prie ! »

J'ai amené Hollier jusqu'à la porte de Spook sans ouvrir la bouche de tout le trajet. Je n'avais pas dit un seul mot pendant sa terrible entrevue avec mamousia, terrifiée que j'étais par l'horrible atmosphère qui envahissait la pièce, tel un poison. Qu'aurais-je pu dire ? Quand il est descendu de voiture, il a claqué si fort la portière que j'ai cru qu'elle allait tomber.

2

Le lendemain, Hollier m'a paru calme. Il n'a pas dit un mot au sujet de sa dispute avec mamousia. En fait, à en croire les apparences, celle-ci l'avait moins affecté que moi. J'étais forcée de me voir sous un angle nouveau. J'avais farouchement lutté pour me libérer de l'univers de ma mère, que je voyais comme un monde de superstition, mais j'étais obligée de reconnaître qu'il n'était pas en mon pouvoir de m'en libérer complètement. A la vérité, je commençais à penser à la superstition avec plus d'indulgence que je ne l'avais fait depuis le moment où, à l'âge de douze ans, j'avais pour la première fois pris conscience du rôle ambigu qu'elle jouait dans mon foyer.

Mes camarades de classe la condamnaient sévèrement, mais il me suffisait de les observer pour voir que toutes avaient quelque préjugé irrationnel. Et où passait la frontière entre la vénération que quelques-unes des religieuses avaient pour certains saints et les rituels que pratiquaient les filles pour savoir si leurs petits amis les aimaient ? Pourquoi avait-on le droit de soudoyer saint Antoine de Padoue pour qu'il vous fasse retrouver vos lunettes et pas celui de soudoyer la "petite fleur" pour qu'elle empêche sœur Saint-Dominique de s'apercevoir que vous n'aviez pas fait vos devoirs ? Je méprisais la superstition aussi bruyamment que tout le monde et la pratiquais en secret, comme le faisaient toutes mes amies. L'homme est religieux par nature, nous apprenait-on ; il était aussi superstitieux par nature, découvris-je.

Ce fut cette dualité d'esprit, je suppose, qui m'attira vers le travail de Hollier, celui de mettre au jour les vestiges de croyances anciennes et d'une sagesse enfouie. Comme tant d'autres étudiants, je cherchais quelque chose qui donnerait substance à la vie que je possédais déjà ou qui, dit plus honnêtement, me possédait moi ; j'étais heureuse et flattée d'être l'apprentie de Hollier dans cette recherche savante des débris d'une foi soit-disant dépassée. D'autant plus heureuse que l'université reconnaissait cette activité comme une approche scientifique de l'histoire culturelle.

Mais ce qui se passait autour de moi se rapprochait d'une manière désagréable de la vraie superstition. Allais-je devoir accepter que ce que j'appelais ainsi puisse véritablement avoir une base dans la vie concrète ? Bien avant que Hollier ne me dise qu'il voulait retourner chez mamousia, je savais que ce que ma mère avait vu dans le tarot se manifestait dans son existence, et, en conséquence, dans la mienne aussi. Difficultés croissantes et mécontentement au sujet de la façon dont progressait son travail. La cause de ces ennuis ? Je voyais clairement que Urquhart McVarish était à l'origine de tout cela ; Hollier y répondait par la haine — une vraie haine, et pas seulement cet antagonisme qui oppose assez fréquemment deux universitaires. C'était Caïn furieux qui voulait mettre la main sur les papiers de Gryphius ; le fait qu'il savait très peu de chose sur le contenu des lettres ne faisait que le persuader qu'elles étaient de la plus haute importance. Je me demandais quelle nouvelle lumière sur Rabelais et Paracelse il espérait en tirer ; il parla vaguement de gnosticisme, de crypto-protestantisme, d'alchimie mystique, de phytothérapie, et de nouveaux aperçus sur les liens entre l'âme et le corps qui faisaient pendant au savoir qu'Ozy Froats cherchait avec tant de patience. On aurait dit qu'il espérait tout et n'importe quoi de ces documents. Si seulement il pouvait se les approprier ! McVarish y mettait obstacle, et Caïn était furieux.

Cela, au moins, n'avait rien d'imaginaire. Urky se conduisait exprès d'une manière irritante, trahissant ainsi qu'il savait ce qui tourmentait Hollier. Quand ils se rencontraient, ce qui arrivait parfois à des réunions de professeurs ou, plus rarement, à des soirées, il se montrait souvent très affectueux, disant : « Comment va votre travail, Clem ? Bien, j'espère. Avez-vous fait quelque découverte intéressante dans votre domaine particulier récemment ? Je suppose qu'il est impossible de trouver quelque chose de vraiment nouveau ? »

Ce genre de propos, surtout quand ils s'accompagnaient d'un des sourires malicieux d'Urky, suffisaient à rendre Hollier grossier, puis fou de rage et injurieux quand il m'en parlait ensuite.

Il fulminait parce que Darcourt ne voulait pas accuser ouvertement Urky et le menacer de le dénoncer à la police — chose que Darcourt ne pouvait évidemment pas faire sans véritable preuve. Tout ce qu'il savait, c'était qu'Urky semblait avoir emprunté à Cornish un manuscrit qu'on ne retrouvait plus ; il faut un motif plus sérieux que cela pour inciter un universitaire à lancer les flics aux trousses d'un de ses collègues. Quand Hollier m'a demandé de l'emmener chez mamousia, il était amaigri et encore plus saturnien qu'avant. Il se nourrissait de son obsession, ruminait son propre estomac, comme le dragon dans *The Faerie Queene*.

Quand Hollier a dit à mamousia qu'il ne reconnaissait pas le valet de deniers, je n'ai pu en croire mes oreilles. Parlabane était pire que jamais, et ses demandes d'argent, très espacées avant Noël, étaient devenues hebdomadaires, parfois même plus fréquentes que cela. Il disait avoir besoin d'argent pour payer la personne qui lui dactylographiait son roman, mais j'avais du mal à le croire : il prenait en effet n'importe quelle somme, de deux à cinquante dollars, et quand il avait tapé Hollier, il venait me trouver moi et exigeait un autre tribut.

Je dis bien "exigeait", car Parlabane n'était pas un emprunteur ordinaire : il se montrait assez poli, mais derrière ses paroles je sentais une menace. Je n'ai jamais découvert — ai pris bien soin de ne pas découvrir — quelle pouvait être la nature de celle-ci. L'insistance avec laquelle il mendiait auprès de moi suggérait qu'un refus entraînerait plus que des injures ; il ne semblait pas loin de la violence. M'aurait-il frappée ? Oui, je sais qu'il l'aurait fait, et durement encore, car c'était un petit homme très costaud et terriblement coléreux. En fait, je craignais sa colère encore plus que la douleur.

Je jouais donc à la femme moderne qui, même si c'est à contrecœur, agit de son plein gré. Cependant, sous les apparences, j'étais simplement une femme qui avait peur de la force et de la férocité masculines. Il m'extorquait de l'argent, et je n'ai jamais atteint le degré de rage où j'aurais couru le risque de recevoir un coup plutôt que de continuer à supporter ses intimidations.

Il ne menaçait pas Hollier. Personne n'aurait pu faire cela. Non, avec Hollier, il en appelait à la loyauté masculine envers de vieux amis malchanceux, qui, en partie du moins, doit avoir sa source dans un sentiment de culpabilité. Il pouvait soutirer dix dollars à Hollier avec des pleurnicheries, et trente secondes plus tard être dans le bureau de réception et m'en arracher dix autres par le bluff. Une étonnante performance.

Son roman était pour lui ce que les manuscrits de Gryphius étaient pour Hollier. Il le trimballait avec lui dans un solide sac en plastique de supermarché. Il devait bien y avoir un millier de feuillets dactylographiés, car le sac est resté plein même lorsque Parlabane a enfin donné à Hollier une liasse de ces papiers, qui, disait-il, était un exemplaire presque complet et parfait de son œuvre. Il lui a fait comprendre à mots couverts qu'une dactylographe, quelque part, était en possession de la version finale, dont elle faisait des copies pour des éditeurs, et que ce qu'il avait encore dans son sac était une série de notes, de brouillons et de passages qu'il jugeait insatisfaisants.

Parlabane a remis son roman avec une certaine cérémonie, mais, après son départ, Hollier a jeté un coup d'œil au manuscrit, puis, a abandonné, effaré. Il m'a demandé de le lire pour lui, de lui faire un rapport et peut-être même de lui suggérer quelques critiques qu'il pourrait faire passer pour siennes. J'ignore si Parlabane s'est aperçu de cette supercherie, mais j'ai pris bien soin qu'il ne me surprenne jamais en train de me colleter avec sa prose chaotique.

Certains manuscrits dactylographiés sont aussi difficiles à lire qu'une mauvaise écriture. Celui de Parlabane était de ceux-là. Il était tapé sur ce papier jaune bon marché qui ne supporte pas les corrections à l'encre ou au crayon, de trop nombreuses biffures, ni surtout le maniement auquel est soumis un livre en train d'être écrit. Le roman de Parlabane, *Ne sois pas un autre*, était un tas désordonné de feuillets mous, cornés, désagréables au toucher, plein de marques de verres ou de tasses et malodorant à force d'avoir été tripoté par un homme dont toute la manière de vivre puait.

Je l'ai pourtant lu, me prenant chaque fois par la peau du cou pour accomplir ma corvée. C'était l'histoire d'un jeune homme qui étudiait la philosophie dans une université, manifestement la nôtre, et dans un collège, manifestement Spook. Ses parents étaient des nullités, indignes d'avoir pareil fils. Il avait de longues conversations philosophiques avec ses professeurs et ses amis, et tout le monde se gargarisait de mots tels que « téléologique » et « épistémologique ». Suivaient des réflexions quintessenciées sur le scepticisme et sur le fait que toute la vie était un merdier. Il y était question d'un meilleur ami nommé Featherstone, qui semblait être Hollier ; celui-ci était juste assez intelligent pour servir de faire-valoir au héros, qui, bien entendu, était Parlabane en personne (anonyme, il était désigné dans tout le roman par les mots *il* ou *lui* en italique). Il y avait un ami clownesque appelé Billy Duff, ou encore Plum Duff\*, auquel l'auteur n'accordait jamais une bonne réplique : de toute évidence, Darcourt. Il y avait des scènes érotiques avec des filles trop stupides pour comprendre qu'*il* était un génie et qui soit refusaient de coucher avec *lui*, soit *lui* cédaient et s'avéraient décevantes. *Il* commença à voir la lumière quand *il* partit dans une autre université et fit la connaissance d'un jeune homme pareil à un dieu grec — non, il ne se refusait pas ce cliché. Le d.g., lui, le satisfit complètement, tant sur le plan spirituel que physique.

En tant qu'auteur, Parlabane avait toutes les complaisances. Il y avait beaucoup trop de discussions et pas assez d'action, même dans les scènes érotiques. Ces dernières étaient assez ennuyeuses, hormis celles concernant le d.g., mais alors le style devenait tellement emphatique qu'on ne saisissait plus très bien ce qui se passait, sauf dans les grandes lignes, les protagonistes parlant de leurs ébats d'une façon extrêmement érudite.

Je ne prétends pas être une bonne critique de la littérature moderne. Pour l'instant, j'avais la tête remplie de Rabelais. Mais indépendamment de cela, je me demande si le livre de Parlabane était vraiment un roman moderne ou un roman tout court. A mes yeux, c'était un fouillis rebutant et sans intérêt, et c'est ce que j'ai dit à Hollier.

« C'est l'histoire de sa vie, mais racontée d'une façon beaucoup moins intéressante qu'il ne l'avait fait au Rude Plenty. Tout est vu de l'intérieur, et cela d'une manière si microscopique que le récit s'enlise : celui-ci progresse en se traînant sur le ventre, comme une baleine échouée.

— Mais tout cela n'aboutit-il à rien ?

— Oh ! si ! Après bien des conflits, *il* trouve Dieu, qui

---

\* *Plum Duff* est un autre mot pour plum-pudding (N.d.T.).

est l'unique réalité, et, au lieu de mépriser le monde, *il* apprend à le plaindre.

— C'est fort aimable à lui. Je suppose que ce livre est plein de caricatures de ses contemporains.

— Je serais incapable de les reconnaître.

— Oui, bien sûr : vous êtes trop jeune. Mais j'imagine qu'il y a quelques personnes identifiables qui ne seraient pas tellement heureuses qu'on relate leurs exploits de jeunesse.

— Il y a des faits scandaleux, mais ils sont décrits sans choix particulier et sans à-propos.

— Je croyais que nous y figurerions tous. Il se faisait facilement des ennemis.

— Vous, vous ne vous en tirez pas trop mal, mais il est très dur pour le professeur Darcourt. Il en fait un homme ridicule qui pense avoir trouvé Dieu. Bien entendu, il ne s'agit pas du Dieu de dix-huit carats qu'*il* trouve *lui* après son pèlerinage spirituel. Juste un Dieu de pacotille pour de petits esprits. Ce qui m'a le plus étonnée, c'est que ce livre ne contient pas un brin d'humour. Parlabane est un causeur plein d'entrain, mais on dirait qu'il se prend terriblement au sérieux.

— Cela vous étonne ? Vous, une spécialiste de Rabelais ? Ce qu'il a, c'est de l'esprit, et non pas de l'humour. Or l'esprit n'est jamais tourné vers l'intérieur. L'esprit, c'est une chose que vous possédez, tandis que l'humour est une chose qui vous possède vous. Que Darcourt et moi apparaissions sous un jour peu flatteur ne m'étonne pas. Personne ne juge aussi sévèrement ses amis qu'un brillant raté.

— En tout cas, il semble être un raté en tant que romancier — quoique je ne prétende pas vraiment m'y connaître.

— Un philosophe ne fera jamais un bon romancier. Avez-vous déjà lu des romans de Bertrand Russell ? »

Que Hollier lût lui-même le livre de Parlabane paraissait tout à fait exclu. Il était trop pris par sa rage contre McVarish. C'était en février qu'il m'avait demandé de l'emmener chez mamousia, et pendant cette heure épouvantable je m'étais

tenue à l'écart, terrifiée par ce que ma mère parvenait à lui
faire admettre. Il ne m'était jamais venu à l'esprit qu'il
pourrait lui demander une malédiction. Cela donne sans
doute la mesure de ma stupidité : j'étudiais ces choses-là, en
compagnie et sous la direction de Hollier, les considérant
comme des composantes de ce passé que nous scrutions, mais
sans penser que mon professeur pourrait un jour se servir
d'un de ces éléments — à mes yeux tout à fait périmé —
pour essayer de se venger d'un adversaire. Jamais je n'avais
autant admiré mamousia : le calme et le bon sens qu'elle
avait montrés me rendaient fière d'elle. Mais Hollier, lui,
avait complètement changé. Qui était l'esprit sauvage, à
présent ?

Il ne m'a jamais reparlé de cette entrevue, contrairement
à mamousia.

« Tu étais fâchée contre moi à cause du petit stratagème
que j'ai utilisé à Noël, a-t-elle dit, mais tu vois comme tout
s'arrange ? Ce pauvre Hollier est fou. Il aura de graves
ennuis. Ce n'est pas un mari pour toi, ma fille. C'est la
main du destin qui a dirigé cette tasse de café vers le père
Darcourt. Au fait, as-tu des nouvelles de lui ? »

### 3

Si j'avais des nouvelles du père Darcourt ? Il lui était
facile, à mamousia, de parler du destin comme si elle en
était la complice et l'instrument ; de toute évidence, elle
croyait dur comme fer au pouvoir de son philtre dégoûtant
fait de pépins de pommes broyés et de mon sang menstruel :
pour elle, l'effet magique de sa potion était aussi avéré que,
pour Ozy Froats, les principes de la méthode scientifique.
Mais pour moi, admettre qu'il pouvait y avoir le moindre
rapport direct entre son geste et l'attitude que je détectais
maintenant chez Simon Darcourt aurait exigé de ma part un
rejet du monde moderne ; il m'aurait fallu accepter la

coïncidence comme un facteur de la vie quotidienne — idée pour laquelle j'avais, en tant que femme moderne, un profond mépris — ou reconnaître l'existence de deux réalités séparées, mais parallèles, qui passent parfois l'une à côté de l'autre dans une éblouissante confusion de lumières, comme des trains se croisant dans la nuit. Il y a un mot recherché pour décrire ce phénomène : la synchronicité. Mais je n'avais aucune envie de penser à tout cela : j'étais une élève de Hollier et je voulais considérer les choses appartenant à l'univers de mamousia comme des sujets d'étude, non comme des croyances qu'on pouvait accepter et vivre. Aussi ai-je essayé de ne pas prêter une trop grande attention à Simon Darcourt, dans la mesure où le fait d'être son élève et les règles de la politesse le permettaient.

Cela m'aurait été plus facile si je n'avais pas été perturbée par des pensées déloyales envers Hollier. Je continuais à l'aimer, ou, du moins, je tenais au sentiment que j'éprouvais pour lui et que j'appelais de l'amour, faute d'un terme plus approprié. De temps en temps, quand nous discutions de mon travail, il faisait des remarques qui éclairaient si admirablement le sujet traité que j'étais confortée dans ma conviction, à savoir qu'il était un très grand professeur, un inspirateur, un pionnier. Mais son idée fixe concernant les manuscrits de Gryphius et les choses qu'il disait à ce propos et sur Urquhart McVarish semblaient provenir d'un autre homme : un homme obsédé, stupide et vain. J'avais renoncé à l'espoir qu'il pourrait me réserver quelques tendres pensées, et, tout en continuant à me raconter que j'étais prête à jouer le rôle de la patiente Griselda et à supporter n'importe quelle épreuve pour sa plus grande gloire, je me rendais compte qu'une autre partie de moi-même parvenait à la conclusion que mon amour pour lui était une erreur, qu'il n'en sortirait rien, que je ferais bien de le surmonter et de passer à autre chose. Ce raisonnement féminin terre à terre me remplissait de honte, mais comment pouvais-je aimer un Caïn furieux ?

Tout ce que tu veux, c'est un amant, disait ma part

érudite. *Et alors, quel mal y a-t-il à cela* ? demandait la femme en moi avec un petit déhanchement de gitane. *Si tu cherches un amant*, disait un troisième élément (que je ne pouvais identifier, mais qui devait sans doute correspondre à la simple perception des choses), *tu n'as qu'à prendre Simon Darcourt : toute sa personne proclame qu'il est amoureux de toi.*

Oui, mais... *Mais quoi ? Tu sembles soupirer après l'un de ces anges rebelles de l'Université qui ont établi ce que Paracelse appelle le Deuxième Paradis du Savoir et sont prêts à enseigner aux filles de l'homme toutes sortes de connaissances.* Oui, mais Simon Darcourt a quarante-cinq ans ; il est gros et c'est un pasteur anglican. *Il est savant, bon, et, de toute évidence, il t'aime.* Je sais. Cela satisfait la lettrée, mais pas la Tsigane : celle-là, elle rit et dit qu'il n'en est pas question. Tu te vois en femme de pasteur ? *Une lettrée comme toi — et tu peux espérer acquérir une bonne réputation dans ton travail — ferait une parfaite épouse pour un érudit-pasteur.* De nouveau, la Tsigane éclate de rire. Je lui dis d'aller au diable. Je ne suis pas disposée à admettre (pas encore, en tout cas) qu'une pratique superstitieuse tsigane nous ait mis dans ce pétrin, ce pauvre Simon et moi ; mais, dans ma situation présente, je ne supporterai certainement pas qu'une Bohémienne se moque de moi. Quel méli-mélo !

Ce désarroi me tourmentait jour et nuit. J'avais l'impression de ruiner ma santé. Cependant, chaque matin, quand je me regardais dans la glace, m'attendant à voir les ravages d'un esprit torturé gravés sur ma figure sous forme de pattes d'oie et autres rides, j'étais forcée de reconnaître que je n'avais jamais été aussi jolie. Cela me faisait plaisir, je l'avoue. Je suis une érudite, mais je me refuse à jouer le même jeu que certaines universitaires : je ne m'enlaidis pas, je ne m'habille pas comme si j'avais volé mes vêtements à une œuvre de charité, et mes cheveux n'ont pas l'air d'avoir été coupés dans une cave obscure par un fou armé d'une fourchette et d'un couteau. C'est mon côté tsigane, je suppose. Et en avant les boucles d'oreilles et les foulards voyants ! Sois fière de tes longs cheveux noirs et marche la tête haute. C'est là, en partie du moins, ce pour quoi Dieu t'a créée.

Voilà ce que la vie comportait forcément à mon âge, ai-je conclu : un certain désarroi mental. Au moins était-ce un désarroi intéressant. Depuis que je suis assez vieille pour concevoir pareille notion, j'aspire à l'« illumination ». Dans mes prières intimes, à l'école, je levais les yeux vers l'autel et disais : *Ô mon Dieu, ne me laissez pas mourir idiote.* Mes difficultés actuelles représentaient sans doute une partie du prix à payer pour la réalisation de mon vœu. Nourris-toi de cette épreuve et sois reconnaissante, Maria.

Un genre d'illumination tout à fait inattendu m'a été donné à la mi-mars, quand Simon Darcourt m'a invitée chez lui (il se croyait très habile, mais on voyait qu'il avait longuement préparé son coup), où il m'a offert du café, du cognac, et m'a avoué son amour. Il a été merveilleux. Son petit discours paraissait tout à fait naturel et spontané. Simple, éloquent, il n'a pas fait de déclarations extravagantes telles que : « Je vous aimerai toute ma vie » ou : « Je ne sais ce que deviendrai s'il vous est impossible de partager mes sentiments. » Cependant, ce qui m'a vraiment secouée, c'est quand il m'a dit que, pour lui, je personnifiais Sophie.

Je suppose que la plupart des hommes, quand ils tombent amoureux, collent quelque étiquette à la femme désirée et attribuent à celle-ci toutes sortes de qualités qui ne sont pas vraiment les siennes. Ou devrais-je dire : qui ne sont pas entièrement les siennes ? Parce que, à moins d'être un parfait imbécile, on ne voit pas dans une autre personne des choses qui n'ont aucune réalité. Les femmes projettent, elles aussi. Ne m'étais-je pas convaincue que Hollier était, au meilleur sens du terme, un sorcier ? Et quelqu'un pouvait-il nier que, dans une très large mesure (quoique moins que je ne l'imaginais, probablement), Hollier en était bel et bien un ? La déception qui suit le mariage, et dont on parle tant de nos jours, doit être due au fait que l'étiquette n'était pas exacte, ou alors que l'amoureux avait omis de lire ce qui y était inscrit en petits caractères. Mais, assurément, seuls les très jeunes gens, ou ceux qui sont incapables de lucidité à leur propre égard, commettent ce genre d'erreur. Leur désenchantement doit être aussi bête que leur illusion initiale. Je ne prétends pas le savoir. Seuls tous ces puits de science qui écrivent des livres sur l'amour, le mariage et le sexe semblent posséder une certitude absolue. Je pense néanmoins que sans un peu d'illusion la vie devient insupportable.

Sophie, tout de même !... Quelle étiquette à coller sur Maria Magdalena Theotoky ! Sophie, la personnification féminine de la sagesse, cette puissance céleste associée à Dieu qui l'incita à créer l'Univers, le pendant féminin de Dieu que les chrétiens comme les juifs ont décidé de passer sous silence au grand détriment des femmes pendant de si nombreux siècles ! C'était énorme, mais était-ce entièrement ridicule ?

Non, je ne le pense pas. Tout en admettant volontiers que je ne suis pas Sophie — ce qu'aucune femme ne pourrait être sauf dans une toute petite mesure —, que suis-je dans l'univers de Simon Darcourt ? Une femme d'un lointain ailleurs, à cause de mon héritage tsigane ; une femme du Moyen Âge, je suppose. Une femme qui, jusqu'à un certain point, peut parler le langage savant de Simon et raisonner selon les règles de l'intellect. Une femme qui ne craint pas les réalités potentielles sous-jacentes à la vie moderne, mais que tant de domaines de celle-ci nient totalement — une femme que l'on peut appeler Sophie en ayant la certitude qu'elle comprendra de quoi vous parlez. Une femme, en fait, en laquelle l'homme qui se trouve sous son charme peut voir Sophie sans être pour cela un imbécile.

Ah, mais voilà un mot qui m'arrête : charme. Il a été tellement galvaudé que presque personne ne se souvient qu'il signifie magie, enchantement. Ce pauvre Simon a-t-il vraiment été victime de la tasse de café spécial de ma tsigane de mère ? A-t-il vu toutes ces merveilles en moi parce qu'on lui avait servi un philtre d'amour ? Cette idée me répugne au plus haut point, mais je ne peux pas affirmer qu'elle soit complètement dénuée de fondement. Et si je ne peux l'affirmer, quelle sorte de sagesse divine suis-je, quelle incarnation possible de Sophie ? Ou n'est-ce pas le rôle de Sophie de couper les cheveux en quatre dans ce genre de situations ?

Quoi qu'il en soit, j'ai eu assez de jugeotte pour dire à Simon que je l'aimais, ce qui était vrai, et qu'il m'était tout à fait impossible de l'épouser, ce qui était vrai aussi. Et comme lui ne pouvait envisager l'amour physique sans mariage (pour des raisons que je comprenais et trouvais tout à son honneur, même si je ne partageais pas ses scrupules), l'affaire s'arrêtait là. Mon amour était une réalité, mais une réalité dans certaines limites.

Ce qui m'a étonnée, c'est son soulagement une fois ces limites définies. Je savais — alors que lui-même n'a dû en prendre conscience que longtemps après — qu'il n'avait jamais vraiment voulu m'épouser, que même son désir physique pour moi n'avait rien d'insupportable. Il voulait un amour qui excluait ces choses, il savait qu'un tel amour existait et il l'avait trouvé. Et moi aussi. Au moment de nous séparer, chacun de nous avait gagné un merveilleux ami, un ami affectueux et sûr. Et j'étais peut-être la plus heureuse des deux parce que, au cours de l'heure que nous venions de passer ensemble, mes sentiments envers Hollier avaient complètement changé.

De savoir que Simon m'aimait m'a aidé, depuis ce jour-là, à supporter la pénible tension qui régnait dans le bureau de Hollier. Aussi ai-je répondu avec chaleur quand il m'a téléphoné le dimanche de Pâques, peu après sept heures du matin.

« Maria, j'ai pensé que je devais vous prévenir aussi vite que possible : Parlabane est décédé. Une mort soudaine. Le médecin dit que c'est le cœur — non, rien n'indique que ça pourrait être autre chose, ce que je craignais moi aussi. Je m'occupe de tout. Comme il ne semble pas y avoir de raisons d'attendre, j'organise l'enterrement pour demain. Voulez-vous venir avec Clem ? J'ai l'impression que nous sommes ses seuls amis. Le pauvre diable ? Oui, c'est ce que j'ai dit : le pauvre diable. »

4

En revenant de l'enterrement, Hollier, Darcourt et moi étions heureux parce que nous avions l'impression d'avoir retrouvé quelque chose que Parlabane nous avait dérobé. Ce sentiment partagé nous rapprochait les uns des autres et nous n'avions pas envie de nous séparer. C'est pourquoi Hollier a demandé à Darcourt s'il voulait monter chez lui prendre une tasse de thé. En fait, nous venions de terminer un déjeuner bien arrosé, mais c'était un jour de convivialité.

Je me suis arrêtée chez le concierge pour voir s'il y avait du courrier pour Hollier. Il n'y a pas de distribution postale le lundi de Pâques, mais, pendant ce long week-end qui avait commencé le jeudi précédent, des lettres pouvaient être arrivées par le service intérieur de livraison de l'université.

« Il y a un colis pour le professeur, mademoiselle », a dit Fred, le portier, et il m'a tendu un paquet mal fait enveloppé de papier brun sur lequel on avait scotché une lettre. J'ai reconnu l'écriture informe de Parlabane. J'ai vu également l'instruction suivante : *Confidentiel : ouvrir la lettre avant le paquet, S.V.P.*

« Une autre partie de son épouvantable roman », a dit Hollier quand je lui ai montré le paquet.

Il a jeté celui-ci sur la table ; j'ai préparé du thé et nous avons continué à bavarder. Notre conversation portait entièrement sur Parlabane. Finalement, Hollier a dit :

« Nous ferions mieux de voir de quoi il s'agit, Maria. Ça doit être un épilogue ou un truc de ce genre. Le pauvre homme. Il est mort en espérant que son livre serait publié. Il va falloir que nous décidions quoi faire à ce sujet.

— Nous avons déjà fait ce que nous avons pu, a déclaré Darcourt. La seule chose que nous puissions faire maintenant, c'est de récupérer le manuscrit dactylographié et nous en débarrasser. »

J'avais ouvert la lettre.

« Elle semble très longue et elle est adressée à nous deux, ai-je dit à Hollier. Voulez-vous que je la lise ? »

Hollier a acquiescé d'un signe de tête.

« "Chers amis et collègues, Clem et Molly, ai-je commencé. Comme vous l'aurez sans doute deviné, c'est moi qui ai envoyé Urky McVarish dans l'autre monde."

— Bon Dieu ! a juré Hollier.

— C'est donc pour cela que le drapeau était en berne, a dit Darcourt.

— Est-il sérieux ? Veut-t-il parler de meurtre ?

— Continuez, Maria, continuez !

— "Non pas, je vous assure, pour le plaisir futile de débarrasser la terre d'un emmerdeur public, mais pour des raisons purement pratiques, comme vous le verrez. Par sa mort, Urky pouvait favoriser ma carrière, et — considération secondaire, mais très importante pour moi — cela me permettait également de vous aider tous deux d'une façon concrète et ainsi de vous rapprocher l'un de l'autre. Je ne peux pas vous dire combien j'ai souffert durant ces derniers mois de voir cette pauvre Molly se languir d'amour pour toi, Clem..."

— Languir d'amour ? Que veut-il dire ? » a fait Hollier. J'ai continué en toute hâte.

« "... tandis que ton esprit était ailleurs, plongé dans de profondes considérations d'érudit et dans ta haine pour Urky. J'espère que mon petit stratagème vous réunira pour toujours. A cette heure critique de ma vie, cela me donne une immense satisfaction. Pour moi, la célébrité ; pour vous, la célébrité

357

*et* la félicité conjugale. Heureux Urky qui a permis que tout cela se réalise.''

— Cette lecture devient un peu embarrassante, ai-je dit. Voulez-vous continuer, Simon ? Je vous en prie. »

Darcourt a pris la lettre.

« ''Vous saviez que, depuis Noël, je voyais beaucoup Urky, n'est-ce pas ? Maria m'avait même fait une remarque à ce sujet, disant que je devenais 'copain comme cochon' avec lui. Cela n'avait pas l'air de lui plaire. Mais ma chère Molly, vous étiez si près de vos sous qu'il fallait bien que je cherche des moyens de subsistance ailleurs ! Je vous dois encore des sommes ridicules. Vous pouvez faire une croix dessus et vous considérer comme largement remboursée par Parlabane, car vous m'avez utilisé moins généreusement que ne devrait le faire une belle fille. Une belle fille devrait avoir le cœur sur la main ; la pingrerie finit par abîmer le teint. Et toi, Clem, tu n'as pas arrêté de me trouver des petits boulots minables, mais tu n'as pas levé le petit doigt pour m'aider à publier mon livre. Tu ne croyais pas à mon génie. Maintenant que je n'ai plus besoin de feindre la modestie, j'affirme que j'en *suis* un tout en admettant aussi que, comme la plupart des génies, je ne suis pas un type très sympathique.

''J'ai essayé de gagner ma vie par des moyens honnêtes, et, ensuite, par des expédients. Bouboule Darcourt peut vous en parler, si cela vous intéresse. Le pauvre vieux Bouboule n'avait pas une très haute idée de mon roman, lui non plus. C'est peut-être parce qu'il s'est reconnu dans l'un des personnages. Les gens sont si mesquins pour ce genre de choses ! Aussi, en homme habité par l'esprit de la Renaissance, ai-je emprunté une voie caractéristique de cette époque : je suis devenu un parasite.

''Le parasite d'Urquhart McVarish, pour être précis. A ce dernier, j'ai fourni de la flatterie, un auditeur intelligent qui ne pouvait être son rival d'aucune manière, et certains services qu'il aurait eu du mal à trouver ailleurs.

''Qu'est-ce qui me poussa à jouer ce rôle qui paraît

détestable à des gens insouciants comme vous ? L'argent, chers amis. Il me fallait de l'argent. Je suis certain que mes explications concernant les dépenses occasionnées par la frappe de mon manuscrit ne vous ont guère convaincus. La vérité, c'est qu'on me faisait chanter. J'ai eu le malheur de rencontrer un type que j'avais autrefois connu sur la côte ouest. Il savait sur moi quelque chose que je pensais oublié. Ce n'était pas un maître chanteur d'envergure, mais il était très désagréable et exigeant. Un peu plus tôt, j'ai envoyé un petit mot sur lui à la police : voilà qui va lui régler son compte. Je n'aurais pu le faire si j'avais eu l'intention de rester sur terre, bien que j'eusse grandement joui de cette vengeance. Mais le simple fait d'y penser me réchauffe le cœur.

"La police ne sera pas surprise d'avoir de mes nouvelles. Juste avant Noël, j'ai commencé à travailler un peu pour elle : une indication par-ci, une indication par-là. Mais elle paie foutrement mal. Dieu, que tout le monde est donc radin !

"Le paradoxe, c'est que quand vous avez beaucoup d'argent vous pouvez vivre très bon marché. Rien d'aussi économique que d'être riche. Mais quand vous êtes fauché, vous vivez au jour le jour et sans la moindre paix d'esprit. Il fallait donc que je travaille dur pour me maintenir à flot : je mendiais, je faisais le pique-assiette, je mouchardais et je trimais comme un esclave, en qualité de parasite, pour un Écossais parcimonieux.

"Urky, voyez-vous, avait des besoins très spéciaux que seul quelqu'un comme moi était capable de comprendre et de satisfaire. Dans notre monde moderne, où l'on parle tellement de goûts sexuels, les gens semblent généralement penser que ceux-ci se situent soit dans le domaine hétérosexuel, soit dans l'une des variétés de l'homosexualité. Urky, toutefois, était ce qu'on doit appeler un narcisse. Son sex-shop à lui, c'était exclusivement son propre esprit et son propre corps. Je l'ai tout de suite percé à jour. Toutes ces foutaises au sujet de 'mon grand ancêtre, sir Thomas Urquhart' n'étaient pas tant destinées à impressionner les autres qu'à lui fournir la musique au son de laquelle son âme pouvait danser sa gaillarde solitaire. Vous avez souvent entendu dire de quelqu'un qu'il s'aime. Dans le cas d'Urky, c'était absolument vrai. C'était un bon érudit, Clem ; cet aspect-là de sa personnalité était authentique, même si cela ne t'aurait pas arrangé de l'admettre. Mais, par ailleurs, c'était un imbécile si satisfait de soi qu'il tapait sur les nerfs d'égotistes plus austères comme toi.

"Il avait besoin de quelqu'un qui lui serait complètement soumis, exécuterait ses volontés sans poser de questions, apporterait à l'action un peu de style et d'imagination et lui donnerait accès à des choses qu'il répugnait à rechercher par lui-même. J'étais exactement son homme.

"Il y a plus de choses sur la terre et au ciel, chers amis, que ne peut en rêver votre philosophie, ou que n'en rêvait la mienne, d'ailleurs, à l'époque où j'étais en sécurité au sein de l'université. Ce sont les prisons et les hôpitaux de cures de désintoxication qui ont complété mon expérience, m'ont appris à m'orienter dans les ruelles obscures et à reconnaître au premier coup d'œil les personnes qui détiennent les clés de bonheurs interdits. Quand je repense à notre association, je me dis qu'Urky a fait une vraie affaire avec moi. Il était en effet très radin. Un peu comme vous deux. Mais il avait besoin d'un parasite, et moi je savais jouer ce rôle comme aucun simple flagorneur sans inspiration n'aurait pu le faire. Je connaissais bien tous les ouvrages littéraires qui parlaient de parasitisme, et j'étais capable de donner à ma servitude le panache, la classe que désirait Urky.

"Il était fou de ce qu'il appelait ses 'cérémonies'. Un sociologue les appellerait probablement des 'psychodrames', mais Urky n'avait que faire des sociologues ou de leur jargon qui transforment l'aventure la plus excitante en un compte rendu de cas social. Urky aimait pouvoir expliquer une cérémonie à son parasite, puis oublier qu'il l'avait fait ;

c'était au parasite de présenter la cérémonie comme un événement inédit, vrai, inévitable.

"Je vais vous décrire un samedi soir chez Urky. Ce jour-là, je me levais de bonne heure car je devais arriver à temps à St. Lawrence Market pour choisir les légumes les plus frais, acheter un beau morceau de poisson et une entrée — cervelle, ris de veau ou rognons à préparer d'une façon spéciale, parce que Urky aimait les abats. Puis je montais à l'appartement d'Urky (je n'avais pas de clé, mais il m'ouvrait en détournant la tête — il ne me disait même pas bonjour), où je commençais à préparer le dîner (les abats sont très longs à cuisiner) et téléphonais à une pâtisserie française pour commander un dessert. Je passais prendre celui-ci dans l'après-midi, achetais des fleurs, débouchais le vin, bref, accomplissais toutes les tâches nécessaire à la préparation d'un petit dîner de premier ordre que quelqu'un allait engloutir comme s'il s'agissait d'une quelconque tambouille et non d'une œuvre d'art. J'étais debout toute la journée, comme nous disons, nous les domestiques.

"Ça vous étonne que je sache cuisiner ? Je l'ai appris en prison pendant une période où je jouissais de certains privilèges en raison de ma bonne conduite. Il y avait un très bon cours pour les détenus qui voulaient acquérir un métier afin de pouvoir un jour mener une vie honnête. J'avais un certain talent dans ce domaine — je veux parler de la cuisine, pas de la vie honnête.

"L'une de mes tâches était de préparer quelques petits gâteaux spéciaux, nécessaires à l'agrément de la soirée : des *grass brownies*, comme nous les appelions en prison. Pour cela, je hachais de la marijuana assez fin et la mélangeais à une pâte légère ; les biscuits devaient cuire rapidement pour que l'herbe pût garder toutes ses vertus. Je devais également m'assurer qu'il y avait suffisamment de 'fée verte' pour faire du thé, ce qui nécessitait parfois une visite à un bar fourgueur, où l'on me connaissait, mais pas trop.

"Pourquoi m'y connaissait-on ? Je ne voudrais pas vous

embarrasser, mes chers amis, mais vous vous montriez si terriblement pingres avec moi que j'étais obligé de me faire un peu d'argent en disant à des amis curieux — des policiers — qui vendait de la marie-jeanne, de la merde ou même de la topette. A mon modeste niveau, j'étais un agent double dans le monde de la drogue, ce qui n'est pas joli-joli, mais peut rapporter de modestes profits. Chaque fois que j'entrais dans un de ces bars spécialisés, je sentais un léger frisson me parcourir l'échine : je craignais que les gars n'aient pigé ma combine, ce qui aurait pu être gênant, voire dangereux, car ces types ne sont pas commodes. Cependant, ils ne m'ont jamais démasqué, et, maintenant, ils n'ont plus aucune chance de le faire.

"Où était Urky pendant que je m'affairais dans sa cuisine ? En train de faire un déjeuner léger mais élégant à son club, de voir un film étranger et, pour finir, de transpirer dans un sauna. L'après-midi d'un gentleman érudit.

"Je ne le voyais que lorsqu'il rentrait à temps pour se changer. J'avais sorti ses vêtements, y compris les chaussettes en soie à moitié retournées pour qu'il pût les enfiler aisément et ses chaussures du soir qui devaient briller, le cou-de-pied autant que le bout (Urky disait que c'était à cela qu'on reconnaissait un gentleman ; aucun bon domestique ne laisserait son maître avoir des cou-de-pied sales). A ce moment-là, j'avais déjà mis mon premier costume : une livrée de valet comprenant une chemise neigeuse et une veste de mess tellement empesée qu'elle paraissait aussi glacée qu'un gâteau de mariage (je faisais la lessive le mercredi, quand Urky dispensait son cours aux jeunes esprits réceptifs, comme vous, Maria).

"Les réjouissances commençaient par un apéritif : du xérès. C'est une bonne boisson, mais la façon dont Urky la sirotait tenait plus de la fellation que d'autre chose. Il la savourait en faisant claquer sa langue, ses chaussures magnifiquement cirées tendues vers le feu que j'avais préparé et devais entretenir toute la soirée pour qu'il brulât d'une flamme vive.

" 'Le sieur Varish est servi', disais-je. Alors Urky passait à table et attaquait le poisson. Il ne voulait pas entendre parler de potage : pour une raison quelconque, c'était vulgaire. Je disais : 'Le sieur Varish est servi' avec un accent des Highlands. Je ne sais pas très bien à quel personnage je correspondais dans l'imagination d'Urky, mais je pense que c'était quelque fidèle membre du clan qui avait suivi son maître à la guerre en qualité de serviteur personnel et était resté avec le laird lors du retour de celui-ci à la vie civile.

"Il ne me disait jamais un mot. Il me faisait un signe de tête quand il voulait que j'enlève une assiette, quand je soumettais à son inspection la carafe de bordeaux, quand il avait englouti assez de *gâteau*\* et qu'il était temps de servir les noix et le porto. Il faisait un autre signe de tête quand j'apportais le café et un très bon vieux whisky dans une coupe écossaise. J'interprétais mon rôle de domestique effacé avec talent. Je restais debout derrière sa chaise pendant qu'il mangeait ; de cette manière, il ne pouvait pas me voir mastiquer les bouchées d'aliments restés dans son assiette. Il y en avait fort peu, à vrai dire, Urky étant très regardant sur la nourriture.

"Ça, c'était la première partie de la soirée. Ensuite, Urky se retirait dans sa chambre à coucher et moi je desservais, faisais la vaisselle et préparais la scène pour le second acte.

"A neuf heures et demie environ, j'avais rangé la cuisine et mis mon deuxième costume. Je me rendais sur la pointe des pieds dans la chambre à coucher, rabattais les couvertures et exposais le corps nu d'Urky rougi par le sauna et allongé sur le ventre. Très soigneusement, j'écartais ses fesses et — ah ! vous pensez qu'il va y avoir une scène cochonne ? Une petite séance de baisage à la riche, de casse-coco ? Oh non ! pas de ce genre d'agression vulgaire propre aux gibiers de

---

\* En français dans le texte (N.d.T.).

potence pour quelqu'un d'aussi délicat qu'Urky ! J'introduisais doucement dans son rectum ce qui dans mon esprit était le 'jeu', parce que cet objet ressemblait à un petit paquet de cartes. C'était un ruban de velours rose de cinq centimètres de large et de trois mètres de long plié en zig zag de sorte qu'il formait un paquet d'environ dix centimètres carrés et de dix centimètres de longueur ; un bout de cinq à sept centimètres restait à l'extérieur. Urky ne bougeait pas et faisait semblant de ne s'apercevoir de rien. Je ressortais aussi silencieusement que j'étais venu.

"J'avais légèrement changé la disposition de quelques meubles dans le séjour. Il y avait maintenant deux sièges devant le feu : pour Urky, l'un de ces vieux transatlantiques en teck qu'on trouvait autrefois sur les paquebots de la C.P.R. et que j'avais rempli de coussins et d'une couverture de voyage dans un tartan du clan de McVarish ; pour moi, un fauteuil crapaud. Entre les chaises, je plaçais une table basse sur laquelle je posais les tasses et le thé à la marijuana. Celui-ci était contenu dans une théière coiffée d'un couvre-théière en tricot qui avait la forme d'une vieille femme comique. Sur l'électrophone, je mettais la musique d'entrée d'Urky : un précieux soixante-dix-huit tours de sir Harry Lauder chantant *Roamin' in the Gloamin'*. Je portais une robe de vieille femme informe (pas très bon comme style, mais puisque ce vêtement me rendait vraiment informe, je ne me corrigerai pas) et une perruque grise ébouriffée. Je devais ressembler à l'une des sorcières de *Macbeth*. Quand Urky entrait, vêtu d'une robe de chambre en soie et de pantoufles, j'étais prêt à lui faire ma révérence.

"C'était là le préambule à la cérémonie qu'Urky appelait 'les deux vieilles dames d'Édimbourg'.

"Un innocent plaisir, comparé à quelques-unes des soirées auxquelles j'ai assisté dans ma vie, mais bizarre, dans le style gaminerie perverse qu'affectionnait Urky. Pour ce jeu, nous prenions des accents d'Édimbourg. Je ne savais pas trop ce qu'était celui-ci, mais j'imitais Urky : je pinçais les lèvres et parlais comme si je suçais une pastille de menthe. Urky semblait satisfait du résultat.

"Nous nous donnions d'autres noms aussi (là, cela devient un peu compliqué) : Mme Masham (c'était moi) et Mme Morley. Vous pigez ? Probablement pas. Sachez donc que Masham était le nom de la confidente de la reine Anne et Morley celui qu'adoptait la reine quand elle bavardait dans l'intimité avec sa lèche-botte en buvant du cognac — qu'elle appelait son 'thé froid' — dans une tasse de porcelaine. Ne me demandez pas ce que ces deux femmes ont à voir avec Édimbourg ou avec Urky. Je n'en sais rien, mais au royaume de l'imagination tout est permis." »

Darcourt avait porté les yeux sur la suite. Il était visiblement gêné.

« Vous voulez vraiment que je continue ? » a-t-il demandé.

Bien entendu, nous avons acquiescé.

« "C'était son fantasme, non le mien, et il n'était pas facile d'improviser une conversation pour l'étoffer, tâche qui me revenait. Ce qui plaisait à Urky, c'étaient des ragots croustillants concernant l'université, et que je lui racontais comme à contre cœur, avec pruderie, tandis que nous buvions notre thé à la marijuana et grignotions nos biscuits à la même substance (j'ai essayé deux ou trois fois de pousser Urky vers quelque chose d'un peu plus aventureux — une goutte d'acide sur un morceau de sucre ou une toute petite piquouse d'héro —, mais il faisait partie de ces types qui flirtent avec la drogue tout en ayant peur d'aller trop loin). Quel genre de commérages lui proposais-je ? Voici un exemple qui pourrait vous intéresser.

Mme MORLEY : Et quelles nouvelles avez-vous de cette charmante jeune fille, Mlle Theotoky, ma chère madame Masham ?

Mme MASHAM : Och, elle continue à étudier, la pauvre.

Mme MORLEY : Et pourquoi 'la pauvre', je vous prie ?

Mme MASHAM : Que Dieu nous protège ! Vous rabrouez bien durement une vieille femme comme moi ! Je n'insinuais rien, rien du tout. J'espère seulement qu'elle ne tombera pas dans la débauche.

Mme MORLEY : Mais comment le pourrait-elle puisqu'elle a le bon frère John pour la conseiller ? Frère John, le meilleur des saints hommes. Posez votre tricot, chère amie, et parlez clairement.

Mme MASHAM : Je crains que frère John ait perdu toute influence sur elle. Je doute qu'elle ait un conseiller, madame Morley. Voyez-vous, il s'agit de ce gros pasteur, le père Darcourt... Puisse le Ciel s'interposer entre elle et sa bedaine.

Mme MORLEY : Doux Jésus ! Qu'entendez-vous par là ?

Mme MASHAM : Que Dieu me garde d'accuser qui que ce soit à tort, mais j'ai vu cet homme la suivre du regard avec un œil fort humide. Il avait l'air comme ensorcelé.

Mme MORLEY : Je tremble ! Est-ce que son bon mentor, le professeur Hollier, ne fait rien pour préserver cette jeune fille du péché ?

Mme MASHAM : Och, madame, comment une femme aussi bonne que vous pourrait-elle comprendre la perversité des hommes ! Je crains que ce même Hollier...

Mme MORLEY : Vous n'allez pas dire du mal de lui ?

Mme MASHAM : Non, à moins que la vérité ne soit mauvaise, madame. Mais je crains qu'il n'ait...

Mme MORLEY : Donnez-moi une autre tasse de thé ! Allez-y ! Je suis prête à entendre le pire.

Mme MASHAM : Je n'ai jamais dit qu'il était un coureur de jupons, je vous ferai remarquer ! Mais il a peut-être été tenté. Cette jeune Theotoky — j'hésite à le dire — est une petite effrontée ! Elle affolerait le meilleur des hommes ! Avez-vous regardé son portrait récemment ? Cette statuette que vous avez héritée de ce pauvre M. Cornish...

"Alors Urky regardait le bronze. Or — rien de personnel là-dedans, comprenez-vous, Molly ; c'était juste pour aider Urky à jouer, et pour accomplir un de mes devoirs de parasite — j'avais passé un peu d'huile de salade sur la fente du *mons*, qui est une caractéristique si charmante de cette œuvre, de sorte qu'elle paraissait humide et attrayante. Une idée de génie, vous ne trouvez pas ? Cela mettait Urky dans un tel état d'excitation qu'il était à deux doigts d'avoir son 'petit Noël', chose qu'il était censé garder pour l'apothéose de la soirée.

"Car c'était là le but de cette mascarade élaborée : amener lentement Urky au point d'ébullition. Des potins graveleux et beaucoup de thé et de biscuits faisaient l'affaire : les potins pour exciter, la marie-jeanne pour retenir. Enfin, le ruban rose pour mettre la fusée à feu.

"Vous deux, vous n'étiez pas les seuls à figurer dans ces fantasmes, mais vous étiez en quelque sorte les personnages favoris qui revenaient régulièrement. Urky en pinçait un peu pour vous, Maria ; et bien que je le comprenne parfaitement et lui pardonne, j'aimais me servir de Clem pour amuser Urky, parce que je me rendais clairement compte que Clem ne voulait pas me traîner après lui dans sa magnifique carrière. On fait ce qu'on peut pour ses vieux amis, mais, bien entendu, on doit en laisser tomber quelques-uns en chemin. Clem a fait ce qu'il pensait pouvoir faire pour moi, mais il n'allait certainement pas me permettre de trop l'embêter. Je vous ai donc ridiculisés un peu, vous deux ; mais, comme vous le verrez, j'ai récompensé votre authentique gentillesse au centuple.

"Ozy Froats était un autre personnage très aimé dans ces cérémonies : au moins, il nous faisait rire. Il y en avait beaucoup d'autres : le mépris d'Urky était assez vaste pour les embrasser tous. Mais ce n'était qu'un jeu, vous savez. Les manuels de sexologie en vogue conseillent à leurs lecteurs de redonner du piquant au vieil acte familier en bâtissant des fantasmes tout autour. Qui reprocherait à Urky de prendre du plaisir et à moi de lui en donner, alors que le rôle de parasite était le seul qui me restait ? Certainement pas vous, chers amis.

"Urky aimait avoir une bonne heure et demie de ce genre de divertissement. Son excitation montait, son rire devenait plus difficile à cacher derrière le rôle de Mme Morley. Les propos lubriques aiguillonnaient son désir, la marie-jeanne retenait celui-ci. Pendant notre conversation, il remontait peu à peu ses jambes sur le transatlantique. Sa robe de chambre s'entrouvrait, découvrant son derrière nu. C'était le signal de l'apogée de la soirée.

Mme MASHAM : Excusez la franchise d'une vieille quoique humble amie, madame, mais permettez-moi de vous dire que votre robe de chambre est en désordre.

Mme MORLEY : Non, non, pas du tout.

Mme MASHAM : Si, si, je vous assure.

Mme MORLEY : Ce n'est rien. Ne vous tracassez pas, ma chère.

Mme MASHAM : Toutefois, en tant qu'amie et pour votre propre bien, je vais être obligée de vous ligoter. Oui, je vous ligoterai.

Mme MORLEY : Non, non, ma bonne âme, vous ne savez pas ce que vous faites.

Mme MASHAM : Que si. C'est le sang des Urquhart qui parle en vous. Voyez : sir Thomas en personne est en train de vous regarder du haut de son cadre, et il rit, le rusé vieux rabelaisien. Il sait que votre nature risque de se manifester à tout instant. Il est donc de mon devoir de vous empêcher de vous couvrir de honte devant lui. Ligotée vous serez.

''Sur ce, je sortais quelques jolies cordes de fenêtre blanches et attachais Urky à sa chaise. Je serrais juste assez pour lui procurer l'excitante sensation d'être entravé, mais pas assez pour lui faire mal. A ce moment-là, il avait bel et bien une érection. Pas un très beau spectacle, mais je n'étais pas censé m'en apercevoir.

Mme MASHAM : Pardonnez-moi, madame, il s'agit d'un détail extrêmement personnel, mais je ne peux m'empêcher de remarquer, à cause du désordre de votre toilette, que vous avez une petite chose...

Mme MORLEY : Une petite chose ? Je vous trouve bien hardie.

Mme MASHAM : Oui, une petite chose. Je dirais même plus : une petite queue rose. Oui, une toute petite queue rose. Je la vois, je la vois, je la vois…

Mme MORLEY : Je vous défends de regarder !

Mme MASHAM : Mais je regarderai quand même ! Oh ! ce que mes doigts me démangent ! Je vais tirer dessus.

Mme MORLEY : Femme, je vous l'interdis !

Mme MASHAM : Je tirerai dessus, je tirerai dessus, je tirerai dessus…

"Puis, quand l'excitation atteignait presque son point culminant, je tirais effectivement. Je tirais sur la languette de tissu qui pendait du derrière d'Urky et me mettais à courir dans la pièce, de sorte que le ruban se dépliait rapidement, produisant un doux chatouillement à l'intérieur de son corps. Urky avait alors ce qu'il appelait son petit Noël.

"Ensuite, je me précipitais à la cuisine et restais invisible jusqu'à ce qu'Urky se fût libéré de ses liens et retiré dans sa chambre. Je nettoyais, rangeais tout et partais après avoir ramassé l'enveloppe qu'il avait laissée pour moi sur la table de l'entrée.

"Elle contenait vingt-cinq dollars. Vingt-cinq misérables dollars pour une journée qui avait commencé à six heures du matin et ne se terminait jamais avant une heure ! Vingt-cinq foutus dollars pour un homme de ma qualité qui servait de cuisinier, de majordome, de fournisseur de drogue, de violeur de charme, d'acteur de genre, d'allumeur et de parasite érudit pendant dix-neuf heures ! Un jour où je faisais comprendre à Urky que c'était là de l'exploitation, celui-ci eut l'air froissé. Il supposait que ces séances me procuraient autant de plaisir qu'à lui, dit-il. Je n'ai encore jamais rencontré pareil égotiste ! S'il n'avait subodoré certaines choses que j'aurais préféré qu'on ignore, j'aurais tout raconté sur lui depuis longtemps. Maintenant, je n'ai plus à craindre le chantage car je vous parle du seuil de l'éternité, chers amis. Priez pour frère John. C'est par nécessité que j'ai

accepté tout cela, non par choix. Jusqu'à ce soir, où j'ai
décidé que j'en avais assez. Même un vautour est parfois
écœuré.

"Non pas que cela me soit venu tout d'un coup : je ne
prends pas de décisions importantes sans réfléchir. Cela fait
au moins trois semaines que je pense que je dois disparaître
en tant que frère John, le moine-clown, pour refaire surface
en tant que John Parlabane, auteur d'un des rares grands
romans de notre temps. Car c'est bien ce qu'est *Ne sois pas
un autre* : le plus grand et le futur plus influent *roman
philosophique** écrit depuis Goethe. Et quand je ne serai
plus là pour être puni, traité avec condescendance et dénigré
par mes inférieurs, c'est ainsi qu'on verra mon œuvre. C'est
la jalousie — la tienne, Clem, que Dieu te pardonne, et
celle de beaucoup d'autres — qui fait obstacle à mon livre.
Tu me connais maintenant sous l'apparence humiliante d'un
ami qui a commis des erreurs dans sa vie et n'a pas réussi à
atteindre le havre serein de la vie d'érudit. Tu refuses de
voir ce que je suis vraiment : un homme à forte personnalité,
extrêmement perspicace, et un moraliste d'une très grande
originalité. Je ne serais jamais devenu tout cela si j'avais
refusé de crotter mes souliers, comme tu l'as fait.

"En tant que moraliste original, je place une belle œuvre
d'art au-dessus d'une vie humaine, même de la mienne.
Pour assurer la publication de mon livre et faire reconnaître
sa valeur, je suis prêt à sacrifier ma vie, mais je me rends
compte qu'un tel acte n'attirerait que peu d'attention. Aux
yeux du monde, je ne suis rien. Pour susciter l'intérêt que je
mérite, je dois devenir quelqu'un. Il y a un moyen très
facile : entraîner une autre personne avec moi au royaume
des ombres. Dans le monde entier, on aime les assassins.

"Peu de meurtres ont été commis pour faire publier un
livre ; en fait, je n'en ai jamais entendu parler. Toutefois,
comme je peux me tromper, je dois me montrer prudent.

* En français dans le texte (N.d.T.).

Les gens tuent pour d'autres avantages ou dans l'égarement de la passion. Je ne pense même pas avoir supprimé Urky par intérêt : en effet, je n'en tirerai aucun profit direct. Tout le profit sera pour l'humanité. Persuadés par ce moyen brutal de prendre le livre en considération, les gens s'apercevront avec le temps combien celui-ci les a enrichis. Que préféreriez-vous avoir, Maria : le grand roman de François Rabelais ou un Urquhart McVarish vivant et ricanant ? En fait, je donne à Urky une sorte d'immortalité à laquelle il n'aurait pu prétendre s'il était mort de ce qu'on appelle des causes naturelles (non pas que j'écrive dans le style de Rabelais, que j'ai toujours considéré comme inutilement grossier ; en tant qu'ouvrage de savoir humaniste, mon livre est bien meilleur que le sien).

"Pourquoi Urky ? Eh bien, pourquoi pas ? J'avais besoin de quelqu'un et il convenait parfaitement : sa disparition fera quelque bruit, surtout à cause de la façon dont je l'ai provoquée, sans vraiment priver le monde d'un être humain utile. De plus, j'en avais assez des grands airs qu'il prenait avec moi et de sa pingrerie. Il est intéressant de noter que certains individus qui ont des goûts sexuels sortant de l'ordinaire éprouvent le besoin de les partager avec quelqu'un qu'ils puissent traiter de haut. Je crois qu'Oscar Wilde aima davantage ses grooms et ses chasseurs qu'il n'aima jamais l'aristocratique Bosie. Certains hommes aiment les femmes vulgaires et réciproquement ; le snobisme dans la sexualité n'a pas encore été bien étudié. Mais moi, qui étais pour Urky ce qu'un chien est pour un homme, j'étais devenu las de jouer les commères d'Édimbourg, d'être snobé et humilié par le sieur Varish. Le ver se détourne, le parasite punit.

"Aussi, il y a quelques heures, quand l'ennuyeuse comédie des deux dames d'Édimbourg touchait à sa fin, j'ai fait un changement dans le scénario, ce qu'Urky a d'abord considéré comme une ingénieuse variation conçue pour son plaisir. Oh ! précieux parasite !

"Imaginez-le, ligoté et pouffant comme une collégienne tandis que je me penche lentement vers lui.

Mme MASHAM : Ma chère madame Morley, comme vous riez ! Ça ne peut pas vous faire de bien. Il va falloir que je vous punisse, vilaine fille. Regardez le désordre de votre toilette ! Il va falloir que je vous attache solidement, ma petite, très solidement même. Och ! qu'avez-vous à glousser comme ça ? Est-ce que vous ne pouvez pas avoir un bon rire franc ? Je vais vous montrer ce que je veux dire. Je mettrai ce disque : c'est *Stop Your Tickling, Jock** par sir Harry Lauder. Écoutez sir Harry : il rit vraiment de bon cœur, lui ! Allez, madame Morley, chantez avec moi et avec sir Harry :

> *I'm courtin' a fairmer's dochter,*
> *She's one o' the fairest ever seen ;*
> *Her cheeks they are rosy red,*
> *And her age is just sweet seventeen.*

> *Je courtise la fille du fermier,*
> *Il n'y a pas plus belle qu'elle ;*
> *Elle a des joues couleur de rose,*
> *Et seulement dix-sept printemps.*

"Je le mettrai un peu plus fort pour vous encourager. Et je vais vous chatouiller ! Parfaitement ! C'est la petite bête qui monte, qui monte, qui monte... Och, vous appelez ça rire ? Bon, je vois qu'un chatouillis ordinaire ne fera pas l'affaire. Regardez : j'ai ici mes aiguilles à tricoter. Si j'en introduisais une dans votre grand nez rouge, madame Morley, et l'agitais un tout petit peu pour vous chatouiller les poils ? Ça chatouille, hein ? Mais pas suffisamment. Insérons l'autre aiguille dans la seconde narine. Vous voyez comme c'est facile de rire quand je remue les deux ? Riez à l'unisson avec sir Harry. Och, ce n'est pas un rire, ça ! Ça ressemble plutôt

---

* Arrête de me chatouiller, Jock (N.d.T.).

à des cris. Je vais juste pousser mes aiguilles un peu plus loin. Non, non, ça ne sert à rien de rouler les yeux et de pleurer, ma chère madame Morley. Ah ! je viens d'avoir une excellente idée ! J'ai besoin d'une sorte de marteau. Si j'ôtais une de mes chaussures, voilà, et qu'avec le talon je donnais un bon coup sur le bout des aiguilles ? Un, deux. Mais madame Morley, vous ne riez pas ? Je n'entends plus que sir Harry.

''Et, en effet, seul le chanteur continuait à rire. Avec deux aiguilles à tricoter en aluminium enfoncées dans le cerveau, Urky, lui, était tout à fait silencieux. Étaient-ce les aiguilles, la peur, une crise cardiaque, ou les trois facteurs réunis, toujours était-il qu'Urky était mort, ou trop près de la mort pour faire le moindre bruit.

''J'ai donc ôté ma vieille robe de Mme Masham en un tour de main, puis j'ai réglé l'électrophone sur *repeat* et tourné le volume au maximum : ainsi, sir Harry continuerait à chanter et à rire aux éclats jusqu'à ce qu'un voisin téléphone au gardien. Ensuite, j'ai quitté l'appartement en hâte sans oublier mon enveloppe. Inutile de me préoccuper des empreintes digitales : je voulais en laisser partout pour éviter que quelqu'un ne me vole mon meurtre.

''Pas d'empreintes, toutefois, sur un objet que j'ai emporté avec moi. Urky l'avait enfermé dans son bureau, et, comme tant de personnes vaines, il avait une foi naïve dans les serrures. Et maintenant, vous pouvez ouvrir votre cadeau, mes enfants. Paquet numéro un : oui, c'est le porte-documents de Gryphius, et il est à vous. Vous pouvez examiner à loisir son contenu et garder celui-ci pour vous seuls. Surtout les lettres cachées dans le rabat de derrière. Urky était au courant de leur valeur et il faisait des allusions à ce sujet, sous-estimant comme toujours ma perspicacité, le pauvre con.

''L'autre paquet, le plus grand, c'est le manuscrit complet de mon roman *Ne sois pas un autre*. J'écris aux journaux, Clem, pour leur dire ce que je viens de vous raconter et leur faire savoir que c'est toi qui es en possession du chef-d'œuvre unique qu'est mon livre. Que les éditeurs qui espèrent l'obtenir s'adressent à toi. Et il y aura des demandes, tu verras ! Les éditeurs se battront pour publier un assassin, alors qu'il n'avait pas une minute à consacrer à un philosophe. C'est un objet scandaleux, aussi je te demande de leur faire des conditions très dures. Venge-moi, cher ami ; presse-les, soutire-leur un maximum de dollars. Et surveille la publicité qu'ils donneront au bouquin. J'ai fourni du matériel pour une campagne de premier ordre : 'Le livre pour lequel un homme a tué afin de le placer entre vos mains ! Un grand génie méconnu s'adresse à ses contemporains ! Le philosophe criminel met son âme à nu !' Ça, ce serait la première offensive. Ensuite, tu trouveras certainement quelque éminent critique pour compléter tout cela par l'éloge de mon esprit puissant, quoique ravagé.

''Pour ce qui est des droits d'auteur, je te laisse le soin de les employer à la création d'un fonds de recherches à Spook pour aider des gens comme toi dans leurs travaux. Et je veux qu'il soit nommé Donation Parlabane, de sorte que chaque pédant qui demande l'aumône soit obligé de brûler une pincée d'encens à ma mémoire. Tu sais comment organiser ce genre de choses. Ne t'inquiète pas : Spook acceptera cet argent. Ce cher vieux collège sanctifiera mon legs au nom de son utilité.

''C'est tout, je crois. J'espère que Molly et toi ne vous disputerez pas le Gryphius. Il vous est destiné à tous les deux et si l'un de vous essaie de se l'approprier ou de priver l'autre de son dû — c'est .toi, Clem, qui me parais le plus capable de jouer ce genre de mauvais tour — il le paiera cher, si j'ai quelque influence en enfer.

''Tout ce qui me reste à faire maintenant, c'est de me mettre hors d'atteinte de la loi. Non pas, je vous assure, que je la craigne, mais parce que je la méprise. Je pourrais susciter beaucoup d'intérêt pour mon livre en restant vivant, en allant aux assises et en disant ce que j'ai à dire depuis le box des accusés. Mais vous savez ce qui arriverait dans un tribunal moderne. Pourrais-je espérer la justice ? Pourrais-je, moi qui ai tué avec préméditation et de sang-froid, m'attendre à ce qu'on m'ôte à mon tour la vie, comme l'exigerait la justice poétique (la seule qui soit vraiment satisfaisante) ? Pensez-vous ! Quel défilé de psychiatres il y aurait ! Tous brûleraient de m''expliquer' ! Ils affirmeraient au juge que je suis fou car, comme chacun sait, un homme jouissant de son bon sens ne peut vouloir une vengeance ou un avancement personnel. Les gens ivres du vin bon marché de la compassion s'assureraient mutuellement que je suis 'malade'. Cependant, j'ai toute ma raison et une excellente santé, et je ne m'exposerai pas à la pitié d'hommes qui me sont inférieurs.

"Aussi, je ferai une dernière petite blague. Tout le monde supposera que je me suis suicidé. Si c'est vrai, qu'ils le prouvent. Mais à vous, chers amis, je dirai la vérité. Maintenant je vais revêtir ma robe de moine, m'allonger sur le lit avec mon livre de prières à proximité et m'injecter dans une des veines de mon pied — il y en a beaucoup — quelques centimètres cubes de potassium. Dans trente secondes je serai mort, et cela me laissera juste le temps, je l'espère, de faire tomber la seringue dans un trou du plancher, sous la carpette de la mère Mustard. Ingénieux, vous ne trouvez pas ? Je serai mort et enterré avant que personne ne songe à regarder sous le tapis. Ne trahissez pas mon secret. J'aimerais déconcerter mes vieux amis, les flics. Leurs médecins manquent totalement d'imagination.

"Cependant, si un quelconque curieux décidait de me déterrer, je fais un dernier legs selon les dispositions de la loi sur les dons d'organes humains de 1971. Je laisse mon trou du cul, avec tous les téguments y appartenant, à la faculté de philosophie. Qu'on le tende sur un cadre d'acier pour que chaque jour de l'an le professeur le plus ancien puisse souffler à travers, produisant ainsi un bruit riche et sonore — mon salut à ce monde dont je vais maintenant prendre congé, en quête du Grand Peut-Être.

"Je vous bénis tous deux.

"John Parlabane (ancien membre de la Société de la mission sacrée)." »

Quand Darcourt a fini sa lecture, Hollier était déjà plongé dans celle des lettres du porte-documents. Il avait le visage en feu, et lorsque Darcourt lui a parlé, il a d'abord semblé ne pas entendre.

« Clem ?

— Hummm.

— Nous devrions parler de ce manuscrit.

— Oui, oui, mais il faut que je le lise d'abord soigneuse-ment avant de pouvoir dire quoi que ce soit de précis.

— Non, Clem.

— Quoi ?

— Vous ne devez pas le lire. Je sais que c'est très excitant, mais vous devez comprendre qu'il n'est pas à vous.

— Je ne vous suis pas.

— C'est un bien volé, vous savez.

— McVarish l'avait volé et nous l'avons récupéré.

— Non. Pas "nous". Vous n'avez aucun droit sur ces documents. Ils appartiennent à la succession Cornish, et il est de mon devoir de veiller à ce qu'ils soient rendus à leurs propriétaires. »

Darcourt se leva. Il prit le porte-documents de Gryphius et les précieuses lettres que tenait Hollier, les remit dans leur emballage original et quitta la pièce.

5

Les dix derniers jours ont été pour moi un véritable enfer. D'abord, je me suis fait beaucoup de souci pour Hollier : quelques minutes après que Darcourt eut récupéré avec tant d'autorité les papiers de Gryphius, il s'était effondré. Il était dans un tel état que j'ai craint pour sa vie. J'ai souvent entendu parler de gens qui « s'effondraient », mais qu'est-ce que cela veut dire exactement ? Dans le cas de Hollier, cela s'est traduit de la manière suivante : je n'arrivais pas à le faire parler, il n'avait pas l'air d'entendre et fixait un point dans le vide. Il était froid au toucher. Il s'était comme ratatiné dans son fauteuil et tournait lentement la tête vers la gauche, puis la ramenait à sa position de départ, comme un mouton qui a le tournis. Impossible d'attirer son attention ou de l'inciter à se lever. Dans mon inquiétude, je n'ai rien vu de mieux à faire que de rappeler Darcourt. Il est revenu une demi-heure plus tard en compagnie de l'ami médecin qui, comme je l'ai appris plus tard, était celui qui avait établi le certificat de décès de Parlabane.

Le docteur Greene a poussé Hollier dans tous les sens, lui a tapé sous les genoux, a écouté les battements de son cœur et agité sa main devant ses yeux. Il a finalement diagnostiqué un état de choc. Hollier avait-il eu une grave déconvenue ? Oui, répondit Darcourt, une grave déconvenue ayant trait à ses recherches, mais qui était tout à fait inévitable. J'ai été impressionnée par sa fermeté, son refus de céder d'un pouce. Ah bon, a dit le médecin ; il comprenait parfaitement ; ce n'était pas la première fois qu'il rencontrait ce genre de mal métaphysique en traitant des universitaires : ceux-ci avaient un système nerveux fragile. Mais il connaissait ce bon vieux Clem depuis leurs années d'études à Spook et était persuadé qu'il s'en remettrait. Cependant, il aurait besoin de soins attentifs et affectueux. Les deux hommes ont donc soulevé Hollier et l'ont mis debout, puis ils l'ont traîné jusqu'à ma voiture, qui n'était pas vraiment assez grande pour contenir quatre personnes dont l'une était trop malade pour se serrer dans un petit espace. Ensuite, j'ai conduit jusqu'à la maison de la mère de Hollier, située à Rosedale, non loin de la mienne.

Ce n'était pas un lieu que j'aurais choisi pour prodiguer des soins attentifs et affectueux à quiconque. C'était l'un de ces intérieurs d'un bon goût glacé, tout comme Mme Hollier, que je rencontrais pour la première fois. On m'a laissée au salon — réellement la pièce la plus fade, la plus aseptisée que j'aie jamais vue — pendant que les hommes et Mme Hollier faisaient monter l'invalide dans sa chambre. Au bout d'un moment, une vieille domestique a gravi péniblement l'escalier avec ce qui avait l'air d'être un bol de bouillon. Après un laps de temps encore plus long, Darcourt, le docteur Greene et Mme Hollier sont revenus et j'ai été présentée à cette dernière comme une étudiante de son fils. Mme Hollier m'a jeté un regard qui aurait pu couper du verre ; elle a incliné la tête mais n'a pas dit un mot. Le médecin a prononcé des paroles rassurantes : il s'agissait d'une baisse de tension artérielle brutale, mais sans gravité. Le patient avait besoin de repos, de nourriture légère et de quelques bons polars quand il paraîtrait prêt à se distraire. Le docteur promit de prendre régulièrement des nouvelles.

Je me sentais plutôt hors du coup. Darcourt et le docteur Greene étaient le genre de Canadiens qui comprenaient et savaient comment traiter des âmes réfrigérées comme celle de Mme Hollier. Un pays nordique et ses autochtones peuvent être vifs et toniques face à des troubles d'ordre métaphysique ; moi, j'étais différente. J'avais le désagréable sentiment que lorsque Hollier était malade, sa place était ici. Quoiqu'il fût un aventurier dans le domaine intellectuel, cet intérieur froid était son foyer.

Ce soir, j'ai donc tout raconté à mamousia, ou du moins autant qu'elle était prête à comprendre. Elle a en effet tenu à voir la situation d'un point de vue qui lui était tout à fait personnel.

« Évidemment qu'il est froid et ne peut pas parler, a-t-elle dit. La malédiction lui est retombée dessus, et maintenant il contemple le mal qui est en lui. Mais il n'a pas voulu m'écouter. Oh non ! pas lui, pas le grand professeur, pas M. Moderne ! Il pensait qu'il serait heureux de tuer son ennemi — car c'est ce qu'il a fait, et n'essaie pas de me dire le contraire — mais à présent il comprend ce que c'est que de tuer avec de la haine. Avec un couteau ou un pistolet, c'est moins dangereux. Si tu n'es pas trop sensible, tu peux t'en tirer. Mais pour un type comme Hollier, tuer avec de la haine... Il aurait pu mourir sur le coup.

— Mais mamousia, c'est l'autre, le moine, qui a tué McVarish.

— Un homme rusé, ce moine. Quelqu'un de vraiment mauvais. Je regrette de ne pas l'avoir connu. Ce genre d'individus est rare. Mais le moine n'était qu'un instrument, comme un couteau ou un pistolet...

— Mais non, mamousia, le moine haïssait profondément McVarish. Et aussi Hollier.

— Bien sûr ! Toute cette haine qui rôdait, cherchant un endroit pour exploser... Quand je pense que Hollier voulait m'entraîner dans cette histoire ! C'est un imbécile, Maria. Ce n'est pas un mari pour toi. Heureusement que c'est le père Simon qui a bu mon café spécial.

— Tu ne veux pas voir les choses comme elles sont.

— Ah non ? Je vais te dire une chose, espèce d'idiote : ma façon de voir est la seule vraie. Tout le reste, ce n'est que du bavardage stupide de personnes qui ne connaissent rien à la haine, à la jalousie ou aux autres choses qui régissent leurs vies, parce qu'elles ne les acceptent pas comme des réalités, comme de véritables forces. Bon, et maintenant, tu vas me donner tes clés de voiture.

— Pourquoi faire ? Tu ne conduis pas.

— Je ne veux pas conduire. Et toi tu ne conduiras pas. Pas pendant quarante jours. Tu es mêlée à tout ce gâchis, tu sais. Dans quelle mesure, je n'en sais rien. J'ai en effet l'impression que tu ne m'as pas dit toute la vérité. En tout cas, tu ne conduiras aucune voiture pendant les quarante jours qui viennent. Jusqu'à ce que ces hommes ne puissent plus t'atteindre.

— De quels hommes parles-tu ?

— De McVarish et du moine. Ne discute pas. Donne-moi les clés. »

J'ai obéi, tout en feignant une répugnance que je n'éprouvais pas vraiment. Je ne veux pas figurer dans l'un de ces accidents décrits ainsi par les journaux : « Le conducteur a perdu le contrôle de son véhicule... »

A propos de journaux, je me demandais avec une vive inquiétude ce que ceux-ci allaient dire au sujet du meurtre. Parlabane leur avait-il fait autant de confidences qu'à Hollier et à moi ? Non : aussi farceur en ceci que pour tout le reste, il nous avait écrit et avait déposé personnellement sa lettre le samedi soir, après avoir tué McVarish. Les trois comptes rendus beaucoup plus succincts qu'il avait rédigés pour les trois journaux de Toronto et qui, comme je l'ai appris plus tard, étaient de terribles torchons, des copies carbone couvertes de ratures, avaient été postés, mais dans une boîte destinée exclusivement aux pays d'outre-mer ; sur chacun d'eux, il avait ajouté quelques détails à la main, de sorte qu'aucun des quotidiens ne reçut tout à fait la même histoire. Du fait de cette confusion et de l'absence de distribution de courrier le lundi de Pâques, les journaux n'eurent ces lettres que le jeudi ; la police, elle, à laquelle Parlabane avait également envoyé un double plus quelques informations supplémentaires, ne reçut la sienne que le vendredi. Tels sont les caprices du service postal moderne. En conséquence, le lundi, le meurtre d'Urky fut présenté par la presse comme un crime inexplicable, puis il fit à nouveau l'actualité pendant le week-end, cette fois agrémenté de tous les détails de la confession de Parlabane. A mon immense soulagement, celui-ci n'avait pas mentionné nos noms — le mien et celui de Hollier — dans sa description des « cérémonies ». Il n'avait parlé de nous qu'en tant que dépositaires de son manuscrit. La police fit savoir qu'elle avait reçu des renseignements exclusifs, mais qu'elle n'allait pas dire tout ce qu'elle savait. Les journaux prédirent des ravages parmi les trafiquants de drogue.

Entre la nouvelle du meurtre d'Urky, le lundi, et la révélation de la nature et de la cause de celui-ci, le jeudi, les autorités universitaires avaient couvert McVarish d'éloges : un professeur dévoué, un grand érudit, un homme au caractère

nagnifique et à la conduite irréprochable, une perte irrempla-
able pour la communauté universitaire. Bref, on chanta ses
ouanges dans des styles aussi divers que distingués. On se
erdit en conjectures sur l'identité du diabolique tricoteur
ui avait tué le paisible lettré et « malmené » son corps en le
ourrant de ruban de velours. Cela changeait la presse des
rimes crapuleux commis avec des couteaux ou des revolvers
t des victimes obscures et inintéressantes dont elle doit tous
es jours tirer le meilleur parti possible. Mais les panégyriques
essèrent brusquement lorsque éclata la vérité ; les plans en
·réparation concernant une splendide cérémonie commémora-
ive dans Convocation Hall furent abandonnés. A l'assemblée
·rovinciale, Murray Brown souligna que l'éducation des
eunes se trouvait entre des mains peu sûres et recommanda
ne sorte de purge de toute la communauté universitaire.
't, bien entendu, les nouvelles concernant le livre de
·arlabane excitèrent les éditeurs. Le téléphone se mit à
onner.

Il n'y avait que moi pour y répondre. Dans sa lettre,
·arlabane avait dit que j'étais l'une des deux personnes qui
·vaient accès au manuscrit complet. Hollier était hors circuit.
Cette espèce de veinard était toujours confortablement couché
lans son lit, chez sa mère, et celle-ci prétendait que son fils ne
ouvait répondre au téléphone. Aussi j'atermoyais. J'éludais
questions directes et engagements et refusais de voir qui que
e fût. Mais des gens ont quand même réussi à forcer ma
·orte à l'université. Contre mon gré, j'ai été photographiée
·ar des reporters qui me guettaient devant Spook, et
·ourchassée par des agents littéraires qui voulaient me délivrer
l'un lourd souci. J'ai connu tous les plaisirs d'une célébrité
·on recherchée. On m'a offert beaucoup d'argent pour une
·istoire qui aurait été intitulée « John Parlabane tel que je
·ai connu », et les services d'un nègre pour l'écrire sur la
·ase de mon récit oral (comme je n'étais qu'une étudiante,
·n supposait que je serais incapable de rédiger un texte
:ohérent). On m'a invitée à passer à la télévision. La publicité

que m'ont donnée les journaux a indigné Mme Hollier. Ave
ce sixième sens que possèdent les mères, elle m'a soupçonné
d'avoir des vues sur son innocent de fils. Elle sembla
convaincue que j'étais responsable de tout ce qui était arrivé
Après que quelqu'un eut maladroitement essayé de voler l
manuscrit dans le bureau de Hollier, j'ai enfermé celui-c
dans le coffre-fort du collège. J'ai aussi essayé de faire coupe
le téléphone, mais cela a pris plusieurs jours. Ô tohu-boh
et brouhaha !

Il y avait une autre chose pour laquelle je devais remercie
l'esprit de Parlabane : ni dans sa lettre à la police ni dan
celles aux journaux, il n'avait mentionné les papiers d
Gryphius. Où étaient ces documents à présent ? Je n'en avai
pas la moindre idée. Cependant, un vendredi en fin d'après
midi, pendant la deuxième semaine du siège entrepris pa
les journalistes et les éditeurs, j'étais assise dans le bureau d
réception de Hollier, essayant vainement de faire avance
mon travail, quand quelqu'un a frappé à la porte.

« Allez-vous-en ! » ai-je crié.

On a frappé de nouveau, cette fois plus fort.

« Foutez le camp ! » ai-je rugi.

Mais j'avais oublié de fermer la porte. Celle-ci s'es
ouverte et la figure souriante d'Arthur est apparue dan
l'entrebâillement.

« Ce n'est pas gentil de parler ainsi à un vieil ami, Maria.

— Oh ! c'est toi ! Si tu es un vieil ami, pourquoi n'es-tu
pas venu plus tôt ?

— Je pensais que tu serais très occupée. Les journaux
parlaient de toi et tous disaient que tu étais enfermée avec
des éditeurs douze heures par jour en train de concocter les
termes d'un contrat juteux pour le livre de ton ami et de
sabler le champagne.

— Il t'est facile de plaisanter. Moi, j'ai vécu comme un
animal traqué.

— Oseras-tu sortir d'ici pour dîner avec moi ? Si tu mettais
un voile épais, personne ne te reconnaîtrait. Peut-être aussi

n coussin dans le dos. Je te ferai passer pour une tante mprésentable : la bossue voilée. De toute manière, je pensais ller dans un très joli endroit peu éclairé. »

Je n'étais pas d'humeur à me faire taquiner, mais j'avais aim. Je n'avais pas osé manger dans un restaurant depuis le lébut de ces ennuis et j'en avais assez de l'infâme cuisine de namousia. Arthur m'a emmenée dans un très bon restaurant, pris une table dans un coin obscur et a commandé n excellent dîner. C'était profondément apaisant. Quelle lifférence avec mon dernier repas au Rude Plenty en ompagnie de Parlabane ! Bien entendu, nous avons parlé lu meurtre, de la sensation qu'il avait causée et des tracas qu'il avait entraînés pour moi. Nous n'avons pas essayé de ous élever au-dessus du sujet qui, pour l'heure, nous ntéressait le plus, mais, dans cette ambiance agréable, on ouvait le voir sous un autre jour.

« Hollier est donc tombé malade et t'a laissé tous les roblèmes sur les bras ?

— La perte des documents Gryphius a été pour lui la ;outte qui fait déborder le vase. Il lui était impossible de roire que Darcourt les lui enlèverait. Où sont-ils à présent ?

— En ma possession. Darcourt est resté très vague sur la açon dont il les a trouvés, mais je me doutais que ça avait n rapport avec McVarish.

— Que vas-tu en faire ?

— J'avais l'intention de te les offrir comme cadeau de nariage.

— Mon mariage avec qui ?

— Eh bien, avec Hollier, évidemment. Tu vas l'épouser, n'est-ce pas ?

— Pas du tout.

— Je me suis trompé, alors.

— Tu n'as jamais pensé une chose pareille.

— Mais toi et lui étiez tellement absorbés par votre travail. Tu étais sa fidèle disciple. Comment t'appelait ce moine ssassin, déjà ? Sa *soror mystica*.

— Je te trouve bien désagréable.

— Je ne le fais pas exprès. Je cherche seulement à savoir ce qui se passe.

— Je ne l'épouserai pas, même s'il me le demandait. Ce qu'il ne fera pas. Sa mère ne le lui permettrait pas.

— Vraiment ? Est-ce qu'elle le domine ?

— Non, ce n'est pas tout à fait juste. Hollier vit pour son travail. Ça arrive, à l'université, tu sais. Mais quand je l'ai vu dans la maison de sa mère, j'ai compris où étaient encore ses attaches émotionnelles. Sa mère m'a déjà classée.

— C'est-à-dire ?

— Quand elle me regarde, je vois une bulle sortir de sa tête comme dans les bandes dessinées. A l'intérieur sont écrits les mots : "Garce tsigane".

— Pas garce, tout de même.

— Pour des femmes comme elle, toutes les Tsiganes sont des garces.

— C'est bien dommage. Je me réjouissais de pouvoir t'offrir ces documents comme présent de mariage. Bon, eh bien quand tu décideras d'épouser quelqu'un d'autre, ils seront à toi.

— Oh non ! ne dis pas cela ! Je t'en prie, donne-les à la bibliothèque universitaire : Hollier les voudrait plus que tu ne peux l'imaginer.

— Tu oublies qu'ils sont à moi. Ils n'étaient pas inclus dans le legs à l'université. En fait, c'est moi qui les ai payés il y a moins d'un mois : les marchands de manuscrits rares mettent beaucoup de temps à vous envoyer leur facture. Peut-être parce qu'ils ont honte du prix qu'ils demandent. Je n'ai pas particulièrement envie de faire plaisir au professeur Hollier. Je t'ai dit un jour que j'avais un goût exceptionnel ; un homme incapable d'apprécier la beauté qu'il a sous les yeux m'irrite.

— Que veux-tu dire ?

— Je veux parler de toi. Je trouve qu'il s'est mal conduit à ton égard.

— Mais tu ne t'attends tout de même pas à ce qu'il m'épouse juste pour avoir le Gryphius ? Me crois-tu capable d'accepter pareille proposition ?

— Ne me pousse pas à te donner une réponse à l'une ou à l'autre de ces questions.

— Tu as une piètre opinion de moi, à ce que je vois.

— Je pense le plus grand bien de toi, Maria. Alors, cessons de dire des bêtises et venons-en au fait. Veux-tu m'épouser ?

— Pourquoi t'épouserais-je ?

— Cela prendrait beaucoup de temps à expliquer, mais je vais te donner la meilleure raison : je pense que nous sommes devenus de très bon amis, que nous pourrions continuer à l'être et risquons même de le rester pour la vie.

— Des amis ?

— Qu'est-ce qui te dérange ?

— Quand les gens parlent mariage, ils emploient générale-ment des mots plus forts que ça.

— Ah oui ? Je ne sais pas. C'est la première fois que je demande quelqu'un en mariage.

— N'as-tu jamais été amoureux ?

— Bien sûr, d'innombrables fois, même. J'ai eu deux ou trois liaisons avec des filles que j'aimais. Mais je savais parfaitement qu'elles n'étaient pas des amies.

— Places-tu l'amitié au-dessus de l'amour ?

— N'est-ce pas ce que tout le monde fait ? Non, c'est là une question stupide : de toute évidence, ce n'est pas le cas. Les gens parlent d'amour à ceux dont ils sont épris, parfois jusqu'à un dévouement total. Je n'ai rien contre l'amour. C'est très agréable. Mais je te parle de mariage.

— De mariage. Alors, tu ne m'aimes pas ?

— Bien sûr que si, petite cruche, mais pour moi le mariage est une chose très sérieuse. Épouser une fille que ne je considère pas comme une merveilleuse amie ne m'intéresse pas. L'amour et le sexe, c'est très bien, mais ça ne dure pas. L'amitié, du moins la sorte d'amitié à laquelle je pense, est plus de la charité et de la gentillesse affectueuse que du sexe, et elle dure toute la vie. Plus encore : elle grandit, tandis que le désir, inévitablement, diminue. Alors, veux-tu m'épouser et être mon amie ? Nous aurons de l'amour et du sexe, mais nous ne bâtirons pas notre union sur ces seuls éléments. Tu n'es pas obligée de me répondre tout de suite. J'aimerais toutefois que tu y réfléchisses sérieusement, parce que si tu refuses...

— Tu partiras en Afrique chasser le lion.

— Non. Je penserai que tu as fait une grave erreur.

— Tu as une haute opinion de toi, on dirait.

— Oui, et j'ai une haute opinion de toi aussi — plus haute que de n'importe qui d'autre. Nous vivons à une époque de liberté : je n'ai pas besoin de me traîner à tes genoux et de prétendre que je ne peux pas vivre sans toi. S'il le faut, je le ferai. Mais je vivrais tellement mieux avec toi, et vice-versa, que ce serait idiot de ne pas l'admettre.

— Tu ne manques pas de culot, mon cher Arthur.

— C'est vrai.

— Tu ne sais presque rien sur moi.

— Si.

— Tu ne connais ni ma mère ni mon oncle.

— Présente-moi à eux.

— Ma mère chaparde dans les magasins.

— Pourquoi ? Elle est riche.

— Comment le sais-tu ?

— Quand on a une affaire comme la mienne, il y a des moyens de le découvrir. Mais ta mère est plus qu'une chapardeuse. Ça aussi je le sais, tu vois. Elle a acquis une certaine célébrité parmi mes amis musiciens. Chez une telle personne, chaparder est une excentricité, comme le sont les collections pornographiques que font certains chefs d'orchestre célèbres. Appelle ça un passe-temps. Mais dois-je te faire remarquer que ce n'est pas ta mère que je veux épouser ?

— Arthur, tu es très décontracté, mais il y a des choses que tu ignores. Cela vient sans doute du fait que tu n'as pas de famille.

— Qu'est-ce qui te fait croire que je n'en ai pas ?

— C'est toi-même qui me l'as dit.

— Je t'ai dit que je n'avais pas de parents dont je me souvienne clairement. Quant à de la famille... j'en ai plein. Quoique la plupart de ses membres soient morts, ils continuent à vivre en moi.

— Crois-tu vraiment à ce que tu dis ?

— Absolument, et je trouve cela très satisfaisant. Tu m'avais dit que l'hérédité ne t'intéressait pas, mais je vois mal comment tu concilies cette attitude avec les fouilles dans le passé auxquelles tu te livres avec Clement Hollier. Si le passé ne compte pas, pourquoi s'en occuper ?

— Je crois que mes paroles avaient dépassé ma pensée.

— C'est bien ce qu'il me semblait. Tu voulais écarter ton passé tsigane.

— J'y ai réfléchi plus sérieusement depuis.

— Très bien. Tu ne peux pas t'en débarrasser, et si tu le nies, tu dois t'attendre à ce qu'il se venge.

— Oh ! mon Dieu ! Arthur ! Tu parles comme ma mère !

— Heureux de l'apprendre.

— Tu as tort, car ce qui est acceptable venant d'elle est ridicule dans ta bouche. Arthur, t'a-t-on jamais dit que tu étais un peu pédant ?

— Plutôt autoritaire, non ?

— Oui.

— Dans le genre monsieur je-sais-tout ?

— Oui.

— Non, personne n'a jamais insinué une chose pareille. Décidé et très intuitif, voilà ce que disent les gens de moi quand ils choisissent soigneusement leurs mots.

— Je me demande ce que ma mère penserait de toi.

— Elle reconnaîtrait généreusement une âme sœur, je suppose.

— N'y compte pas. Mais pour en revenir à cette histoire d'hérédité, y as-tu réfléchi sérieusement ? En vieillissant, les filles deviennent très souvent pareilles à leurs mères.

— Que pourrait demander un homme de mieux que d'avoir une *phouri dai* pour femme ? Dans combien de temps penses-tu pouvoir te décider ?

— C'est déjà fait. J'accepte de t'épouser. »

Un peu de confusion et des baisers. Un moment plus tard...

« J'aime les femmes capables de prendre une décision rapide.

— C'est quand tu m'as appelée petite cruche que j'ai craqué. C'est la première fois qu'on m'appelle ainsi. On m'a déjà donné des noms flatteurs tels que Sophie, ou injurieux comme espèce de conne, mais petite cruche c'est tout à fait nouveau.

— C'était parfaitement amical.

— Puis ce que tu as dit au sujet de l'amitié entre époux a définitivement réglé l'affaire. Je n'ai jamais eu de véritable ami. Des anges rebelles, oui, et des choses de ce genre, mais personne ne m'a jamais offert son amitié. C'est irrésistible.

# LE NOUVEL AUBREY VI

Je refuse de marier des couples avant de m'être entretenu avec eux ; je tiens à découvrir ce qu'ils pensent du mariage et des engagements qu'ils croient prendre. C'est en partie pour me protéger : je ne veux pas m'occuper de gens qui veulent écrire leur propre cérémonie, inventent des vœux fantaisistes pour leur usage personnel et substituent des sottises tirées de Kahlil Gibran ou d'un autre chaman en vogue aux paroles du livre de prières anglican. Par ailleurs, je suis prêt à faire des coupures pour ceux qui trouvent les termes de la célébration du mariage un peu trop austères pour leurs conceptions modernes. Je suis très tatillon au sujet de la musique : je n'admets ni *O Promise Me* ni *Because God Made Thee Mine* ; je déconseille la marche nuptiale de Mendelssohn, qui est de la musique de théâtre, ainsi que l'autre, extraite de Lohengrin, qui préluda à une union notoirement malheureuse. Je ne me considère pas comme le pittoresque accessoire d'une cérémonie folklorique célébrée par des incroyants, ce qui ne veut pas dire que j'exige l'orthodoxie, car je fais moi-même quelques réserves peu orthodoxes.

En conséquence, je fus très surpris quand Arthur Cornish et Maria insistèrent pour l'avoir. Surpris et un peu inquiet, car, selon mon expérience, trop d'orthodoxie peut causer des problèmes ; une certaine dose de souplesse est un gage de durée.

Mon entrevue avec Arthur et Maria eut lieu dans mon appartement à Ploughwright, un soir avant le dîner, le lundi précédant leur mariage. Maria arriva en avance, ce qui me fit plaisir, parce que je voulais avoir un petit tête-à-tête avec elle.

« Arthur est-il au courant de votre histoire avec Hollier ?

— Bien sûr ! Je lui ai tout raconté et nous sommes tombés d'accord pour dire que cela ne comptait pas.

— Que voulez-vous dire par ''compter'' ?

— Qu'en ce qui nous concerne, je suis toujours vierge.

— Mais Maria, de nos jours la virginité de la mariée n'est généralement plus une question importante. L'amour, la confiance et le sérieux de l'intention sont les choses qui comptent vraiment.

— N'oubliez pas que je suis en partie tsigane, Simon. Or, pour les Tsiganes, elle compte. La valeur de la virginité dépend de celle qui la possède. Pour des gens insignifiants, elle est sûrement insignifiante.

— Que lui avez-vous dit, alors ? Que pendant ce temps vous faisiez une prière ?

— Je ne vous croyais pas si frivole, Simon.

— Je ne le suis pas. Simplement, je veux être sûr que vous ne vous racontez pas d'histoires. Cela n'a pas d'importance pour moi, mais, si ça en a pour vous, j'aimerais être certain que vous savez ce que vous faites. Ce qui compte vraiment, c'est de savoir si vous avez complètement cessé d'aimer Hollier.

— Pas complètement. Bien sûr que je l'aime encore, et comme Arthur me donne le manuscrit Gryphius comme cadeau de mariage, je travaillerai certainement dessus avec Hollier. Mais c'est un ange rebelle, comme vous, et je l'aime de la même façon que je vous aime, mon cher Simon. Quoique vous, vous soyez un pasteur, et lui, une sorte de sorcier, ce qui est très différent.

— Comment cela ?

— Les sorciers ne comptent pas. Merlin, Klingsor et leurs

semblables étaient incapables d'amour humain. De plus, ils étaient généralement impuissants.

— Quel dommage qu'Abélard et Héloïse ne l'aient pas su.

— Oui, ils se sont mis dans une situation inextricable. Si Héloïse avait été plus lucide, elle aurait compris qu'Abélard était nul dans le domaine des relations humaines. Évidemment, elle n'avait que dix-sept ans. Ces lettres ! Mais laissons cela. Hollier m'a fait voir un peu ce qu'étaient la sagesse et le savoir. C'est cela qui compte, et non pas un petit faux pas commis en chemin. Vous m'avez montré tout ce que je peux comprendre pour le moment des exigences et des plaisirs de l'érudition. Je vous aime donc tous les deux. Arthur, toutefois, est différent, et ce que je lui apporte n'a été touché par aucun autre homme.

— Très bien.

— Selon Arthur, l'acte sexuel est symbole de rencontre spirituelle. C'était certainement vrai avec Hollier. Quoi que j'aie pu ressentir à ce sujet, lui, il a eu honte de lui aussitôt après.

— Je ne me rendais pas compte qu'Arthur était un philosophe.

— Il a quelques idées étonnantes.

— Vous aussi. Je croyais que vous vouliez fuir toute la part tsigane de votre héritage.

— Oui, jusqu'à ce que je rencontre Parlabane. Quand il m'a parlé de la nécessité de voir que les racines d'un être étaient aussi importantes que sa cime, j'ai compris que je ne pouvais écarter la partie tsigane de mon être. Je dois la reconnaître, sinon elle risque de me tourmenter toute ma vie, comme un chancre à la racine d'un arbre. Nous faisons un tas de choses tsiganes...

— Attention, Maria. Je veux être le prêtre qui vous marie, mais je refuse de participer à des rituels tels que se couper les poignets, mêler les sangs et agiter des serviettes ensanglantées pour montrer que vous avez été déflorée, ou quoi que ce soit de ce genre. Je croyais que vous vouliez une cérémonie chrétienne.

— Ne vous inquiétez pas : il n'y aura rien de tout cela. Quoique Yerko se prenne très au sérieux comme remplaçant de mon père : dans la tradition tsigane, le frère de la mère est en fait beaucoup plus important. Yerko a demandé à Arthur — et reçu de lui, en or — le prix de mon achat. Et il a solennellement accepté Arthur comme *phral* — c'est-à-dire un *gadjo* qui a épousé une Tsigane et qui est considéré comme un frère, quoique pas comme un Tsigane, évidemment. Et mamousia nous a donné le pain et le sel : elle a partagé un beau petit pain croustillant, l'a salé et nous en a offert à chacun une moitié en disant que nous resterions fidèles l'un à l'autre jusqu'à ce que nous nous lassions de pain et de sel.

— J'ai l'impression que vous vous êtes engagée à fond dans le rituel romani. Etes-vous sûre de vouloir une cérémonie de mariage après ça ?

— Simon, quelle question ! Oui, nous voulons que notre union soit bénite. Nous sommes des gens sérieux. Moi, je suis beaucoup plus sérieuse, et beaucoup plus vraie, depuis que j'ai accepté mes racines tsiganes.

— Je vois. Et qu'en est-il des racines d'Arthur ?

— Elles sont très vastes, paraît-il. Il dit qu'il a toute une cave pleine de racines desséchées »

Arthur arriva, mais il n'avait pas envie de parler de ses racines. Il semblait plus enclin à vouloir me faire un cours sur l'orthodoxie, dont, à ma surprise, il pensait le plus grand bien. La raison pour laquelle tant de mariages échouaient, m'informa-t-il, était que les conjoints n'osaient pas exiger d'eux-mêmes un niveau assez élevé ; ils entraient dans l'union conjugale l'œil fixé sur toutes les issues de secours au lieu de l'accepter comme un pas en avant qui excluait toute retraite.

Je crois qu'il s'attendait à ce que j'approuve avec enthousiasme, mais je n'en fis rien. Pas plus que je ne le contredis. Je connais trop bien la vie pour essayer d'apprendre quelque

chose à des personnes vraiment riches. Elles ont le même
défaut que les jeunes : elles croient tout savoir. Arthur et
Maria étaient tombés d'accord pour refuser la cérémonie
révisée qu'on trouve dans les livres de prières modernes.
Arthur avait apporté un très beau vieil exemplaire de cet
ouvrage daté de 1706 et orné d'un portrait de la reine Anne
en frontispice. Manifestement, ce livre avait appartenu à
Francis Cornish. Bien entendu, je connaissais ce texte, mais
je me dis qu'il valait mieux le voir avec eux pour m'assurer
qu'ils savaient ce qui les attendait. Eh bien, ils tinrent
effectivement à garder ce passage du préambule qui défend
aux mariés de « satisfaire les appétits charnels des hommes
comme des bêtes sauvages dénuées de raison ». Ils voulaient
qu'on les exhorte publiquement « à éviter la fornication »,
et Maria désirait s'engager à « obéir, servir, aimer, honorer
et garder » son mari ; en fait, dans le genre de service qu'ils
avaient choisi, Maria devait prononcer deux fois le mot
« obéir », que les jeunes libéraux exécraient. Quand je
l'interrogeai à ce propos, elle répondit que pour elle c'était
comme jurer fidélité à un monarque, autre serment que la
plupart des gens sont trop modernes pour prendre au sérieux.

J'aurais résisté à ce goût des antiquités si tous deux
n'avaient pris un plaisir si touchant au fait que le mariage
« a été créé pour la compagnie mutuelle, l'aide et le réconfort
que l'un devrait recevoir de l'autre ». De toute évidence,
c'était là ce qu'ils recherchaient, et Arthur se montra éloquent
à ce sujet.

« Les gens ne se parlent pas assez, déclara-t-il. Les amateurs
de sexe s'accrochent à leur ennuyeuse obsession sans jamais
admettre que celle-ci diminuera inévitablement avec le temps.
Certaines personnes disent que l'autel du mariage, ce n'est
pas le lit mais la cuisinière, transformant ainsi ce sacrement
en une célébration de la gourmandise. Qui parle jamais
d'une amitié intime, durant toute une vie, et qui s'exprime
en une infinie variété de conversations ? Si les époux sont
vraiment vivants et conscients, cela devrait continuer à jamais

et prolonger la vie, parce qu'il y a toujours encore quelque chose à dire.

— Autrefois, dans les restaurants, je regardais avec horreur ces couples qui se contentent de manger sans échanger un mot, dit Maria. Mon attitude est en train de changer. Peut-être ne sont-ils pas obligés de parler tout le temps pour communiquer. La conversation, au vrai sens du terme, ce n'est pas uniquement faire aller sa langue ; c'est parfois un silence profondément partagé. Mais depuis que nous avons décidé de nous marier, Arthur et moi n'avons pas cessé de parler.

— Je commence à me demander si nous n'avons pas interprété de travers la légende du jardin d'Éden, dit Arthur. Dieu chassa Adam et Eve du paradis parce qu'ils avaient acquis le savoir au prix de leur innocence. Or je pense que Dieu était jaloux. "Le Royaume du Père s'étend sur la terre et les hommes ne le voient pas." Vous reconnaissez cette citation, Simon ?

— Oui, elle est tirée de l'un des Évangiles gnostiques, répondis-je, un peu piqué. (Ce n'était pas ce jeune homme qui allait m'apprendre mon métier.)

— Oui, de l'Évangile de Thomas, un sacré texte, dit Arthur — il aurait été capable d'en remontrer à l'archevêque de Canterbury ou même au pape, si ceux-ci avaient eu besoin d'assistance. Adam et Eve ont appris à comprendre le Royaume du Père, et leurs descendants s'efforcent de le faire depuis lors. C'est la raison d'être des universités quand celles-ci ne perdent pas leur temps en trivialités. Bien sûr que Dieu était jaloux : on lui demandait de partager une fraction de son domaine. Je parie qu'Adam et Eve ont quitté le jardin d'Éden en riant, très contents de leur marché : ils avaient échangé une innocence ignorante contre un choix infini. »

Tout cela était très joli et représentait une grande amélioration par rapport à ce que me disent d'habitude les futurs mariés que je sonde. Les pauvres ! La plupart d'entre eux sont si bêtes et incapables de formuler leurs espoirs ! Ils ne semblent même pas comprendre quelle est ma fonction dans la cérémonie, c'est-à-dire, non pas les autoriser publiquement à coucher ensemble et à utiliser la même serviette de toilette, mais servir d'intermédiaire entre eux, les suppliants, et l'Entité qui entend leurs supplications. Mais j'avais mes réserves. Ces deux jeunes gens ici présents s'exprimaient un peu trop bien pour me satisfaire complètement. Or je voulais être satisfait car j'aimais encore profondément Maria.

Celle-ci sentit mon malaise. Avant qu'ils ne partent, elle me dit :

« La devise de notre mariage, c'est cette phrase que vous nous avez enseignée pendant le premier cours que j'ai eu avec vous. Cette citation de saint Augustin, vous vous souvenez ?

— *Conloqui et conridere...*

— Oui. "Converser et plaisanter ensemble, se rendre mutuellement service, lire ensemble des livres à la prose mélodieuse, échanger des propos légers et des attentions." Or ces attentions comprennent évidemment le sexe. Alors, ne prenez pas cet air soucieux, cher Simon. »

J'aurais dû être suprahumain pour ne pas me tracasser. Je perdais une étudiante extrêmement douée. Je perdais une femme que j'avais considérée un certain temps comme l'incarnation de Sophie. Tout en sachant qu'elle ne serait jamais à moi, je continuais à l'aimer et allais l'unir à un homme auquel je ne voyais aucune mauvaise qualité et qui, pourtant, m'inquiétait d'une certaine façon.

Je me dis que c'était par jalousie. Je suppose que les anges rebelles ne sont pas au-dessus de ce sentiment. C'est une passion impopulaire : les gens avoueront avec une certaine complaisance être avides, coléreux ou avares, mais qui admettra jamais être jaloux ? Difficile à présenter comme une qualité qui aurait une couleur sombre Cependant, mon travail, en tant que pasteur, c'est de regarder les faiblesses humaines en face et de les appeler par leur vrai nom. J'étais jaloux d'Arthur Cornish parce qu'il allait occuper la première place dans le cœur d'une femme que j'aimais encore. Mais comme l'avait dit Maria, un ange rebelle ravit à une femme une partie de son innocence quand il la guide vers un monde plus vaste et une vie plus ample ; il n'est donc pas étonnant qu'un homme qui a fait cela soit jaloux de celui qui en récoltera les bénéfices. Je pouvais comprendre et apprécier Maria comme Arthur n'en serait jamais capable. J'étais certain de cela, mais j'étais tout aussi certain que Maria ne serait jamais à moi sauf sur ce plan mythologique qu'elle avait elle-même défini. *Ce qui t'ennuie, père Darcourt, c'est que tu ne peux pas à la fois avoir le beurre et l'argent du beurre ; tu veux être l'homme qui compte le plus dans la vie de Maria, mais sans payer le prix que te coûterait cette position.* D'accord, je comprends. Mais cela fait mal quand même.

Pourquoi avais-je des sentiments mitigés envers Arthur ? Parce que si j'avais vu une bonne partie de sa cime, j'ignorais tout de ses racines, à part ce que je pouvais déduire de son amour profond pour la musique. Maria semblait lui avoir complètement cédé. Que tout ce qu'elle avait dit au cours de l'entrevue que nous venions d'avoir... « sonnait faux » serait exagéré, mais cela était peu typique de Maria, et faisait penser à Arthur. J'ai constaté ce phénomène chez nombre de mariées, mais Maria était quelqu'un à part.

A quoi pouvait bien mener toute cette orthodoxie ? Selon mon expérience, les éléments essentiels bien compris du christianisme peuvent former la meilleure base pour une vie ou un mariage ; cependant, dans le cas de personnes ayant un fort penchant intellectuel, ces éléments doivent être abondamment farcis — j'emploie ce mot comme le ferait un cuisinier, entendant par là l'augmentation et l'enrichissement d'un plat par des ingrédients complémentaires — pour s'avérer suffisants. On ne peut pas vivre d'essences.

Les jeunes couples que j'interroge avant leur mariage ont une foi sincère, ou feignent la sincérité qu'ils croient que j'attends d'eux, mais je sais que dans le foyer qu'ils créeront il y aura d'autres dieux que le Dieu unique. Les Romains les appelaient des dieux lares, et ils savaient de quoi ils parlaient. Dans chaque maison, dans chaque mariage, il y a des dieux inférieurs qui, parfois, peuvent grandir démesurément et qui, même quand ils ne sont pas consciemment reconnus, ont un très grand pouvoir. Chacun de ces dieux lares a un côté sombre, ambigu, comme lorsque l'orgueil se déguise en dignité, la colère en exigence morale et la luxure en liberté. Quels seraient les dieux lares sous le toit des Cornish ?

Je savais que Maria avait une marotte, l'honneur, notion qu'elle avait prise dans l'œuvre de François Rabelais et qu'elle avait faite sienne. L'honneur qui est censé pousser les hommes à des actions vertueuses et les éloigner du vice ; y avait-il un côté sombre à ce dieu-là ? Il serait vain de conjecturer, mais je pourrais imaginer l'honneur créant énormément d'ennuis s'il devait s'enfler au point d'obscurcir la face du Dieu unique.

## 2

Tout compte fait, le mariage de Maria fut très réussi, malgré quelques petites bizarreries. Alors que j'attendais la mariée, debout devant l'autel, je vis Maria enlever ses chaussures au fond de la chapelle de Spook. Quand elle se trouva en face de moi, elle était donc pieds nus, ce que sa longue robe de mariée cachait la plupart du temps. Cela la rendait plus petite que je ne l'avais jamais vue, et Arthur Cornish, qui n'est pas particulièrement grand, semblait la dominer de toute sa taille. Il était habillé avec élégance et classicisme ; de toute évidence, son habit n'était pas loué mais avait été fait pour lui sur mesure. J'ai vu plus d'un mariage prendre une allure de comédie quand le marié portait des vêtements loués trop grands ou trop petits et était visiblement gêné par son premier col dur. (Pour moi, un marié qui fait figure de clown est un mauvais présage. C'est généralement le haut-de-forme qui le trahit.) Arthur et son témoin étaient impeccables. Ce dernier était Geraint Powell, un jeune acteur qui s'était fait remarquer au festival de Stratford. Beau, plein d'assurance, il était plus vrai que nature, comme tendent à l'être les acteurs lors d'une cérémonie. Où Arthur avait-il trouvé pareil ami ? me demandai-je. Celui-ci ressemblait, autant que notre époque le permet, à ce qu'on appelait autrefois une « idole des matinées ».

La musique, elle aussi, fut impeccable ; je suppose qu'Arthur l'avait choisie. C'était curieux de voir Maria descendre la nef avec son splendide port de Bohémienne au bras de Yerko, qui marchait comme un ours et s'efforçait de sourire à travers ses larmes, expression que, de toute évidence, il jugeait convenir à son rôle. Il avait trouvé quelque part une énorme cravate mauve qu'il avait épinglée d'un grenat gros comme un œuf.

Assise sur le premier siège de la première rangée, du côté de la mariée, mamousia était l'image même d'une *phouri dai* en costume d'apparat : une multitude de jupes, de jupons de couleur vive, et pas moins de trois châles ; ses cheveux huilés la rendaient pareille au Dieu de Sion : elle laissait derrière elle un sillage d'abondance. Pas de larmes chez mamousia : son rôle à elle exigeait une dignité matriarcale.

Quand Maria apparut, je n'eus d'yeux que pour elle. Alors qu'elle s'approchait de moi, la douleur que je ressentais se transforma en étonnement : elle portait en effet le plus long collier que j'aie jamais vu. Le lord-maire d'une grande ville aurait pu le lui envier. Il était fait de rondelles d'or d'au moins cinq centimètres de diamètre estampillées d'un motif représentant quelque bête cornue ; je ne pouvais lire l'inscription sans loucher dessus d'une façon inconvenante, mais je crus distinguer un mot comme « Fyngoud ». De quoi s'agissait-il ? De quelque trésor écossais ? Les thalers de Marie-Thérèse que mamousia portait pour l'occasion n'étaient rien comparés à cela. Ce qui augmentait encore la ressemblance du bijou avec une chaîne de lord-maire, c'est qu'il était épinglé presque à l'extrémité des épaules de Maria et qu'il lui descendait assez bas dans le dos, sous le voile ; s'il avait simplement pendu de son cou, comme un collier ordinaire, il aurait pratiquement atteint ses cuisses.

Voilà qu'elle se tenait devant moi, mon amour et ma joie, à côté de l'homme auquel j'allais la marier. Il était temps de commencer.

« Mes chers frères, nous sommes réunis ici sous le regard de Dieu et devant l'assemblée des fidèles (et quelle curieuse assistance avions-nous là ! Du côté de la chapelle réservé à la mariée, il n'y avait que mamousia et Clement Hollier, qui avait l'air aussi content que je me sentais l'être moi-même ; du côté du marié, un groupe important de personnes qui pouvaient être sa famille, quoique certaines d'entre elles fussent probablement des membres du conseil d'administration et des associés) pour unir cet homme et cette femme par les liens sacrés du mariage. »

Ce que je fis, m'étonnant une fois de plus de la brièveté de la cérémonie, de la facilité et de l'inévitabilité des réponses, et la comparant aux longues et pénibles formalités du divorce. Et à la fin, toujours fidèle à mes devoirs sacerdotaux, j'implorai Dieu de remplir Maria et Arthur de bénédiction spirituelle et de grâce pour qu'ils puissent vivre ensemble dans cette vie de manière que dans le monde à venir ils reçoivent la vie éternelle. Je ne pense pas avoir jamais prononcé ces paroles avec des sentiments aussi mêlés.

Le mariage avait lieu le matin — une autre décision de l'orthodoxe Arthur —, et, après la cérémonie, nous étions conviés à une réception, ou fête, ou ce que voudrez, dans une salle que Spook mettait à la disposition des siens pour ce genre d'occasions, une pièce lambrissée de chêne d'une solennité tout universitaire. C'est là que mamousia donna audience et, avec des manières qu'elle devait penser correspondre au bon vieux style viennois, fit des grâces aux relations d'affaires d'Arthur. Celles-ci semblaient toutes s'appeler M. Machinchose et Mme Machintruc. Maria avait remplacé son voile par un foulard noué à la manière des femmes mariées. Yerko était plutôt ivre et extrêmement loquace.

« Vous avez vu ce collier, prêtre Simon ? demanda-t-il. Que vaut-il, à votre avis, hein ? Comme vous ne le devinerez jamais, je vais vous le dire. » (Son souffle chaud et aviné me chuchota une somme fabuleuse dans l'oreille.) « Je l'ai fait moi-même. Cela m'a pris une semaine, en travaillant toute la journée. Ce qu'il y a d'intéressant, c'est que tout cet or, à part les chaînes, que j'ai fabriquées avec de l'or laissé par mon beau-frère, représente le prix d'achat de Maria ! Vous savez : l'argent qu'Arthur m'a versé, en tant qu'oncle, pour l'épouser. Cela paraît bizarre, vous dites, mais c'est la tradition tsigane, et comme Arthur est un riche *gadjo*, il a dû payer sa femme très cher. Ma sœur et moi sommes fortunés nous aussi, mais une vieille coutume est une vieille coutume. C'est pourquoi nous rendons l'argent sous forme de collier. Vous avez vu ces grosses pièces ? Chacune pèse une once. Devinez ce que c'est. Allez, devinez : eh bien, ce sont des krugerrands. De l'or pur que Maria possède personnellement pour le cas où quelque chose irait mal. Parce que l'argent des *gadji*, c'est du papier qui peut faire *pftt* un jour ou l'autre. Que pensez-vous de ça, hein ? Que pensez-vous d'une famille qui rembourse le prix d'achat ? »

Tout ce que je pus répondre, c'était que je trouvais cela très généreux. Hollier nous écoutait. L'air sombre, il resta silencieux. Mais Yerko n'en avait pas fini avec moi.

« Dites-moi, prêtre Simon, vous avez une drôle d'église. Je sais que vous êtes un bon prêtre — un vrai prêtre, très puissant —, mais j'ai regardé partout et qu'est-ce que j'ai vu ? Aucun bèbè Jésus. Nulle part ! Pas une seule peinture, pas une seule statue. Il y avait un tas de vieux saints derrière l'autel, mais pas de bèbè Jésus ni de Sainte Vierge. Est-ce que votre église ne sait pas qui est bèbè Jésus ?

— Bèbè Jésus est partout dans notre chapelle, croyez-moi, Yerko.

— Je ne l'ai pas vu. Je veux voir, ensuite je "crois".

Là-dessus, Yerko s'éloigna à pas feutrés pour aller prendre une autre coupe de champagne qu'il vida d'un trait.

« Je suis plus ou moins d'accord avec Yerko, dis-je à Hollier : nous devrions manifester notre foi plus clairement dans nos églises. Nous l'avons tellement raffinée que nous l'avons presque escamotée.

— Foutaises. Vous ne pensez pas sérieusement ce que vous dites. Ce genre d'attitude mène directement aux statues de plâtre de la plus vile espèce. Je déteste tout ça, Sim. J'abhorre cette ethnicité affectée — prix d'achat et pieds nus. Dans un instant, nous serons tous en train de danser en criant et en répandant du vin.

— Je croyais que c'était justement votre truc : l'esprit sauvage en action. Les ébats débridés et échevelés.

— Pas quand c'est juste pour l'effet. Cela me fait penser à ces danses de la pluie que les Indiens sont priés d'exécuter pour des hommes politiques en visite. »

Comme, à en juger par sa mine, Hollier ne semblait pas s'être encore entièrement remis de son choc traumatique, je ne le contredis pas. Mais il devina ma pensée.

« Excusez-moi, dit-il. Il faut que je porte un toast à la mariée, et faire des discours me met toujours dans un drôle d'état. »

Ses craintes étaient tout à fait vaines : les Machinchose et les Machintruc étaient de vrais Wasps* canadiens ; il y avait peu de chances qu'ils enlèvent leurs chaussures ou chantent. Powell, l'acteur, servait de maître de cérémonies. Quelques minutes plus tard, il demanda le silence pour que Hollier pût parler — ce qu'il fit, avec une solennité un peu trop sévère pour un mariage. Cependant, je lui fus reconnaissant de ses paroles.

« Chers amis, en ce jour heureux, je suis particulièrement honoré d'avoir été invité à porter un toast à la mariée. Je bois à sa santé avec un sentiment de profonde tendresse car

* White Anglo-Saxon Protestant (N.d.T.).

je l'aime comme un professeur pour lequel elle a été la plus enrichissante et la plus satisfaisante des élèves.

« Vous savez, nous les professeurs, nous ne pouvons donner le meilleur de nous-mêmes que lorsque nous avons de très bons étudiants ; or Maria m'a fait me surpasser et me surprendre moi-même ; ce que je lui ai apporté — et je n'aurai pas la stupide modestie de dire que c'était peu — m'a largement été payé en retour par la merveilleuse chaleur de sa réaction. Elle est aujourd'hui entourée de ses deux familles. D'une part, sa mère et son oncle, qui représentent si clairement la splendide tradition de l'Est et du passé ; de l'autre, le père Darcourt et moi-même, qui sommes ici en tant que serviteurs dévoués d'une autre tradition que Maria a proclamée sienne et à laquelle elle a apporté ses grandes aptitudes. L'une de ses mères, la *phouri dai*, la mère de la Terre, est parmi nous dans toute sa magnificence ; mais l'autre, l'*Alma Mater*, la généreuse mère de l'université, du vaste monde du savoir et de la pensée spéculative — dont l'université fait partie —, se trouve tout autour de nous. Avec pareil héritage, il est presque superflu de lui souhaiter le bonheur, mais je le fais tout de même, du fond du cœur. Je lui souhaite, à elle et à son mari, une longue vie et toutes les joies que peuvent apporter l'union des racines et de la cime. Ceux qui connaissent l'enthousiasme de Maria pour Rabelais comprendront que je lui présente mes vœux avec les mots mêmes de cet auteur : *Vogue la galère — tout va bien*\* ! »

Les Machinchose et les Machintruc applaudirent poliment. Ils semblaient un peu écrasés par les paroles de Hollier : sans doute s'étaient-ils attendus aux plaisanteries avunculaires qui accompagnent généralement ce genre de toast. Puis Arthur fit lui aussi un discours, qui ne contribua en rien à alléger l'atmosphère. Se marier, dit-il, c'était participer à un jeu dangereux où les enjeux ne peuvent être plus élevés : une

---

\* En français dans le texte (N.d.T.).

vie plus riche ou une vie diminuée et limitée. C'était un jeu
pour adultes.

Les allocutions de mariés sont presque toujours épouvantables, mais je trouvai celle-ci particulièrement embarrassante.

Quand les toasts prirent fin et qu'il fut temps pour moi
de partir — en tant que prêtre, je sais que je dois quitter la
fête avant que quelqu'un ne soit trop visiblement ivre ou
que n'éclate quelque dispute familiale, voire une rixe —,
j'allai prendre congé de Maria.

« Nous reverrons-vous le semestre prochain ? demandai-je,
incapable de trouver quelque chose de plus original.

— Je n'en suis pas encore sûre. Il me faudra peut-être un
an pour m'habituer au mariage. Mais je reviendrai. Comme
l'a dit Clem, l'université est ma maison, et vous et lui êtes
ma famille. Merci mille fois, cher Simon, de m'avoir mariée
à Arthur, et merci pour cette année. Vous m'avez appris
tellement de choses, Clem et vous.

— C'est très gentil à vous de dire ça. »

Mais alors passa sur le visage de ma Maria une expression
malicieuse que je ne lui avais encore jamais vue.

« Mais celui qui m'a le plus appris, c'est Parlabane.

— Que pouvez-vous avoir appris de ce voyou ?

— Ne sois pas une autre si tu peux être toi-même.

— Mais vous avez appris cela de Paracelse !

— Je l'ai *lu* dans Paracelse, mais je l'ai *appris* de Parlabane.
Il était un ange rebelle, lui aussi. »

Hollier partit avec moi. Il avait l'air si déprimé que
j'hésitais à le quitter.

« Vous devriez rentrer chez vous et vous reposer un peu,
dis-je.

— Je ne veux pas rentrer chez moi. »

Je le comprenais. La compagnie de Mme Hollier mère
n'était pas précisément ce dont avait besoin un homme qui
venait de céder sa bien-aimée à un autre. Je lui dis le fond
de ma pensée.

« Écoutez, Clem, pour vous comme pour moi, cela ne sert

à rien de nous apitoyer sur nous-mêmes. Nous avons reçu de Maria tout ce qui nous revenait et nous lui avons donné tout ce que notre nature et les circonstances permettaient. Ne nous livrons pas au plaisir doux-amer du renoncement. Nous devons être nous-mêmes et admettre ce que nous sommes : des anges rebelles, je l'espère, et non une paire de stupides professeurs quadragénaires qui pleurent quelque chose qui n'aurait jamais pu être.

— Mais j'ai été tellement bête ! J'ai compris trop tard.

— Clem, ne crachez pas sur votre chance. Vous pensez avoir perdu Maria. Moi je dis que vous en êtes libéré. Rappelez-vous l'avenir que la *phouri dai* vous a prédit à Noël. La dernière carte, c'était la Fortune, la roue qui ne cesse de tourner. Elle a tourné en votre faveur, vous ne croyez pas ? Vous aurez le manuscrit Gryphius dès que Maria et vous pourrez de nouveau travailler ensemble. A votre âge et avec votre caractère, c'est là votre destin. Vous n'êtes pas un amant ; vous êtes trop magicien pour cela. Écoutez, allez dans votre appartement à Spook, faites une bonne sieste et venez dîner à Plougwright à six heures précises. C'est soir de réception.

— Non, non, cela ferait trop de monde autour de votre table.

— Eh bien, pas du tout. Un de nos invités s'est décommandé à la dernière minute. Il y a donc une place que le destin vous a manifestement réservé. A six heures pour l'apéritif. Six heures précises. Ne faites pas attendre le recteur. »

### 3

Cette soirée de réception fut particulièrement chaleureuse parce que c'était la dernière avant les longues vacances d'été et aussi parce que les caprices du calendrier faisaient que c'était la première depuis Pâques. Quand la première partie du dîner s'acheva et que les étudiants retournèrent à leurs occupations, il resta en bas les membres habituels plus trois invités : Hollier, George Northmore — un juge de la cour suprême de la province — et Benjamin Jubilei, de la bibliothèque universitaire.

Je me demandais dans combien de temps quelqu'un mentionnerait le meurtre de McVarish et qui le ferait. J'avais parié avec moi-même que ce serait Roberta Burns. Je gagnai. Je rapporterai encore une fois pour le *Nouvel Aubrey* comment ils jacassèrent devant leurs coupes pleines.

« Ce pauvre vieil Urky. Vous vous rappelez notre dernier dîner avec lui, à l'automne ? Il était si fier de son os pénien ! Il a essayé de me choquer, mais il avait affaire à trop forte partie. Il ne savait pas à quel point une femme intelligente d'âge mûr peut être coriace.

— C'était un oxonien de la vieille école, dit Penny Raven. Il croyait que les femmes étaient d'adorables créatures qu'on pouvait enflammer avec du bavardage obscène. En voilà un de parti sur la vingtaine qui restent encore sur le campus.

— Penny, ces paroles m'étonnent de vous, protesta Lamotte.

— Écoutez, Penny, le pauvre type est mort, dit Deloney. Laissons les ossements des vaincus reposer en paix.

— Oui, ajouta Hitzig, nous ne sommes pas des hyènes ou des biographes pour pisser sur les morts.

— Okay, dit Penny sans montrer le moindre signe de repentir. *De mortuis nil nisi hokum.*

— J'ai été à Oxford au moins aussi longtemps que McVarish, intervint le recteur, et je n'ai jamais pensé du mal des femmes.

— Oui, mais vous étiez à Balliol, monsieur. Toujours à l'avant-garde. Urky était à Magdalen — une tout autre race. »

Le recteur eut un sourire suffisant. Les vieilles rivalités d'Oxford demeuraient vivaces.

« Je me demande ce que va devenir sa collection d'objets

érotiques, dit Roberta Burns. Il avait une pièce très intéressante dans son entrée : un tire-botte pornographique.

— Un quoi ? »

Lamotte jouait les ingénus, comme il aimait le faire avec les personnes du sexe opposé.

« Oui, une femme nue en laiton, couchée sur le dos, jambes écartées. Vous mettez un pied sur sa figure, enfoncez l'autre dans sa fourche et arrachez votre botte ou votre caoutchouc. C'est assez pratique, mais ça offense ce qu'il me reste de sensibilité féminine.

— Je ne comprends pas ce que les gens trouvent à ces jouets dégoûtants, dit Lamotte. Tout au long de ma vie, j'ai observé que les biens d'une personne révèlent plus nettement son caractère que tout ce qu'elle peut dire ou faire. A condition, bien entendu, de savoir interpréter le langage des objets. »

Lamotte avait l'air de penser qu'il en était capable.

« Tout ce que nous trouverons jamais dans vos armoires, René, ce sont de vieilles et précieuses porcelaines, lança Deloney. D'après ce qu'on m'a dit, elles ne sont pas la preuve d'un goût infaillible.

— Quoi, quoi ? Racontez-nous ça », dit Roberta.

Lamotte rougit.

« Il paraît que René a une très belle collection de bourdaloues, expliqua Deloney.

— C'est-à-dire ?

— Des pots de chambre du XVIIIe siècle que les élégantes glissaient sous leurs jupes pendant les longs voyages dans une voiture glaciale.

— Non, dit Lamotte. Ils doivent leur nom à l'abbé Bourdaloue qui faisait des sermons interminables, mettant ainsi l'endurance humaine à rude épreuve. Mais qui vous a dit ça ?

— Ah, vous aimeriez bien le savoir, n'est-ce pas ? Sont-ils vraiment décorés d'images cochonnes ?

— Tant que je boirai de l'eau minérale et vous du porto, il n'y a guère de chance que vous le découvriez bientôt.

— Les esprits trop raffinés glissent souvent dans la grossièreté. Attention, René ! Nous vous avons à l'œil. »

Ici, ce fut Lamotte qui eut un sourire satisfait.

« Est-ce que vous parlez de l'abomination de la mort d'Urky McVarish ? cria Durdle de l'autre bout de la table, ce qui était tout à fait contraire à l'étiquette de la soirée. .

— Ah oui, le meurtre au ruban rose, dit Ludlow, le professeur de droit. Qu'en avez-vous pensé, monsieur le juge ?

— Je n'y ai pas compris grand-chose, répondit Northmore. J'ai lu tous les articles parus à ce sujet dans nos trois quotidiens, mais ils étaient si confus et contradictoires que tout ce que j'en ai retiré, c'est qu'un professeur avait été assassiné dans des circonstances assez originales. Je regrette que cette affaire n'ait pu passer en jugement. Nous aurions su alors ce qu'il y avait derrière... »

Roberta Burns pouffa. Le recteur haussa les sourcils.

« Nous aurions découvert la vérité au sujet des trois mètres de ruban rose cachés dans le rectum du cadavre. Pour quelle raison quelqu'un ferait-il une chose pareille ?

— Dans l'une des confessions, il était question de ''cérémonies''.

— Certes, monsieur Ludlow, mais de quel genre de cérémonie ?

— L'explication complète n'a été donnée que dans une lettre à la police que j'ai eu l'occasion de lire, répondit Ludlow. Il s'agit d'une histoire très compliquée ayant un rapport avec la reine Anne.

— Ne pourrions-nous pas parler d'autre chose ? demanda le recteur.

— Vous me raconterez ça plus tard, Ludlow », siffla le juge.

Mais la prière polie du recteur ne put arrêter le flot. Deloney demandait à Ludlow :

« Qu'est devenu le corps ?

— Vous voulez parler de celui de McVarish ? Je suppose qu'après avoir découvert ce qu'elle a pu, la police l'a rendu à sa famille.

— J'ignorais qu'il en eût une. »

Étant bien renseigné là-dessus, j'intervins.

« Il n'en avait pas. C'est donc l'université qui s'est chargée de tout. L'enterrement a eu lieu dans la stricte intimité. Seuls deux délégués du bureau du président étaient présents au crématoire.

— Comme ''cérémonie'', c'était plutôt modeste. Mais il devait bien y avoir un pasteur. Qui était-ce ? Vous, Simon ?

— Non. Moi j'ai célébré l'office pour le meurtrier, si ce genre d'information vous intéresse. Je l'ai toujours connu.

— Je pense que ce type, l'assassin, mérite des remerciements publics, déclara Elsa Czermak.

— Qu'aviez-vous donc contre Urky, Elsa ?

— Je veux dire : pour s'être supprimé et avoir évité au public les lourdes dépenses qu'aurait occasionné un procès. Cet homme devait avoir beaucoup de classe.

— Énormément, je peux vous l'assurer, dit Hollier.

— C'était bien un suicide, n'est-ce pas ? demanda Deloney. Il paraît qu'il a bu toute une bouteille de lotion antiparasitaire pour chiens. »

Je trouvais étrange d'entendre Hollier défendre Parlabane.

« Pas du tout. C'était un homme exceptionnel. Il avait de formidables dons intellectuels et un sens du style qui lui aurait certainement fait rejeter l'idée de se tuer avec une lotion antiparasitaire pour chiens.

— Ah oui, bien sûr : le livre. Le grand livre. Est-il vraiment aussi extraordinaire que ça ? demanda Durdle.

— Quand sera-t-il publié ? s'enquit Aronson. C'est vous qui êtes censé vous occuper de ça, n'est-ce pas, Hollier ?

— Pendant ma maladie, quelqu'un m'a déchargé de cette tâche. Il paraît que plusieurs éditeurs ont fait des offres,

mais l'affaire n'est pas encore conclue. Des cinéastes ont
demandé le droit d'en tirer un film sans même l'avoir lu.

— L'important, c'est que le manuscrit original aille à
la bibliothèque universitaire, dit Jubilei, un expert en
archivistique. Il a pris naissance dans cette université et a
conduit, dans l'histoire de celle-ci, à un incident irréversible,
aussi répréhensible soit-il. Sa place est donc où je viens de le
dire.

— Il a été légué à la bibliothèque de son ancien collège,
dit Hollier. Saint John and the Holy Ghost. Spook, pour
vous.

— Je doute qu'une aussi petite bibliothèque sache le
traiter comme il faut, dit Jubilei. Pouvez-vous garantir qu'il
sera conservé, page par page, entre des feuilles de papier
anti-oxydant ? »

Pensant au terrible torchon qu'était le manuscrit de
Parlabane, je ne pus m'empêcher de sourire.

« Je ne vois pas comment vous pouvez parler d'''incident''',
dit Durdle. C'est *notre* crime, ne comprenez-vous pas, un
crime superbe, qui plus est. Combien d'autres universités
peuvent se vanter d'une chose pareille : d'un *crime* reconnu,
incontestable ? Cela nous donne une qualité toute particulière, nous met au-dessus de toutes les autres universités de
ce continent. Même la presse étrangère a mentionné ce
meurtre. Cela vaut au moins trois prix Nobel !

— Oh ! foutaises ! Comment pouvez-vous dire une chose
pareille ? protesta Stromwell.

— C'est vous, un médiéviste, qui me demandez ça ?
Qu'étaient les grands érudits du passé ? Des gens vénaux,
quémandeurs, effrontés, méprisants et querelleurs. Urky et
son assassin sont tout à fait dans la tradition, et ils étaient
aussi de grands humanistes. Qu'est l'érudit moderne ? Un
épouvantail dépenaillé pour le conventionnalisme bourgeois.

— Parlez pour vous, dit Stromwell.

— C'est ce que je fais ! C'est précisément ce que je disais
à ma femme ce matin, au petit déjeuner.

— Et qu'a-t-elle répondu ?

— Je crois qu'elle a dit oui chéri, puis elle a continué sa liste des provisions à acheter. Mais là n'est pas la question. Ce que je veux dire, c'est qu'un certain aspect grotesque, une originalité grinçante sont des éléments nécessaires au véritable savoir et confèrent à celui-ci un éclat particulier. Nous partageons tous la sombre splendeur de ce meurtre, la disparition d'Urky nous magnifie, et, dans un certain sens, le livre de son assassin est notre livre.

— Vous ne savez même pas si c'est un bon ou un mauvais livre. »

Pendant cette discussion, quelques-uns des autres convives essayaient de changer de conversation pour faire plaisir au recteur.

« Je tiens de bonne source que nous aurons bientôt un autre prix Nobel dans cette université, dit Boys.

— Quoi ? Il va l'avoir ? s'écria Gyllenborg.

— Nous ne pouvons en être absolument certains avant que la liste des récompenses ne soit officiellement annoncée, mais il n'y a que trois candidats possibles et il paraît que notre homme a toutes ses chances.

— C'est bien ce que j'ai pensé quand j'ai lu la conférence qu'il a faite pour la réception du Kober. Ozy a parlé comme un homme qui sait qu'il est venu pour troubler le sommeil du monde. Il va falloir que nous révisions notre façon de voir dans ce domaine. Les excréments : baromètre qui nous indique quotidiennement si notre corps — peut-être même notre esprit — tend à être sain ou malade. Bien entendu, Ozy s'appuie sur Sheldon, mais qui de nous ne s'appuie pas sur une œuvre du passé ?

— C'est cela qui donne de l'éclat à une université, dit le recteur, et non pas ces affreuses interruptions de l'ordre naturel.

— Vous inclinez toujours vers la lumière, monsieur le recteur. Il faut peut-être les deux aspects pour faire un tout.

— Certes, admit le recteur. J'avoue que je n'ai jamais

raiment aimé McVarish, mais une bonne théologie moderne
eut que l'on reconnaisse à chacun le droit d'aller en enfer à
à façon. »

Tandis que j'écoutais, je me sentis envahi d'une tristesse
qui était incontestablement colorée par cet apitoiement sur
oi que j'avais reproché tout à l'heure à Hollier. Bah, en des
rconstances où l'on ne peut compter sur la pitié d'autrui,
n est peut-être autorisé à montrer un peu de faiblesse. Je
édai donc, dans une certaine mesure, à ce sentiment facile,
t, à mon immense satisfaction, celui-ci se transforma bientôt
n une profonde tendresse.

*Vogue la galère\**, Maria. Que ton navire coure librement
s mers.

* En français dans le texte (N.d.T.).

# Table

IMPRIMERIE BRODARD ET TAUPIN À LA FLÈCHE
DÉPÔT LÉGAL AVRIL 1992. N° 12974 (1696F-5)